D1279857

Sourire en coin

NICCI FRENCH

Sourire en coin

Traduit de l'anglais par Alexis Champon

ÉDITIONS FRANCE LOISIRS

Titre original : *Secret smile*

Édition du Club France Loisirs,
avec l'autorisation des Éditions Fleuve Noir

Éditions France Loisirs,
123 boulevard de Grenelle, Paris
www.franceloisirs.com

ISBN 2-7441-9369-0

1

Je fais un rêve en ce moment, toujours le même, et à chaque fois je crois que c'est réel. J'évolue sur la patinoire le jour où j'ai rencontré Brendan. Le froid me mord la peau, j'entends le crissement des lames sur la glace, puis je l'aperçois. Il louche vers moi avec son drôle d'air, comme s'il m'avait remarquée mais qu'il avait l'esprit ailleurs. Il est beau, d'une beauté singulière que tout le monde ne perçoit pas. Il a des cheveux luisants comme des plumes de corbeau, un visage ovale, des pommettes saillantes, un menton qui avance, et la moue amusée que j'aime tant de celui à qui on ne la fait pas. Il me lance un regard, me dévisage, paraît réfléchir, puis s'avance pour me saluer. Dans mon rêve, je me réjouis : *Super, j'ai une seconde chance ! Ça n'arrivera pas. Cette fois, je peux l'arrêter avant que ça ne commence.*

Mais non. Je l'écoute en souriant et je lui réponds. Je n'entends pas les mots que je prononce, je ne sais pas de quoi il s'agit, mais ça doit être marrant parce que Brendan rit, rétorque quelque chose, et je ris à mon tour. Et tout recommence. Nous ressemblons aux acteurs d'une série télévisée à la mécanique bien huilée. Nous connaissons nos répliques par cœur, et je sais ce qui va nous arriver. Le garçon et la fille ne se sont jamais croisés, mais c'est un ami d'un ami à elle et ils s'étonnent de ne pas s'être rencontrés plus tôt. Dans le rêve, j'essaie de mettre un terme à la répétition ; je sais que c'est un rêve, et pourtant j'ai le sentiment que tout cela se déroule pour de bon. Une patinoire, c'est l'endroit idéal pour une rencontre, surtout quand ni le garçon ni la fille ne savent patiner. Ainsi, ils doivent s'appuyer l'un sur l'autre et le garçon est presque obligé d'enlacer la fille pour l'empêcher de tomber, ils s'aident mutuellement et ils rient de leur maladresse. Comme les lacets de la fille sont gelés, il l'aide à les dénouer, et, parce que c'est plus pratique, elle pose un pied sur ses genoux. Lorsque le groupe se sépare, il paraît tout naturel que le garçon demande son numéro de téléphone à la fille.

La fille est surprise par sa propre réticence. Elle s'est bien amusée, mais est-ce vraiment le moment d'entamer une liaison ? Elle regarde le garçon. Ses yeux brillent de froid. Il attend en souriant. Ça semble plus facile de lui donner son numéro, elle le lui donne donc, même si je lui hurle de ne pas le faire. Cependant, mon cri est silencieux et de toute façon elle, c'est moi, elle ne sait pas ce qui va se passer... mais, moi, je le sais !

Je m'étonne de connaître la suite de l'histoire. Je sais qu'ils vont se revoir deux fois – un verre, une séance de cinéma – et puis, sur son canapé, elle se dira : Pourquoi pas ? Alors, je réalise que si je sais ce qui va se passer, ça doit signifier que je ne peux pas y changer quoi que ce soit. Pas le moindre détail. Je sais qu'ils vont coucher ensemble deux autres fois... ou bien trois ? Et toujours dans l'appartement de la fille. La seconde fois, elle trouve une brosse à dents dans le verre, à côté du sien. Elle reste perplexe. Il faudra qu'elle réfléchisse à ce que cela implique. Elle n'en aura pas le temps. Parce que le lendemain après-midi, il aura décidé pour elle. C'est à ce moment-là – quand la fille rentre du travail, qu'elle ouvre la porte de son appartement – que je me réveille.

Après des semaines de grisaille et de crachin, l'après-midi s'annonçait clémente. Le ciel bleu commençait juste à perdre son éclat électrique, un vent vif secouait les feuilles luisantes des arbres. La journée avait été longue, et comme j'en avais passé la plus grande partie sur une échelle à peindre un plafond, j'avais mal au cou et au bras droit, le corps raide et douloureux, de la peinture sur les doigts et dans les cheveux. Je rêvais d'une soirée en solitaire ; un bain chaud, un dîner devant la télé en robe de chambre. Toasts au fromage, sans doute. De la bière bien fraîche.

J'entrai donc chez moi, laissai tomber mon sac... et je le vis ! Brendan était assis sur le canapé, ou plutôt allongé, les pieds surélevés. Une tasse de thé à portée de main, il lisait un livre qu'il referma en m'entendant.

— Miranda !

Il ôta ses pieds des coussins et se leva d'un bond.

— Je ne m'attendais pas à ce que tu rentres si tôt.

Il me prit par les épaules et m'embrassa sur la bouche.

— Tu veux du thé ? Il est encore chaud. Tu as l'air toute retournée.

Par où devais-je commencer, par quelle question ? Il savait à peine ce que je faisais. A quelle heure croyait-il que je terminais ? Surtout, que faisait-il chez moi ? On avait l'impression qu'il avait emménagé !

— Qu'est-ce que tu fais là ?

— Je suis entré. J'ai pris la clé sous le pot de fleurs. Ça ne t'ennuie pas, j'espère ? Tu as de la peinture dans les cheveux.

Je me baissai pour ramasser ce qu'il lisait. Un cahier d'exercices usagé, rouge passé, le dos déchiré. Je l'examinai d'un air hagard. C'était un de mes vieux journaux intimes.

— C'est secret, déclarai-je. Secret !

— Je n'ai pas pu résister, répondit-il avec son sourire espiègle.

Voyant mon expression, il m'arrêta d'un geste repentant.

— Tu as raison, je m'excuse. Mais je voulais

tout connaître de toi. Je voulais juste savoir comment tu étais avant qu'on se rencontre.

Il effleura gentiment mes mèches collées comme pour enlever la peinture qui les maculait. Je me dégageai.

— Tu n'aurais jamais dû.

Nouveau sourire.

— Bon, je ne recommencerai plus, assura-t-il d'un ton penaud. Ça te va ?

Je respirai à fond. Non, ça ne m'allait pas.

— Il remonte à tes dix-sept ans, dit-il. J'aime t'imaginer à cet âge.

Je le voyais déjà s'estomper dans le lointain. Il était sur le quai, moi dans le train qui quittait la gare, l'abandonnant pour toujours. Je cherchais comment le lui dire de façon claire et directe. Par exemple : « Non, ça ne marche plus entre nous », comme si la liaison était une machine qui avait des ratés, perdu une pièce essentielle. Ou bien : « On ne devrait pas continuer comme ça », comme si on était sur une route, qu'on arrivait à un croisement, et que la route se perdait dans les rochers et les ronces. On peut dire qu'on ne veut plus continuer à le voir, sauf que, bien sûr, ce qu'on ne veut plus, c'est qu'il nous touche, qu'il nous étreigne, qu'il nous désire. Et s'il demande pourquoi c'est fini, qu'est-ce que j'ai fait de mal, on ne répond pas qu'il nous énerve, qu'on ne supporte plus son rire, qu'on en aime un autre. Non, on dit : « Tu n'y es pour rien. C'est pas toi, c'est moi. » C'est ça qu'on a appris à répondre.

Avant même de savoir ce que j'allais faire, je m'entendis articuler :

— Je ne crois pas qu'on devrait continuer comme ça.

Sur le moment, il ne réagit pas. Puis, il fît un pas en avant et posa sa main sur mon épaule.

— Miranda, dit-il.

— Désolée, Brendan.

Je faillis ajouter quelque chose, mais je me ravisai.

Sa main reposait toujours sur mon épaule.

— Tu dois être épuisée. Tu devrais prendre un bain, te changer. Je repoussai sa main.

— Je parle sérieusement.

— Non, je ne crois pas.

— Quoi ?

— Tu vas avoir tes règles ?

— Brendan...

— Tu devrais les avoir maintenant, non ?

— Je ne joue pas, Brendan.

— Miranda.

Il s'adressait à moi d'une voix douce comme si j'étais une jument qu'il avait peur d'effrayer et qu'il me tendait un morceau de sucre pour m'amadouer.

— On a été trop heureux pour que tu veuilles arrêter comme ça. On a passé des jours merveilleux ensemble, des nuits...

— Huit.

— Quoi ?

— On ne s'est vus que huit fois. Peut-être même moins.

— Oui, mais à chaque fois, c'était génial.

Je ne rétorquai pas que je ne partageais pas son opinion, même si c'était effectivement le cas. On ne peut pas dire que ça ne signifie pas grand-chose, après tout, huit rencontres. Ce sont juste des choses qui arrivent. Je ne voulais pas avoir raison à tout prix, je ne voulais pas argumenter. Je voulais juste qu'il parte.

— J'ai organisé une soirée avec des amis à moi. On va prendre un verre ensemble et je leur ai dit que tu te joindrais à nous.

— Quoi ?

— Dans une demi-heure.

Je le regardai, incrédule.

— Juste un verre.

— Tu veux vraiment qu'on fasse semblant d'être toujours ensemble ?

— Il faut se laisser le temps de la réflexion.

On eût dit la recommandation d'un conseiller matrimonial à un couple marié depuis des années, avec enfants, et emprunts sur le dos. C'était si ridicule que je ne pus m'en empêcher. J'éclatai de rire. Je m'arrêtai aussitôt, honteuse de ma cruauté. Il esquissa un sourire qui ressemblait davantage à un rictus, une grimace ou à la menace d'un chien montrant ses crocs.

— Tu peux rire, dit-il enfin. Tu peux faire ça et rire !

— Désolée, fis-je d'une voix tremblante. C'est nerveux.

— C'est comme ça que tu faisais avec ta sœur ?

— Ma sœur ?

J'eus l'impression que l'air se refroidissait brutalement.

— Oui, ta sœur, Kerry.

Il prononça le nom d'une voix douce, d'un air songeur.

— Je l'ai lu dans ton journal intime. Je sais tout. Alors ?

J'allai à la porte et l'ouvris à la volée. Le ciel était encore bleu et la brise rafraîchit mon visage brûlant.

— Fiche le camp !

— Miranda !

— Dehors !

Il partit. Je refermai doucement la porte pour qu'il ne croie pas que je la lui claquais au nez, et me sentis soudainement nauséeuse. Je ne dînai pas devant la télé comme j'en avais rêvé. Je bus juste un verre d'eau et allai me coucher. Impossible de dormir.

Ma relation avec Brendan avait tourné court si rapidement que Laura, ma meilleure amie, alors en vacances, n'en avait pas eu vent. Et j'avais si vite occulté cette histoire qu'à son retour, lorsqu'elle m'avait téléphoné pour me parler des moments merveilleux qu'elle avait passés avec Tony, je n'avais même pas songé à lui raconter mon aventure avec Brendan. Je l'avais juste écoutée me parler de ses vacances, du temps splendide, de la cuisine délicieuse. Et quand elle m'avait demandé si je fréquentais quelqu'un, j'avais répondu par la négative. Elle m'avait glissé : « C'est marrant parce que c'est pas ce qu'on m'a dit. » J'avais rétorqué que ça ne valait pas la peine de le mentionner et que, de toute façon, c'était déjà terminé. Elle avait gloussé, insisté, réclamé des détails mais j'avais abrégé la conversation. Il ne s'était rien passé. Rien du tout.

2

Cela se produisit deux semaines après ma rupture avec Brendan. Nous travaillions dans une maison neuve de Blackheath toute en angles droits, en verre et pin. Je peignais le bois qu'on avait importé à grands frais de Suède. Il était deux heures et demie, je me tenais en haut de l'échelle et m'apprêtais à badigeonner le coin du plafond avec ma brosse quand mon portable avait sonné; il se trouvait dans la poche de ma veste. Je descendis, posai la brosse sur le couvercle et décrochai.

— Allô?

— Miranda, c'est Kerry.

C'était déjà assez inhabituel. Nous nous voyions régulièrement, tous les mois ou presque, en général chez nos parents. Nous nous téléphonions peut-être une fois par semaine, chaque fois sur mon initiative. Elle me demanda si j'étais libre le soir même. Elle n'avait pas encore tout organisé, mais insistait parce que c'était important. Sinon, elle ne me le demanderait pas. J'étais bien sûr forcée d'accepter. Je proposai un lieu de rendez-vous éventuel, mais elle avait tout prévu, un restaurant français de bonne facture qui venait d'ouvrir à Camden, près de chez moi, où elle comptait réserver une table pour vingt heures. Si elle ne me rappelait pas, ça signifiait que c'était réglé.

J'étais complètement déconcertée. Elle n'avait jamais rien organisé auparavant, c'était une première. Tout en tartinant l'immense mur à coups de brosse, j'essayais d'imaginer ce qu'elle pouvait avoir à me dire et ne parvenais pas à trouver de réponse à cette simple question : s'agissait-il d'une bonne ou d'une mauvaise nouvelle ?

En famille, quoi qu'on fasse, on est souvent enfermé dans un personnage aux contours immuables. Vous revenez de la guerre en héros, et ils ont toujours une anecdote prétendument drôle à raconter sur votre passage en maternelle. Seul un exil en Australie peut vous permettre d'échapper au rôle que vos parents vous font jouer – ou que vous croyez qu'ils vous font jouer.

C'est comme de se tenir dans une pièce carrelée de miroirs dans lesquels vous vous reflétez à l'infini. Ça vous file la migraine.

Je n'étais pas partie en Australie, je vivais à moins de deux kilomètres de la maison où j'avais grandi et je travaillais pour mon oncle parce qu'il est tout le contraire de mon père. Il coiffe parfois ses cheveux en queue-de-cheval, et c'est à peine s'il se rase. En outre, les riches et branchés se l'arrachent. Mon père le traite toujours de peintre-décorateur, et je me souviens encore que quand j'étais petite, il travaillait avec une bande de ringards et roulait dans une camionnette déglinguée, en général empruntée. Mais maintenant, l'oncle Bill – comme je ne l'appelle jamais – possède un grand bureau, une société, un accord lucratif avec une équipe d'architectes et il faut faire des pieds et des mains pour figurer sur sa liste d'attente.

Lorsque j'arrivai à *La Table,* à vingt heures passées d'une minute, Kerry était déjà là, assise devant un verre de vin blanc, une bouteille trônant dans un seau à ses côtés. Je compris aussitôt qu'elle s'apprêtait à m'annoncer une bonne nouvelle. Elle irradiait des pieds à la tête. Elle avait changé depuis notre dernière entrevue. Moi, je porte les cheveux courts, j'aime ça, et ça s'avère plus pratique au quotidien. J'évite ainsi de tremper de longues mèches dans de la résine ou de les coincer dans une perceuse. Kerry avait toujours manqué de personnalité ; elle arborait des cheveux mi-longs, des vêtements fonctionnels, rien d'original. Ce soir-là, elle avait les cheveux courts, elle aussi, et ça lui allait bien. Du reste, tout en elle semblait différent. Son maquillage, plus prononcé que d'ordinaire, mettait ses grands yeux en valeur. Elle portait également de nouveaux vêtements – pantalon pattes d'éléphant foncé, chemise en lin blanche et gilet... un gilet ! Elle dégageait une certaine délicatesse et affichait un enthousiasme que je ne lui connaissais pas. Elle me fit de grands signes et me versa un verre de vin.

— Santé ! Tu as de la peinture dans les cheveux, à propos.

Je voulais répondre ce que j'ai toujours envie de répondre : normal, je passe la moitié de ma vie dans les pots de peinture. Mais je ne le fais jamais, et je n'allais pas commencer un soir où Kerry paraissait si heureuse et impatiente. Impatiente. Elle ne pouvait pas être... ?

— Les inconvénients du métier, dis-je.

Je ne pouvais voir les traces de peinture qui maculaient ma nuque. Elle les gratta. Nous devions ressembler à deux guenons en train de s'épouiller en plein restaurant, mais j'allai jusqu'à me laisser faire. Elle déclara que ça ne voulait pas partir, ce qui me soulagea. Je bus une gorgée de vin.

— C'est pas mal, ici, constatai-je.

— Je suis venue la semaine dernière. C'est génial !

— Alors, comment va la vie ?

— Tu dois te demander pourquoi je t'ai téléphoné.

— T'as pas besoin d'avoir de raison particulière, mentis-je.

— J'ai du nouveau à t'apprendre. Tu vas être surprise.

Elle était enceinte. Bien sûr ! Ça ne pouvait être que ça. Toutefois, ça m'étonnait de la voir boire.

— J'ai un nouveau petit ami.

— C'est merveilleux, Kerry. Super !

J'étais encore plus perplexe qu'avant. J'étais ravie pour elle, réellement ravie, parce qu'elle n'avait pas connu de flirt depuis longtemps. D'ailleurs, ça l'inquiétait. Mes parents également, ce qui n'arrangeait rien, bien sûr. Mais toute cette mise en scène, cette annonce solennelle, c'était étrange.

— C'est difficile à dire, reprit-elle. C'est pour ça que je voulais t'en parler avant les autres.

— Difficile à dire ?

— Oui, c'est ça. C'est exactement ça. Ça ne devrait pas poser de problème si on s'arrange pour que ça n'en pose pas.

Je bus une autre gorgée de vin et me forçai à la patience. C'était une autre caractéristique de Kerry. Elle naviguait entre le mutisme et les cafouillages au point d'en devenir incohérente.

— Quel problème ?

— C'est quelqu'un que tu connais.

— Ah bon ?

— En réalité, c'est même davantage. C'est quelqu'un avec qui tu es sortie. Un ex à toi.

Je ne répondis pas tout de suite mais me mis à réfléchir en accéléré. De qui pouvait-il bien s'agir ? J'avais eu un gros béguin pour Lucas, mais il sortait maintenant avec Cleo. J'avais vécu avec Paul pendant un an et il avait certainement rencontré une ou deux fois Kerry. Mais ne vivait-il pas désormais à Edimbourg ? Il y avait bien eu quelques flirts au lycée, mais à cette époque, je voyais à peine ma sœur. J'essayai d'imaginer l'incroyable coïncidence qui aurait permis à Kerry et un type comme Rob de se rencontrer. Mais ils ne se connaissaient pas... non ? Ou peut-être remontait-ce à l'époque moyenâgeuse du primaire, avec Tom, par exemple. Oui, c'était ça. Il y avait peut-être eu une réunion d'anciens élèves...

— C'est Brendan, annonça-t-elle. Brendan Block.

— Quoi ? Qu'est-ce que tu racontes ?

— C'est incroyable, non ? Il va arriver. Il a pensé que ça serait sympa qu'on se retrouve tous les trois.

— Je ne te crois pas.

— Je sais que ça peut paraître bizarre...

— Où l'as-tu rencontré ?

— Je vais t'expliquer. Mais je veux juste te dire une chose avant que Bren arrive.

— Bren ?

— Je veux que tu saches, Miranda chérie, que

Bren m'a tout dit, et j'espère sincèrement que ça ne te fait pas trop de peine.

— Quoi ?

Kerry se pencha au-dessus de la table pour me prendre les mains. Elle me regarda d'un air compatissant.

— Miranda, je sais que ça a été dur pour toi quand vous vous êtes séparés.

Elle reprit son souffle et m'étreignit les mains.

— Je sais que c'est Bren qui a rompu. Il m'a dit à quel point tu étais bouleversée, furieuse, amère. Mais il espère que tu t'en es remise. Il affirme que pour lui, tout est réglé.

— Tout est réglé ?

A cet instant précis, Brendan Block fit son entrée dans le restaurant.

3

Kerry alla à la rencontre de Brendan ; il se baissa pour l'embrasser sur la bouche. Elle ferma les yeux, blottie contre lui. Elle se hissa sur la pointe des pieds et lui murmura quelque chose à l'oreille. Il acquiesça, me jeta un coup d'œil, la tête penchée sur le côté, un léger sourire aux lèvres. Il me fit un signe et vint vers moi, bras tendus. Je ne savais quelle attitude adopter. Je me levai à demi de mon siège, de sorte que lorsqu'il arriva à ma hauteur, j'étais courbée en deux, les genoux coincés par ma chaise.

— Miranda.

Il posa ses deux mains sur mes épaules, ce qui eut pour effet de me tasser davantage sur mon siège, et il me fixa droit dans les yeux.

— Oh, Miranda !

Il s'inclina pour m'embrasser sur la joue, trop près de la bouche. Kerry, qui avait réussi à l'enlacer par la taille, en profita pour se pencher vers moi, de sorte que nos trois visages se retrouvèrent un instant, horreur ! à quelques centimètres les uns des autres, et je vis la sueur perler sur la lèvre supérieure de Brendan et la petite cicatrice sur le sourcil de Kerry, souvenir d'un coup de pelle en plastique que je lui avais donné quand j'avais quatre ans et elle six. Nous étions si proches que je sentis l'odeur de savon de Brendan et le parfum de ma sœur, ainsi qu'une pointe d'aigreur dans l'air. Je me dégageai et m'écroulai sur ma chaise, soulagée.

— Kerry t'a dit ?

Il s'était assis entre Kerry et moi ; nous étions serrés comme des harengs autour d'un quart de la table, les genoux collés. Il posa une main sur celle de Kerry tout en parlant, et elle lui jeta un regard énamouré.

— Oui, mais je...

— Et tu es sûre que ça va ?

— Pourquoi ça n'irait pas ? dis-je.

Je m'aperçus que j'avais répondu à une question qu'il n'avait pas posée. Je devais donner l'impression d'être crispée, bouleversée, ce qui était certes le cas, un petit peu, du moins. N'importe qui l'aurait été à ma place. Je les surpris en train d'échanger un coup d'œil.

— J'imagine que ça doit être dur pour toi.

— Pas du tout, assurai-je.

— C'est très généreux de ta part. Ça ne m'étonne pas de toi. J'avais dit à Derek et à Marcia que tu réagirais comme ça, qu'ils ne devaient pas s'inquiéter.

— Papa et maman ?

— Oui, acquiesça Kerry. Ils ont rencontré Bren il y a deux jours. Il leur a beaucoup plu. Forcément. A Troy aussi, et tu sais combien il est difficile à séduire.

Brendan esquissa un sourire modeste.

— Il est sympa, fit-il.

— Et tu leur as dit... ?

Je ne savais pas comment terminer ma phrase. Je me souvins soudain du coup de fil de la veille, lorsque mes parents m'avaient tous deux parlé, l'un après l'autre, et demandé comment je me portais. Je commençai à avoir un tic sous l'œil gauche.

— Oui, je leur ai expliqué que tu comprendrais parce que tu as du cœur, annonça Brendan.

En pensant à tous ces gens qui parlaient derrière mon dos de la façon dont j'allais probablement réagir, je sentis la rage monter

— Si je me souviens bien, c'est moi qui...

Brendan m'arrêta d'une main – sa grosse patte blanche, ses poignets velus. Poignets velus, lobes d'oreilles démesurés, nuque épaisse. Des souvenirs resurgirent que je refoulai aussitôt.

— Restons-en là pour l'instant. Tu as tout ton temps.

— Miranda, me supplia Kerry. Bren leur a seulement raconté ce qu'ils avaient besoin de savoir.

Je lui coulai un regard ; son visage brillait d'une joie béate que je ne lui avais jamais vue. Je déglutis avec peine et me plongeai dans le menu.

— On commande ? proposai-je.

— Bonne idée. Je crois que je vais prendre la *daurade*[1], répondit Brendan en roulant le « r ».

Je n'avais plus faim.

— Juste un steak frites, dis-je. Sans les frites.

— Toujours au régime ?

— Quoi ?

— Tu n'en as pas besoin, assura Brendan. Tu es très bien comme ça. N'est-ce pas, Kerry ?

— Oui. Miranda a toujours été très belle.

Kerry eut une moue amère, comme si elle l'avait répété trop souvent.

— Je vais choisir le saumon, avec une salade verte.

— Si on prenait une bouteille de chablis ? proposa Brendan. Tu veux un verre de rouge avec ton steak, Mirrie ?

1. En français dans le texte. *(N.d.T.)*

Manquait plus que ça ! J'aimais mon prénom parce qu'il n'autorisait pas de diminutif. Jusqu'au jour où j'avais rencontré Brendan. Mirrie me faisait l'effet d'une faute d'orthographe, d'une coquille.

— Non, le blanc, c'est parfait.

— Tu es sûre ?

— Oui.

J'agrippai la table.

— Merci.

Kerry se leva pour se rendre aux toilettes ; il esquissa un sourire en coin en la regardant se frayer un chemin entre les tables. Il passa la commande avant de se tourner vers moi.

— Alors...

— Miranda.

Il se contenta de sourire en posant sa main sur la mienne.

— Vous êtes très différentes l'une de l'autre.

— Je sais.

— Non, je veux dire, différentes à un point que tu ne peux même pas imaginer.

— C'est-à-dire ?

— Que je suis bien placé pour faire des comparaisons, précisa-t-il en me souriant d'un air mielleux.

Je ne compris pas tout de suite. Je retirai ma main.

— Ecoute, Brendan...

— Ah, te voilà, chérie !

Il dirigea son regard au-dessus de moi, puis se

leva pour aider Kerry à s'asseoir, posant une main sur sa tête pendant qu'elle s'installait. Les plats arrivèrent. Mon steak gras et saignant glissa dans l'assiette lorsque j'essayai de le couper. Brendan m'observa en train de me débattre, puis héla la serveuse au passage, lui dit quelques mots en français, une langue que je ne comprends pas, et elle m'apporta un couteau à viande.

— Brendan a vécu à Paris, me dit Kerry.

— Ah!

— Mais tu le savais déjà, j'en suis sûre.

Elle me regarda, puis détourna les yeux. Je n'arrivai pas à déchiffrer son expression : était-ce de la suspicion, de la rancœur, du triomphe ou de la simple curiosité ?

— Non, je l'ignorais.

Je savais très peu de choses sur Brendan. Il m'avait confié être entre deux jobs, avait mentionné un cours de psycho, un voyage de plusieurs mois en Europe, mais hormis ces détails je ne connaissais quasiment rien de sa vie. Je ne m'étais jamais rendue chez lui, n'avais jamais rencontré ses amis. Il ne parlait pas de son passé et s'était montré très vague sur ses projets. Forcément, nous étions restés très peu de temps ensemble. Au stade où l'on commence à approfondir une relation, je l'avais surpris à fouiner dans mon journal intime.

Je réussis enfin à enfourcher un morceau de steak et à le mastiquer avec application. Brendan se fourra un doigt dans la bouche pour en extraire une fine arête qu'il déposa avec soin sur le bord de son assiette avant de faire glisser son poisson avec un verre de vin blanc. Je détournai les yeux.

— Alors, demandai-je à Kerry, comment vous êtes-vous rencontrés ?

— Oh, fit-elle en coulant un regard en biais vers Brendan. Par accident, en réalité.

— Ce n'était pas un accident, protesta Brendan d'un ton enjôleur, c'était le destin.

— Je me baladais dans le parc, un soir après le travail, il commençait à pleuvoir et ce type...

— Elle doit parler de moi...

Kerry gloussa.

— Exactement, Bren. Il m'a dit que mon visage lui était familier. Tu ne serais pas Kerry Cotton, par hasard ?

— Je l'ai reconnue grâce à la photo, bien sûr. Quand je l'ai vue devant moi sous la pluie, j'ai tout de suite fait le rapprochement.

— Il m'a déclaré qu'il te connaissait... Enfin, il ne s'est pas étendu, tu sais... Il m'a juste dit qu'il te connaissait. Puis il m'a proposé de partager son parapluie...

— Je suis un gentleman, glissa Brendan. Tu me connais, Mirrie.

— Nous avons marché, même s'il pleuvait des cordes. L'eau ruisselait dans nos chaussures et imbibait nos vêtements.

— Mais on a continué malgré l'averse, intervint Brendan en posant sa main sur la tête de

Kerry et en lui tapotant les cheveux. Hein, mon chou ?

— On dégoulinait, confirma Kerry. Alors, je l'ai invité à venir se réchauffer à la maison...

— Je lui ai séché les cheveux, reprit Brendan.

— Ça va, coupai-je en faisant semblant de rire. J'ai compris pour la pluie, passons au chapitre suivant.

— Tu n'imagines pas à quel point je suis soulagée que tu saches, avoua Kerry. Quand j'ai appris pour vous deux, euh, j'ai d'abord cru que ça allait tout flanquer par terre. Je ne ferais jamais rien qui puisse te faire de la peine. Tu le sais, j'espère ?

Elle était vraiment mignonne, douce, mince, radieuse. Je ressentis un pincement au cœur.

— Vous méritez d'être heureux, répondis-je en tournant le dos à Brendan pour m'adresser à elle.

— Je le suis, fit-elle. Nous ne nous connaissons que depuis quelques jours, dix pour être précise, et ça ne fait pas longtemps que vous vous êtes séparés... Euh, tu sais... Je ne devrais peut-être pas te le dire, mais je ne me souviens pas d'avoir jamais été aussi heureuse.

— Super ! m'exclamai-je.

Dix jours !

Nous mangeâmes, nous bûmes, nous trinquâmes. Je souris, approuvai, plaçai les oui et les non aux bons endroits, et pendant tout ce temps je songeais : non, ne pense pas. Oublie la façon dont son bide débordait légèrement de son caleçon, oublie ses épaules velues...

Finalement, je consultai ma montre, fis mine d'être surprise, alors qu'il n'était que neuf heures et demie, et leur expliquai que je devais rentrer... Je commence tôt demain, j'habite loin, pas le temps de prendre un café, désolée... Nous dûmes endurer la comédie des embrassades, Kerry me serra dans ses bras, Brendan m'embrassa, encore une fois trop près des lèvres, et je résistai à l'envie irrépressible d'essuyer sa bave d'un revers de la main, puis on jura de se retrouver tous très bientôt, c'était vraiment sympa de se voir, on a passé une excellente soirée...

Brendan m'accompagna à la porte.

— Il a plu, dit-il.

J'ignorai sa remarque.

— C'est une incroyable coïncidence, avançai-je.

— Hein ?

— Je casse avec toi, quelques jours plus tard, tu tombes sur ma sœur dans la rue et vous commencez à sortir ensemble. C'est difficile à croire.

— Il n'y a pas de coïncidence, assura Brendan. Il n'est peut-être pas surprenant que je tombe amoureux de quelqu'un qui te ressemble.

Je portai mon regard par-dessus l'épaule de Brendan vers Kerry, toujours attablée. Elle me fixa, me gratifia d'un petit sourire nerveux et détourna les yeux. Je souriais à Brendan pour que Kerry pense que nous poursuivions une conversation amicale.

— C'est une mauvaise plaisanterie ? demandai-je.

Il parut interloqué et quelque peu blessé.

— Une plaisanterie ?

— Si tu te sers de ma sœur pour me récupérer...

— Ne sois pas aussi égocentrique, si je puis me permettre.

— Ne lui fais pas de mal. Elle mérite d'être heureuse.

— Ne t'inquiète pas. Je sais comment y parvenir.

Je n'aurais pu passer une seconde de plus en sa compagnie. Je rentrai chez moi à pied à travers les rues humides, respirant à fond, offrant mon visage à la fraîcheur nocturne. Etait-il réellement tombé amoureux de Kerry ? Etait-ce si important de savoir comment ils s'étaient rencontrés ? Je marchai de plus en plus vite jusqu'à ce que mes jambes déclarent forfait.

Je pense souvent à la chronologie des naissances dans une famille, à leur influence sur notre comportement. Aurais-je été différente si j'avais été l'aînée ? Et Kerry, la cadette ? Se serait-elle montrée plus sûre d'elle-même, plus extravertie, un peu à mon image ? Et Troy, le petit dernier, arrivé neuf ans après moi ? S'il n'avait pas été livré à lui-même, l'accident inattendu, qu'est-ce que ça aurait changé pour lui ? S'il avait eu des frères qui lui avaient appris à jouer au foot américain, à se battre, l'avaient initié aux jeux informatiques violents, au lieu de grandir avec des sœurs qui le chouchoutaient tout en l'ignorant ?

Mais nous devions nous débrouiller avec ce que nous avions reçu. Kerry, l'aînée, avait dû montrer la voie, même si elle détestait le rôle de leader. J'étais la seconde, impatiente de grandir, rêvant d'être la première, essayant toujours de la dépasser, de l'écarter de mon chemin. Et Troy était le benjamin, le seul garçon – le dernier, mais presque le premier aussi, frêle, de grands yeux rêveurs, un peu bizarre.

J'entrai chez moi. Je commençais tôt le lendemain, c'était vrai, mais je n'arrivai pas à m'endormir tout de suite. Je me tournai et me retournai dans mon lit, cherchant un coin frais sur l'oreiller. Je n'avais pas de photo de Kerry chez moi, naturellement ! Mais de toute façon je n'avais pas cru à l'histoire de Brendan, alors quelle importance ? Il avait jeté son dévolu sur Kerry parce que c'était ma sœur. Considéré sous un certain angle, ça aurait pu être romantique.

4

En voiture, lorsque je rentrai chez moi le lendemain après le travail, les immeubles tremblotaient dans le crachin, le ciel était chargé et incertain. A cette même heure en été, il ferait encore jour pendant longtemps, mais maintenant les gens tiraient leurs rideaux, éteignaient les lumières. Chez moi, j'ôtai ma salopette, pris une douche rapide, restai trente secondes sous l'eau tiède avant de me sécher, d'enfiler un jean trop ample et un T-shirt à manches longues. Qu'est-ce que Brendan avait dit à propos de mon poids ? Je m'examinai dans la glace d'un œil critique. Je devrais peut-être faire du jogging. Tous les matins avant le boulot. Quelle horreur !

Le téléphone sonna au moment où je m'apprêtais à sortir pour rejoindre Laura.

— Miranda ?

— Ah, bonjour, maman !

— J'ai essayé de t'appeler plus tôt, mais ça ne répondait pas.

— Mon répondeur est saturé.

— Comment vas-tu ?

— Super.

— C'est bien vrai ?

Je n'étais pas décidée à lui faciliter la tâche.

— Je vais bien, maman. Juste un peu fatiguée.

J'ai beaucoup de boulot avec l'absence de Bill. Comment tu vas ? Et papa ?

— J'ai parlé à Kerry. Elle dit que vous avez passé une agréable soirée.

— J'étais contente de la voir.

Je marquai une pause avant d'ajouter :

— Brendan aussi.

— Miranda, tu as été très chic. Ne va pas croire que nous n'apprécions pas les efforts que tu fais. J'aurais bien sûr préféré que tu nous en parles quand c'est arrivé. Ça me fait de la peine, Miranda, j'aimerais tant que tu te confies à moi quand tu es malheureuse.

— Je n'avais rien à dire. Vous vous faites des idées.

— Si ça peut te consoler, Kerry est métamorphosée. Tu as dû le remarquer, toi aussi. Elle n'est plus la même. Ça me fait plaisir. Mais ça m'inquiète en même temps.

— Tu veux dire que Brendan risque de la plaquer ?

— Oh, ne dis pas ça ! D'ailleurs, il a l'air de l'adorer, lui aussi.

Je gardai le silence une seconde de trop.

— Miranda ? interrogea-t-elle d'une voix dure. Tu n'es pas d'accord ?

— Ils m'ont paru tous les deux très heureux, assurai-je.

— Alors, ça va, c'est bien vrai ?

— Mais oui, maman, bon, je vais être en retard.

— Entendu, mais avant que tu files, on te voit ce week-end ? Que dirais-tu de dimanche midi ? On sera tous réunis.

— Tu veux dire, avec Brendan ?

— Avec Brendan et Kerry, oui.

Mon ventre se noua.

— Je ne suis pas sûre d'être libre.

— Je sais que c'est difficile pour toi, Miranda, mais je crois que c'est important.

— C'est pas difficile. Pas du tout. Je ne sais pas si je pourrais me dégager de mes obligations, c'est tout.

— Alors, samedi midi ? Ou même le soir si ça t'arrange. Tu seras vraiment absente tout le week-end ?

— D'accord pour dimanche, acquiesçai-je, vaincue.

— Ça sera très simple. Tu verras, tu seras à l'aise.

— Je sais, maman ! Je ne me bile pas. Pas le moins du monde. Vous vous faites tous des idées fausses.

— Tu pourrais venir accompagnée, si tu veux.

— Hein ?

— Avec quelqu'un. Si tu as quelqu'un...

— Je n'ai personne pour le moment.

— Oui, c'est vrai, il est peut-être encore un peu tôt.

— Il faut que je file, maman.

— Miranda ?

— Oui ?

— Oh, rien... C'est juste que... tu as toujours été celle qui avait de la chance. C'est au tour de Kerry. Ne te mets pas en travers de son chemin.

— Ne sois pas ridicule.

— S'il te plaît !

Je l'imaginais agrippant le combiné d'une main crispée, je voyais son visage tendu, son éternelle mèche qui tombait sur l'œil.

— Tout ira bien, assurai-je, afin de couper court. Je te promets de ne rien faire pour me mettre en travers de son chemin. Maintenant, il faut vraiment que j'y aille. Je te verrai demain en passant prendre Troy.

— Merci, Miranda chérie, dit-elle avec presque des sanglots dans la voix. Merci.

— Je ne le connais pas, si ?

Nous étions assises en tailleur par terre, adossées au canapé, mangeant des pommes de terre au four. Laura avait ajouté de la crème fermentée, j'avais ouvert la mienne en deux et l'avais copieusement tartinée de beurre avant de la saupoudrer de fromage râpé. C'était reposant. Dehors, il faisait déjà nuit et il pleuvait.

— Non, ça n'a pas duré assez longtemps. Quand tu es partie à Barcelone, ça n'avait pas commencé, et quand tu es rentrée, c'était déjà fini.

— C'est toi qui as rompu ?

— Oui.

— Alors, pourquoi ça t'ennuie ?

— Ça ne m'ennuie pas, affirmai-je avant de réfléchir.

— Si, ça se voit.

Je pris mon temps avant de répondre.

— Si, d'accord. C'est parce que ça craint. Ça fait... incestueux. Et dire que maman et les autres croient que c'est moi qui me suis faite larguer ! Que j'ai un chagrin d'amour ! Ça me fout les boules !

— Oui, ça doit être énervant, mais d'un autre côté, c'est marrant.

— C'est pas marrant du tout ! Elle l'appelle « Bren ».

— Et alors ?

— Il m'appelle « Mirrie ».

— Ah, la famille ! fit Laura.

Elle s'essuya le menton.

— Mirrie ! Tu trouves que je réagis violemment ?

— Un peu.

— T'as raison, je prends ça trop à cœur.

J'avais fini ma pomme de terre, il ne restait que la peau croustillante. Je rajoutai du beurre et mordis dedans. Puis je bus une grande rasade de vin. Je n'avais pas envie de bouger ; il faisait bon, j'étais rassasiée et agréablement fatiguée ; dehors, le vent agitait les feuilles et les voitures fonçaient dans les flaques d'eau.

— Comment ça va avec Tony ? demandai-je au bout d'un moment.

— Oh, bien... J'imagine.

Je la regardai. Elle avait repoussé ses cheveux

brillants derrière ses oreilles, ce qui lui donnait un air juvénile.

— Tu imagines ? Ça veut dire quoi ?

— Ça va. Tu sais, c'est juste que... des fois...

— Des fois ?

— Des fois, je me demande ce qui va se passer après.

Elle fit une moue et remplit nos verres.

— On est ensemble depuis trois ans. Est-ce qu'on continue comme ça ? Je crois que c'est ce que Tony aimerait, année après année, qu'on continue à être bien ensemble, comme si on était déjà mariés... sauf qu'on habite séparément. Ou alors, on vit ensemble... mais pour de vrai. On achète un appart. Un frigo. De la vaisselle. On range nos livres et nos CD côte à côte. Voilà. Sinon, qu'est-ce qu'on fait encore ensemble ? Il faut aller de l'avant, tu ne crois pas ?

— J'en sais rien. Je ne suis jamais restée avec un mec aussi longtemps.

— Tout est là. Tu mènes une vie pleine de drames et d'imprévus.

— Moi ?

— Les aventures, les ruptures.

— Et le vide.

— Oui, fit-elle. Mais je n'ai que vingt-six ans. Est-ce que cette façon de vivre est déjà derrière moi ? C'est ça ?

— Tu veux habiter avec lui ?

— Euh, des fois je me dis que ça serait...

On entendit du bruit dans la serrure et la porte s'ouvrit à la volée.

— Salut ! lança Tony d'un ton guilleret en laissant tomber son sac dans le couloir, ôtant à coups de pied ses chaussures avant de les envoyer valser contre les plinthes.

Il entra dans la pièce, les cheveux trempés collés sur son front, les joues rouges.

— Tiens, salut, Miranda ! Ça va ?

Il se courba pour embrasser Laura, elle lui caressa la joue et lui sourit. Ils avaient l'air de bien s'entendre.

Il attendait devant la porte et tandis que je me garais, il traversa le jardin en courant. Il ne pouvait me faire signe à cause de l'énorme sac en plastique qu'il tenait dans une main et le sac à dos dans l'autre, mais son visage pâle resplendissait, il souriait et me disait quelque chose que je ne pouvais entendre. Il trébucha sur le sentier, faillit tomber. Son sac à dos lui fouettait les jambes, mais il souriait toujours en articulant je ne sais quoi. Il est parfois plus douloureux de voir Troy heureux que déprimé.

— Salut ! dit-il en ouvrant la portière.

Il escalada le siège, son corps anguleux s'emmêlant avec ses sacs.

— Comment ça va ?

— Bien, assura-t-il. Super. Vraiment super.

En attachant sa ceinture, il l'enroula aussi autour des sacs.

— Je commence à apprendre la guitare. Tu te souviens de ta vieille guitare ? Figure-toi que je l'ai retrouvée dans le débarras. Elle est un peu nase, mais ça change pas grand-chose pour l'instant. A part ça, j'ai eu envie de nous faire un superdîner, t'es d'accord ? J'ai apporté la bouffe. T'avais d'autres projets ?

— Non, répondis-je. Pas de projets. Qu'est-ce qu'on mangera ?

— Des profiteroles salées en entrée. J'ai vu la recette dans le bouquin de maman, il paraît que c'est vachement simple. Je n'ai rien à mettre dedans, mais j'imagine que tu as du fromage. Ou du thon. Tu dois bien avoir une boîte de thon quelque part, même toi ? Ensuite des kebabs. Faut d'abord que je les fasse mariner, ça va peut-être prendre du temps. Je commencerai en arrivant. J'ai pas pensé au dessert. T'en veux vraiment ? Je me suis dit qu'on pouvait juste manger l'entrée et les kebabs, ça suffit. Je pourrais faire un gâteau de riz. Ah, merde, on mange déjà du riz avec les kebabs, ça ferait trop.

— Pas de dessert, consentis-je.

J'imaginais déjà le souk !

Tous les jeudis, je vois Troy. C'est un accord entre nous depuis deux ans, quand il a eu quinze ans, et les ennuis qui vont avec. Je passe le prendre chez mes parents après le travail et je le reconduis le soir, ou il dort sur mon canapé-lit. Parfois, on va au cinéma ou au concert. De temps en temps, il rencontre mes amis. Jeudi dernier, je l'ai emmené au pub avec Laura et Tony et deux autres copains, mais il était d'humeur léthargique, et, après sa première gorgée de bière, il s'est endormi, la tête sur la table. Parfois d'une timidité maladive, parfois je-m'en-foutiste, il ouvre un livre en plein milieu d'une conversation, ou s'en va quand l'envie lui en prend.

Le plus souvent, on va chez moi et on fait des trucs ensemble. Ces derniers temps, il s'était mis à la cuisine, avec des résultats contrastés. Il s'emballe vite et se lasse tout aussi rapidement. Il a eu sa phase de jeux de patience. Il devait y arriver, sinon ça n'allait pas. S'il réussissait, c'était bon signe, mais ça se produisait rarement. L'été dernier, il avait découvert les puzzles ; il en avait rapporté un qui s'appelait : *Le puzzle le plus difficile du monde*. Des milliers de pièces minuscules imprimées des deux côtés. Et on ne connaissait le motif du tableau qu'une fois le puzzle terminé. Je n'ai pas pu utiliser ma table pendant des semaines à cause des pièces éparpillées partout mais une fois le contour achevé, une scène de rue avait émergé au centre. Un jour, il en a eu marre.

— A quoi ça sert, finalement ? me demanda-t-il. On bosse des heures et des heures, et quand c'est fini, on casse tout et on range les pièces dans la boîte.

Il avait travaillé dessus un temps incalculable, sans jamais pouvoir le terminer et l'objet de son obsession se trouvait maintenant dans sa boîte sous mon lit.

Quand est-ce que ça avait mal tourné ? C'était la question que ma mère se posait, surtout quand Troy se murait dans le silence, quand il boudait dans sa chambre, grognon, abattu. Il était doté d'une intelligence parfois déroutante, vertigineuse, parlait dès un an, lisait à trois, éblouissait les profs par ses aptitudes, frimait devant les amis de mes parents, paradait dans les réunions, croulait sous les prix d'excellence, écrivait des articles pour les journaux locaux, sautait des classes, se retrouvait avec des enfants de deux ans ses aînés qui le dominaient de près de cinquante centimètres car il ne grandissait pas. Il était fluet, les genoux cagneux, les oreilles décollées.

Il se faisait chahuter. On ne se contentait pas de le bousculer à la récréation ou de se moquer de lui parce qu'il était bûcheur. Il était systématiquement harcelé par une bande, exclu par les autres. Les petits durs le surnommaient « Troy Boy », l'enfermaient dans les toilettes de l'école, l'attachaient à un arbre, derrière l'abri à bicyclettes, jetaient ses livres dans la boue, les piétinaient, se passaient des mots en classe où on le traitait de chochotte et de pédé. On le rouait de coups, on le coursait après l'école. Il n'en parlait à personne – et à cette époque Kerry et moi, plus âgées, vivions dans un autre monde. Il ne se plaignait ni auprès des profs, ni auprès des parents, qui le trouvaient juste plus calme, et différent des autres enfants de sa classe. Il bossait encore plus dur et avait adopté une attitude légèrement pédante et sarcastique, qui, bien sûr, contribuait à son isolement.

Finalement, à treize ans, on convoqua mes parents chez le directeur parce qu'on l'avait surpris en train de jeter des pétards sur ses camarades à la récréation. Fou de rage, il pleurait sans discontinuer, et repoussait quiconque l'approchait, comme si les séquelles de huit années de brutalité débordaient d'un coup. Il écopa d'une semaine de renvoi, pendant laquelle il craqua et « avoua » tout à maman, qui fonça à l'école faire un scandale. On convoqua les responsables chez le dirlo, qui distribua des colles. Mais comment faire comprendre à des enfants qu'ils doivent accepter leur petit camarade et en faire leur ami, surtout quand ce camarade est comme mon frère, timide, farouche, socialement inadapté, handicapé par son intelligence un peu trop singulière ? Et comment réparer les fondations sapées ? Avec des maisons, on peut tout démolir et rebâtir. Pas avec les êtres humains.

A cette époque, j'avais quitté le lycée. Je n'ai compris la gravité de la situation qu'au moment du certificat de fin d'études de Troy. Peut-être ne voulais-je pas comprendre. Tout le monde était persuadé qu'il allait réussir brillamment. Il prétendait que ça s'était bien passé, mais restait vague. On s'aperçut qu'il ne s'était pas rendu à l'examen. Il avait erré dans le parc, près de l'école, jetant du pain aux canards, contemplant les saletés accumulées sur les bords de l'étang, regardant sa montre. Quand mes parents l'apprirent, le ciel leur tomba sur la tête. Je me souviens d'un après-midi que j'avais passé chez eux : ma mère ne cessait de pleurer et de lui demander ce qu'elle avait fait de mal, si elle avait été une si mauvaise mère, et Troy restait assis, muet, mais affichait une expression de triomphe et de honte mêlés qui me terrifia. La psy déclara que c'était sa façon d'appeler au secours. Quelques mois plus tard, elle nous expliqua que quand Troy s'était tailladé les veines – une dizaine de coupures peu profondes – il cherchait seulement à attirer notre attention. Et quand il restait au lit certains matins – c'était aussi un appel à l'aide.

Il ne retourna pas à l'école. Il eut droit à un professeur particulier et à davantage de séances chez la psy. Il se rendait trois fois par semaine chez une femme dotée de diplômes longs comme le bras pour parler de ses problèmes. Chaque fois que je lui demandais ce qui se passait pendant les séances de trois quarts d'heure, il ricanait : « La plupart du temps, je dors. Je m'allonge sur le divan, je ferme les yeux, et une voix me réveille pour m'annoncer que la séance est terminée. »

— Comment ça va ? demandai-je en préparant le thé pendant qu'il découpait les poivrons rouges en lamelles.

La cuisine était déjà sens dessus dessous. Le

riz bouillonnait dans la casserole, le couvercle sautillait et l'eau débordait. Des coquilles d'œufs jonchaient la table. Des bols et des cuillères s'entassaient dans l'évier. De la farine était répandue sur le linoléum, comme après une légère chute de neige.

— Tu as remarqué, observa-t-il, que les gens me demandent toujours comment je vais d'un ton calculé, diplomate, prudent ?

— Désolée, m'excusai-je.

— J'en ai ras le bol qu'on parle de moi. Et toi, comment ça va ?

— O.K.

— Non, tu dois me dire pour de vrai. C'est le marché. Je te dis comment je vais, tu me dis comment tu vas.

— En réalité, O.K., c'est le mot exact. Il n'y a pas grand-chose à ajouter.

Il acquiesça.

— Brendan va m'apprendre à pêcher.

— Je ne savais pas que tu aimais ça.

— Moi non plus. J'ai jamais essayé. Mais il m'a proposé d'aller à la mer où un de ses amis possède un bateau et pêche des maquereaux pour les revendre. Il prétend qu'il suffit de les sortir de l'eau, les uns après les autres, et de les faire cuire aussitôt sur le feu.

— Ça donne envie.

— Il garantit que, même s'il pleut, c'est sympa d'être dans un bateau à attendre que ça morde.

— Tu le vois souvent, alors ?

— Je l'ai vu une ou deux fois.

— Tu l'aimes bien ?

— Oui. Mais je ne l'imagine pas avec toi.

— Pourquoi ?

— C'est pas ton style.

— Qu'est-ce que c'est mon style ?

— T'es plutôt chat que chien.

— Je ne sais pas de quoi tu parles.

— Il ressemble plus à un chien qu'à un chat, tu ne crois pas ? Impatient, avide qu'on le remarque. Les chats sont plus indépendants, plus distants.

— Ça veut dire que je suis indépendante et distante ?

— Non, pas avec moi. Avec les gens que tu ne connais pas bien.

— Et toi, tu te situes où ?

— Je suis une loutre, répondit-il aussitôt.

— Ah, tu y as réellement réfléchi !

— Et maman est un kangourou.

— Un kangourou ?

— Et elle ne se remet pas qu'on ne soit plus dans sa poche. Sauf que des fois, je me tire en rampant par-dessus.

— Et papa ?

— Brendan aussi a fait une dépression, tu sais.

Il se mit à embrocher alternativement des morceaux de poivron et d'agneau.

— Ah bon ? J'ignorais.

— Il n'en parle à personne. Mais il me l'a dit parce qu'il voulait me faire comprendre que la souffrance est parfois un fléau, parfois un cadeau, et qu'on peut toujours s'arranger pour qu'elle tourne du bon côté.

— Il a dit ça ?

— Oui. Il est un peu hippy, tu sais.

— Je vais me chercher une bière, annonçai-je.

— Papa est un canard.

— Non, je ne crois pas.

— Les canards sont pas mal. C'est des optimistes.

— Et Kerry ?

— Que dirais-tu d'une gazelle ?

— Brendan t'a-t-il parlé de moi ? demandai-je d'un ton le plus désinvolte possible.

— Il dit qu'il t'a fait souffrir.

— Ah !

— C'est vrai ?

— Non.

5

— Ça va ? s'inquiéta maman lorsqu'elle m'ouvrit la porte.

J'allais bien, mais sa façon d'insister, son ton compatissant me donnaient l'impression qu'on me frottait le dos au papier de verre. Et parce qu'elle ne cessait de me le demander, je commençai à être embarrassée. Je ne pouvais plus seulement déclarer que j'allais bien, sinon j'allais paraître sur la défensive. Qu'aurait répondu une personne sereine ? Que pouvais-je dire de sincère pour convaincre ma mère qu'il n'y avait aucun problème ? Parce que, c'était vrai, il n'y en avait pas. De mon côté, du moins.

— Je vais tout à fait bien, assurai-je. Ça ne me pose aucun problème.

C'était trop. Ma mère reprit aussitôt son air compatissant.

— Tu as une mine superbe, Miranda.

Je sais que l'équilibre reste délicat à trouver. Quand on se fait plaquer – et, naturellement, personne ne m'avait quittée, mais comment le leur faire comprendre ? –, on s'arrange pour être rayonnante afin de montrer à celui qui a pris l'initiative de la rupture, ou aux gens qui le croient, tout ce qu'il a perdu. Mais parce que c'est une ruse éculée archiconnue, non seulement ça ne marche pas, mais ça produit l'effet inverse. D'un autre côté, on ne peut pas agir autrement et donner l'impression qu'on passe ses journées au lit à boire du porto. Ç'aurait dû être simple, mais ça ne l'était pas et la seule manière de choisir ma tenue consistait à me souvenir de ce que je portais la dernière fois où j'étais sortie avec des amis (sans compter Brendan et Kerry). Malheureusement, il s'agissait d'une soirée entre filles donnée par une vieille amie et je portais une robe noire qui dévoilait tout, absolument pas convenable pour un repas dominical chez mes parents. La fois précédente, pour aller dans un bar, j'avais mis un jean délavé, une chemise blanche et ma nouvelle veste en denim avec le col en daim. Ça serait parfait.

— Tu es ravissante, me dit ma mère, ce qui m'incita à penser que quelque chose clochait. Tout le monde est déjà là. Kerry resplendit. Je ne veux pas dire que...

Elle me regarda d'un air gêné.

— On y va?

— Troy est là ?

— Oui. Il est de bon poil. Un peu moins surexcité que jeudi, plus équilibré. Touchons du bois, ajouta-t-elle en tapotant la porte avec ferveur.

La famille Cotton était en pleine forme. Le bonheur embellissait Kerry. Apparemment, Troy ne se portait pas trop mal. J'étais tentée d'émettre des critiques, mais j'avais décidé de me montrer sous mon meilleur jour. Le soleil brillait, comme pour fêter l'événement et bien que nous fussions déjà en octobre, la famille s'était regroupée dans le jardin exigu de derrière. Tout le monde était là, sauf Troy, toujours mal à l'aise au milieu de groupes, qui faisait une apparition puis s'évanouissait, montait lire ou écouter de la musique.

Malgré cela, le jardin semblait surpeuplé. Bill et Judy étaient également présents. Mes parents n'avaient pas évoqué la présence de mon patron. Ainsi, il savait, lui aussi ! Savait, drôle de mot, comme s'il s'agissait d'un fait avéré. Il faisait si beau que papa avait allumé le barbecue. Je le vis au fond du jardin en train de répartir les braises avec – mais oui, aucun doute ! – avec Brendan. Ils semblaient lancés dans une discussion animée, mais j'étais trop loin pour les entendre. Kerry tenait compagnie à Judy. Elle portait un ample pantalon noir, un haut rose ajusté à la taille, et elle avait l'air aussi sûre d'elle-même que l'autre soir au restaurant.

Je décidai d'ignorer le malaise et me dirigeai vers Bill, la personne la plus neutre de la réunion. Il m'adressa un petit signe amical.

— Salut, Miranda ! Comment ça va ?

Il prit une bouteille de bière sur la table à côté de lui et me la tendit.

— Je ne te vois pas souvent ici, remarquai-je.

— Marcia a insisté.

Je bus une gorgée de bière et portai mon regard vers l'arrière de la maison, tout recouvert d'échafaudages.

— Qu'est-ce que tu en penses ? m'enquis-je.

— Si on ne la retapait pas, elle s'écroulerait dans un an.

— A ce point ?

— Pire. Les fissures s'agrandissent à vue d'œil.

— Miranda ! s'exclama mon père qui se matérialisa soudain. Comment vas-tu ?

J'ignorai la question, surtout que Brendan était

presque collé à lui, vêtu d'un jean bien repassé et d'un léger chandail bleu clair aux manches retroussées, et j'embrassai mon père. Il me tapota le dos d'un geste maladroit. Mon père n'est pas doué pour les caresses.

— 'jour, papa. Je suis contente de te voir.

— Je dois admettre que Brendan est un as du barbecue, remarqua-t-il.

— Tout l'art réside dans la construction, expliqua Brendan. Il faut empiler les briquettes en pyramide, mettre plusieurs allume-feu en dessous et laisser prendre. On n'étale les briquettes que lorsqu'il n'y a plus de flammes.

— Je parlais de la maison avec Bill, dis-je.

— Tu devrais écouter Brendan, conseilla mon père. Tu apprendrais peut-être quelque chose.

— Je ne fais pas souvent de barbecue à la maison, observai-je.

— Ça te servira pour plus tard, avança Brendan.

— J'ai toujours cru que c'était une affaire d'homme.

— On n'a jamais fait de barbecue, hein, Mirrie ?

J'eus envie de répondre : « Non, Brendan. On n'a jamais fait de barbecue parce qu'on n'est sortis ensemble que pendant neuf jours. En réalité, on n'a pas eu le temps de faire quoi que ce soit. » Je ne le fis pas. J'observai un instant de silence que j'aurais voulu lourd de sens.

— Non, en effet, acquiesçai-je.

— J'ai peur d'avoir ennuyé Brendan, déclara mon père. Il m'a laissé parler boutique.

— Le conditionnement, reprit Brendan en se frottant les mains. Ça n'a l'air de rien, et pourtant imaginez une vie sans cartons.

Bill en resta coi. Même mon père parut déconcerté par un tel enthousiasme.

— Oui... euh, enfin, je ne sais pas. Je suis un pragmatique. J'aime fabriquer des choses ; j'ai toujours été fasciné par les problèmes, j'aime les résoudre. L'emballage, ça simplifie beaucoup de choses.

— Oui, je vous comprends, assura Brendan. Aujourd'hui, l'emballage nous paraît comme une évidence. Mais il y a quelques années, j'ai créé une start-up avec un type qui s'appelait Harry Vermont.

— Quelle start-up ? questionna mon père.

Brendan sourit d'un air contrit.

— Une de celles qui devait faire de nous des millionnaires. Mais ça s'est cassé la figure.

— Vous faisiez quoi ? s'enquit Bill.

— Le truc, c'était qu'on pouvait acheter n'importe quoi sur Internet, alors, nous nous chargions des livraisons. Nous étions des intermédiaires, en somme. Au début, je croyais que c'était une question de technologie. J'ai vite compris qu'il s'agissait seulement d'un des aspects, en réalité, ça posait des problèmes de conditionnement et de livraison. Il fallait trouver le bon emballage au bon endroit, remonter jusqu'au fabricant et nous charger nous-mêmes de l'emballage, puis livrer en temps voulu. C'était un incroyable défi.

— Qui était le fabricant ? demanda mon père.

— Pardon ?

— Le conditionnement dans ce pays est un monde fermé. Je me demandais si vous traitiez avec des gens que je connais.

— Nous en sommes restés au stade des projets, expliqua Brendan. La bulle Internet est retombée comme un soufflé et nous avons perdu notre financement. Harry ne s'en est jamais remis.

— Si ça vous intéresse, Brendan, je vous ferai visiter ma boîte, proposa mon père.

— Ça serait génial ! En attendant, je crois qu'il est temps de mettre la viande à cuire.

Il s'avéra que le moment n'était pas encore venu. Pendant que nous discutions, le barbecue s'était éteint. Brendan prétendit que ça arrivait parfois quand les briquettes étaient restées trop longtemps dans un endroit humide. Mon père parut soulagé ; il assura qu'il n'aurait pas supporté qu'un membre de la famille soit meilleur que lui pour allumer un barbecue. Sa place de chef de famille aurait été menacée.

Déconcertée par cette adoption de Brendan dans le cercle familial, je me plongeai dans le silence. Je finis ma bière et en entamai une seconde, qui m'apporta sérénité et tolérance. Je me mis à l'écart, observais mes parents et

Brendan qui s'agitaient. Je pensai à notre jardin, aussi exigu que des dizaines d'autres dans la rue, des millions dans Londres, et je fus soudain émue par l'obstination de Brendan à se rendre utile, naviguant entre le barbecue – qui donnait maintenant à plein, allumé d'une main experte par Bill –, mon père et ma mère. De temps en temps, il s'approchait de Kerry, la caressait ou lui murmurait quelque chose à l'oreille qui la faisait aussitôt rayonner.

Il aida ma mère à badigeonner les morceaux de poulet et de saumon avec les deux sortes de marinades. Il réussit, je ne sais comment, à tirer Troy de sa cachette, le harcela, le persuada d'apporter les assiettes et les salades que ma mère et Troy avaient confectionnées plus tôt. Ça me fit honte. J'eus l'impression d'avoir accepté comme une évidence le fait que mes parents se dévouent exclusivement pour mon bien-être, comme s'ils étaient une sorte de musée où je pouvais aller quand ça me chantait. Ils étaient là pour mon bien. Et moi, en échange, que leur avais-je apporté ? Avais-je jamais pensé à leur rendre la pareille ? N'étais-je qu'une sale égoïste ?

Arrivée à ma troisième bière, j'avais pardonné à presque la terre entière, en tout cas à tous ceux qui étaient dans le jardin, même si ma bienveillance béate se fondait sur des arguments incohérents.

Brendan s'agitait, se pliait en quatre ; ma mère

entrait et sortait avec les assiettes et les couverts; mon père s'occupait du barbecue, retournait les morceaux de viande et de poisson, les empêchait de tomber par terre; Kerry bavardait avec Judy; Troy jouait avec Sasha et Mitch, les enfants de Bill. Je remarquai une chose étrange : ils semblaient tous s'amuser et prendre du plaisir. Brendan m'apporta une assiette de poulet grillé et de salade, que je dévorai. J'avais besoin de solide pour éponger la bière. J'étais si affamée que je remarquai à peine une petite bizarrerie : il m'avait servie en premier. Je posai mon regard sur Kerry; avec ce sixième sens que nous avons toutes, elle s'aperçut que je la regardais, et me sourit. Je lui rendis son sourire. L'image même de la famille heureuse.

6

Je me souviens, lorsque j'avais treize ou quatorze ans, j'étais allée travailler gratuitement pour Bill dans une maison de Finsbury Park. C'étaient de petites pièces sombres aux meubles bruns, au sol protégé par des draps. Il m'avait tendu une masse pour que j'abatte le mur de séparation entre le salon et la cuisine. Il avait dû m'encourager parce que ça me semblait au-dessus de mes forces. Le mur paraissait solide, la pièce morne et immuable, ça ne pouvait pas être démoli comme par enchantement ! Comme il insistait, j'avais brandi la masse, presque trop lourde pour que je la soulève, frappé de toutes mes forces au milieu de la cloison, et, emportée par mon élan, avais failli me tordre le bras. Le plâtre en s'effritant avait fait apparaître une fissure. J'avais recommencé, ouvrant un trou aux bords déchiquetés de la taille de mon poing. Peu à peu, le trou s'élargissant, je commençais à voir la cuisine, l'égouttoir, l'évier et les robinets, et au-delà, un petit bout du jardin au fond duquel poussait un laurier-sauce. Le mur s'était écroulé d'un coup. Je me souviens de l'incroyable excitation que je ressentis – casser des murs comme ça, ouvrir peu à peu des horizons dégagés à chaque coup de masse, c'était grisant ! Je crois que c'est ce qui m'a donné envie de faire le même travail que Bill, même si bien plus tard, alors que j'essayais de le lui faire comprendre, il m'avait tapoté l'épaule en me disant : « Nous ne sommes que des peintres et des décorateurs, Miranda. »

Au boulot, j'éprouve encore de temps en temps cette même euphorie – comme si j'avais une bulle d'air dans la poitrine, une brise qui soufflait en moi. Ça m'était arrivé, par exemple, avec le toit de la serre à Clapham, qui avait emporté avec lui celui de toute la maison. Et le jour où nous avions mis au jour une cheminée, si vaste qu'on pouvait y entrer et voir tout en haut le rond de ciel bleu pas plus grand qu'un penny. Abattre un mur me donne toujours un surcroît d'énergie. Je connais aussi, de temps à autre, la même allégresse dans ma vie privée. Ça vient avec la transition et le changement, le printemps, l'amour, les voyages dans de nouveaux pays, et même cette impression de renouveau qui suit une maladie.

Après ce fameux déjeuner, en rentrant chez moi, je pris deux résolutions : j'allais faire le ménage à fond, et me mettre au jogging. Deux choses très simples, que je notai cependant sur le dos d'une enveloppe, comme si j'avais peur de les oublier, et que je soulignai de deux gros traits. Ensuite, je m'assis dans mon fauteuil et réfléchis. J'avais bu trois bouteilles de bière, mangé deux morceaux de poulet mariné, une tranche de saumon calcinée, trois tranches de pain à l'ail et un bol de glace. Si je voulais être réellement vertueuse, j'irais courir tout de suite, avant qu'il fasse nuit. Mais peut-être n'était-il pas sain de courir le ventre plein ? Du reste, je ne voulais pas m'y mettre avec mon pantalon de survêtement dont l'élastique à la taille s'était détendu.

Je décidai donc de commencer par le ménage. Je me changeai, enfilai un pantalon trop large, un T-shirt sans manches et mis de la musique. J'aime bien faire le ménage ; mon appartement est au premier, c'est un petit deux pièces avec une table contre le mur du salon, une cuisine minuscule dont les fenêtres ouvrent sur un patchwork de jardins exigus, et une salle de bains. Sol lavé à fond, moquette nettoyée à l'aspirateur, vaisselle rangée, linge sale dans le panier, bureau bien ordonné, papiers empilés, vêtements à leur place dans le placard, baignoire rutilante, stylos dans la chope sur le manteau de la cheminée, odeur de Javel, de cire, de lessive. Quand tout fut terminé, j'avais les pieds nus recouverts de poussière, les bras et le front en sueur, et il était tard. Le soir tombait, et maintenant que j'avais cessé de m'agiter, je m'aperçus que l'air avait la froidure des nuits claires d'octobre.

Certaines de mes amies n'aiment pas vivre seules. Elles ont hâte de mener une vie de couple. Pas moi. J'aime retrouver le soir mon appartement désert et calme. Je n'ai pas à demander la permission de traîner des heures dans mon bain, d'aller me coucher à huit heures et demie, d'écouter de la musique jusque tard dans la nuit, de boire un verre de vin en regardant un jeu télévisé débile. J'aime même dîner seule, bien que je ne sois pas comme Troy. J'ai un éventail de recettes très réduit. Il m'arrive de manger la même chose plusieurs soirs par semaine – dernièrement, c'étaient des œufs brouillés sur des toasts de pain complet copieusement beurrés. Je suis ensuite passée à la salade grecque que j'ai améliorée; aux tomates, concombres et feta, j'ajoute des avocats, du fenouil et des tomates séchées au soleil. J'ai aussi créé les petits pois en conserve avec des morceaux de poulpe, mais j'en suis vite revenue. Lorsque des amis viennent dîner, je cuis des blancs de poulet avec de l'ail, du romarin et de l'huile d'olive – il suffit de les faire chauffer au four pendant une demi-heure – ou nous allons dans un fast-food. Le plus souvent, c'est le fast-food.

Ce qui m'avait exaspéré chez Brendan, c'était, entre autres, sa rapidité à s'installer chez moi comme s'il était chez lui. Cependant, je m'efforçai de ne plus y penser. Maintenant, tout allait changer.

Dans une boutique de Camden Town, j'achetai un assez joli débardeur bleu soyeux, un short blanc, des chaussures en daim noir et un livre intitulé *Courir c'est la santé,* écrit par un certain Jan, en photo sur la quatrième de couverture avec un bandeau, à l'image des Duran Duran. J'allai ensuite chez un marchand de spiritueux et choisis une bouteille de vin blanc bien fraîche. Un produit aussi incolore ne contenait forcément que peu de calories. J'achetai ensuite un paquet de chips très chères, cuites d'après la notice avec une huile de tournesol particulière, excellente pour la santé. Je rentrai chez moi, fixai la chaîne de sécurité, et m'installai dans mon bain avec un bol de chips et un verre de vin, pour entamer la lecture de mon nouveau livre. Il était plutôt réconfortant. Le premier chapitre visait des lecteurs encore moins en forme que moi. Il suggérait de diviser son temps en tranches de dix minutes, marche rapide, suivie d'une course sans forcer d'égale durée, de nouveau une marche, etc. L'auteur conseillait au joggeur débutant de ne jamais s'essouffler, d'arrêter aux premiers signes d'inconfort. L'erreur est souvent de se lancer tout de suite dans la course. *Mieux vaut commencer lentement et augmenter peu à peu les difficultés,* disait un passage en italique, que de *commencer vite et d'abandonner.* Ça me convenait parfaitement. Je feuilletai quelques pages. J'avais l'impression d'être en mesure de sauter des étapes sans pour autant m'essouffler ni ruisseler de sueur.

L'auteur recommandait aux novices de penser à tous les efforts qu'ils fournissaient dans leur vie professionnelle quotidienne. D'après lui, même se lever de son bureau pour aller boire un verre d'eau au distributeur comptait. Je faisais bien plus d'efforts que ça. Je trimballais des échelles et des planches. Je faisais des acrobaties pour peindre les plafonds. Je portais des pots de peinture. Ça promettait d'être une agréable balade. Je réglai mon réveil une demi-heure plus tôt que d'habitude et sortis le lendemain matin en débardeur, short et chaussures neuves. Je regrettai de ne pas avoir acheté de masque. Je marchai pendant cinq minutes. Aucun problème. Mais après avoir couru d'une foulée rapide sur une centaine de mètres, je ressentis mes premières douleurs ; je suivis donc les conseils de Jan et m'arrêtai. Je marchai encore pendant cinq minutes, puis me remis à courir : Les douleurs revinrent plus vite. Mon corps venait me rappeler les épreuves que je lui faisais endurer. Je ralentis, et rentrai en marchant. Jan disait que le plus important au début était d'éviter les foulures ou les déchirures musculaires dues aux exercices trop ambitieux. J'avais au moins réussi cette dernière performance sans difficulté.

— Allô ? Miranda ? Je voulais juste...
— Bonjour, maman.
— Je ne te réveille pas au moins ?
— Non, j'allais partir.
— Je voulais juste te remercier pour le déjeuner. Je me proposais de t'appeler hier soir, mais Kerry et Brendan sont restés tard... Ça s'est bien passé, hein ?
— Oui, c'était sympa.
— Tu ne trouves pas que Kerry a l'air heureuse ?
— Si.
— Pour moi, c'est un miracle.
— Maman...
— Un miracle ! répéta-t-elle. Quand je pense comment...

Je fermai les yeux et les mots s'encastrèrent les uns dans les autres. Je me promis de bien me conduire.

— Salut, Miranda, c'est moi, Kerry. Miranda ? Tu es là ?

Il y eut un silence, puis j'entendis une voix d'homme en arrière-plan, mais je ne compris pas ce qu'elle disait. Kerry gloussa.

— On voulait savoir comment tu allais, et on pensait que ça serait sympa de se revoir. Comment ?... Ah, Brendan te transmet son bonjour...

J'effaçai le message.

Je courus trois fois dans la semaine, et je ne remarquai pas de différence notable. Mes poumons me brûlaient dès que je courais plus de cinquante foulées, mes jambes étaient comme du plomb et mon cœur une pierre cahotant dans ma poitrine. Dans les côtes, les gens me dépassaient en marchant. Mais au moins persévérais-je, ce qui était bon pour mon narcissisme.

Le vendredi soir, je me rendis à une fête organisée par mes amis Jay et Pattie. Je dansai, bus de la bière, puis du vin, et terminai par un schnaps étrange d'Islande que Pattie avait trouvé dans le fond de son placard. Nous étions arrivés au stade merveilleux où on n'a plus besoin de faire d'efforts d'aucune sorte. Nous étions une douzaine, assis dans le salon à la lumière tamisée, jonché de boîtes de bière, de mégots et de chaussures dépareillées, et nous sirotions avec prudence ce fameux schnaps qui me tirait les larmes des yeux. J'avais rencontré un type du nom de Nick. Il était assis en tailleur par terre devant moi, et au bout d'un moment s'adossa contre mes genoux pour se détendre les reins. Je sentais la sueur couler dans son dos. J'attendis un peu, puis posai ma main sur ses cheveux, qui étaient courts, et bruns, doux comme de la fourrure. Il poussa un petit soupir et renversa sa tête en arrière, me présentant son visage à l'envers. Il souriait. Je me penchai pour déposer un rapide baiser sur son sourire.

Avant que je parte, il proposa qu'on se revoie.

— D'accord, répondis-je.

— Je t'appellerai.

— C'est ça, j'y compte.

Nous restâmes un instant à nous dévisager. J'aime les débuts, ils sont aussi stimulants et prometteurs que les premiers coups de masse contre un mur, et le trou qui s'ouvre sur un autre monde.

7

Nick appela deux jours plus tard. Il y a aujourd'hui un code pour appeler, de même qu'il y en avait un pour savoir quand embrasser un garçon pour la première fois. Si c'est le jour même de la rencontre, on est quasiment un obsédé sexuel. Si on appelle le lendemain, on est forcément en manque. On appelle alors le surlendemain. Si vous devez téléphoner, n'attendez pas un jour de plus, sinon autant ne pas le faire du tout. Votre flirt aura déménagé ou se sera marié. Personnellement, je me fiche du code. La vie est trop courte. A sa place, j'aurais passé un coup de fil le soir en rentrant.

Donc, Nick appela et tout se déroula le plus simplement du monde. Nous nous donnâmes rendez-vous le lendemain soir dans un café de Camden Town. J'arrivai cinq minutes en avance, lui, cinq minutes en retard. Il portait un jean délavé et une chemise flottante sous sa veste en cuir. Il n'était pas rasé et ses yeux m'apparurent très bruns, presque noirs.

— Je sais, tu es décoratrice, Pattie me l'a dit. Et tu as de la peinture dans les cheveux.

Je me frottai machinalement la tête.

— J'ai beau faire, je n'y peux rien, il en reste toujours un peu derrière la nuque que je n'ai pas vue. Ça finit par s'enlever.

Quand je rencontre un nouveau garçon, il s'émerveille souvent que je sois une fille et que je fasse un boulot pareil. A croire que je démine des bombes ! Enfin, ça donne un sujet de conversation. Et c'est un peu comme d'être médecin, on me réclame des conseils.

Nick me demanda ensuite ce que je voulais faire après.

— Après quoi ? interrogeai-je, comme si je n'avais pas compris.

— Euh... tu veux vraiment rester décoratrice ?

— Au lieu de faire un vrai métier, c'est ça ?

— Euh... oui, si tu veux.

— J'en ai bien l'intention, assurai-je.

— Ah, excuse-moi... Je ne voulais pas jouer au macho.

C'était quand même un peu condescendant. Je lui demandai alors ce qu'il faisait. Il me répondit qu'il bossait dans la pub. Avait-il travaillé sur un truc que je connaissais ? Oh, des tas, fit-il. Il était l'auteur du spot avec le cochon au pelage duveteux qui parlait. Malheureusement, je ne l'avais pas vu. Et maintenant ? Ils venaient de signer un énorme contrat avec une compagnie pétrolière et il planchait sur un pilote.

Mais tout cela ne comptait pas. Le plus important, c'était ce qui filtrait à travers la conversation, les non-dits. Au bout d'un moment, peut-être un peu trop vite, je jetai un coup d'œil sur ma montre et m'aperçus avec surprise qu'on discutait depuis plus d'une heure.

— Faut que je file, dis-je. Je sors ce soir. Je dîne avec une vieille amie, Laura, ajoutai-je vivement pour qu'il ne croie pas que j'allais retrouver mon petit ami ou un ex, ou un éventuel futur petit ami.

— Dommage, regretta-t-il. J'avais espéré qu'on dînerait ensemble... ou je ne sais pas. Bon, pas ce soir, apparemment. Alors... disons jeudi ?

Comme j'avais déplacé Troy au mercredi, le jeudi me convenait. Je le quittai en me disant, ça y est, ça va marcher ! J'eus une autre pensée, délicieusement affolante : et si c'était le prince charmant ? Les jours suivants, les semaines suivantes, qui sait ? on connaîtrait l'excitation d'un nouveau jouet. On partirait à la découverte. On se poserait des questions, on se raconterait des anecdotes personnelles longuement peaufinées. On se montrerait sous son meilleur jour, on serait attentif à l'autre, curieux de sa vie. Et ensuite ? Soit l'aventure s'affadirait peu à peu, soit elle se terminerait d'un coup, on se perdrait de vue, ou on oublierait vite. J'ignore pourquoi, mais ça ne débouchait jamais sur une relation amicale. Ou on vivrait en couple, mais même là, on tomberait dans une sorte de normalité harmonieuse en accord avec notre vie professionnelle, on fêterait des anniversaires, on aurait des opinions communes, chacun terminerait les phrases de l'autre. C'était sans doute bon. On le prétendait, en tout cas. Mais ça ne serait plus jamais comme au début. Je me sentais un brin mélancolique, ce qui cadrait avec l'heure encore précoce de la soirée. D'un côté de la rue, les derniers rayons du soleil paraient de reflets d'or les voitures, les magasins et les gens qui rentraient du travail. De l'autre, tout était fondu dans l'ombre.

Lorsque j'arrivai à mon rendez-vous, Laura devina tout de suite la situation, même s'il ne s'était pas passé grand-chose, pas encore du moins.

— Non, ne me raconte pas, ça se voit rien qu'à te regarder.

J'essayai de lui dire de ne pas être ridicule, que nous n'avions pris qu'un verre ensemble. Je l'avais certes trouvé sympathique, mais il était encore trop tôt pour être sûre.

J'étais davantage mordue que je ne le laissais entendre. Le jeudi aussi se passa bien. Nous dînâmes dans un restaurant à deux pas de chez moi et les heures défilèrent sans que je m'en rende compte ; nous finîmes par rester les derniers, trinquant et discutant avec le chef. Vingt minutes plus tard, nous nous embrassions dans la rue, devant ma porte. Je me dégageai et lui souris.

— J'aimerais te dire de monter, commençai-je.

— Mais... ?

— Bientôt, assurai-je. Promis. J'ai passé une excellente soirée, tu me plais bien. C'est juste que...

— Tu n'es pas sûre ?

— Pas prête, corrigeai-je. Je suis sûre, Nick.

— Alors, on se voit demain ?

— D'accord...

Puis, je me souvins.

— Merde, j'avais oublié. Il faut que je... Tu n'es pas obligé de me croire, mais il faut que j'aille chez mes parents. Nous avons des rapports un peu compliqués. Je t'expliquerai. Mais pas tout de suite.

— Et après-demain ?

— Ça serait super !

En arrivant chez mes parents, j'étais boudeuse. Je n'avais déjà pas envie de venir, mais ma mère m'avait téléphoné juste avant mon départ pour me demander de m'habiller élégamment. J'enlevai donc mon pantalon et mon haut, enfilai une robe de velours bleue que j'avais depuis si longtemps que le bas de l'ourlet s'était décousu.

— Tu es très belle, mon chou, me dit ma mère en ouvrant la porte.

Je grommelai une réponse. Au moins, elle ne m'avait pas demandé comment j'allais ! Mes parents étaient eux aussi sur leur trente et un. Troy, fidèle à lui-même, portait un pantalon de velours côtelé avec un pull vert passé qui détonnait. Troy est assez beau garçon, ou il devrait l'être. Mais il a toujours quelque chose de travers.

— Je suis content que tu sois là, Miranda, déclara mon père. On se voit beaucoup en ce moment, non ?

— Où sont les tourtereaux ? demandai-je.

— Miranda ! fit ma mère d'un ton de reproche.

— Il n'y avait aucun sous-entendu, assurai-je.

— J'aimerais en être sûre, mais...

Avant que ma mère ne puisse terminer sa phrase, on sonna.

— Pourquoi ne vas-tu pas ouvrir ? proposa-t-elle avec le sourire en me poussant vers la porte.

Je trouvai Brendan et Kerry sur le seuil, enlacés, réjouis, amoureux. J'eus de nouveau droit à leurs embrassades en commun, puis ils entrèrent en saluant, comme des acteurs au théâtre sous les applaudissements de la salle. Lorsque je les vis dans la lumière du salon, je fus frappée par leur élégance inattendue. Kerry portait une robe de satin violette que je ne lui connaissais pas et qui soulignait ses hanches et sa poitrine. Lorsqu'elle posait son regard sur Brendan, son visage irradiait de plaisir charnel. On aurait dit qu'ils venaient juste de faire l'amour. Brendan portait un luxueux costume au tissu brillant, avec une large cravate colorée ornée d'un personnage de bande dessinée que je ne pus distinguer. Il tenait à la main un sac dont le contenu tintait. Il en sortit deux bouteilles de Champagne, luisantes de gouttelettes, et les posa sur la table où six verres attendaient déjà. Il en prit un qu'il tapota de son ongle pour vérifier son timbre cristallin.

— Allez, s'écria-t-il, pas de cérémonie ! Vous ne pouvez pas savoir à quel point je suis content que nous soyons tous réunis. Nous tenions à ce que vous soyez les premiers à l'apprendre.

Je sentis un pincement au cœur.

— Hier, j'ai invité Kerry à dîner. Et je regrette de lui avoir causé un certain choc juste avant le dessert : je me suis agenouillé devant elle pour la demander en mariage. J'ai l'honneur de vous annoncer qu'elle a accepté.

Kerry sourit d'un air timide et leva la main pour montrer sa bague. Je regardai ma mère. Des larmes coulaient sur ses joues. Elle s'avança vers eux, bras ouverts, les étreignit fort, puis s'écarta pour que je les embrasse à mon tour.

— Je suis vraiment contente pour toi, assurai-je à Kerry.

— Une minute ! nous arrêta Brendan. Une minute ! Les félicitations attendront. J'ai autre chose à vous dire. J'ai passé mon enfance d'une famille adoptive à une autre. J'étais un solitaire, je n'avais pas de vrai foyer, je n'ai pas connu l'amour d'une mère, d'un père, d'une sœur.

Deux grosses larmes lui montèrent aux yeux et roulèrent ensemble sur ses joues. Il ne les essuya pas.

— Lorsque je vous ai rencontrés, Derek, Marcia, j'ai eu l'impression d'avoir enfin trouvé un foyer. Je me suis aussitôt senti chez moi. Que dire d'autre ? Merci de m'avoir accueilli comme un des vôtres. Voilà, j'ai apporté du champagne pour trinquer à notre bonheur.

Tout tourbillonnait. Brendan ouvrit les bouteilles entre les embrassades de ma mère et la poignée de main de mon père. Troy l'embrassa aussi, déclara qu'il était content pour eux et leur souhaita bonne chance. Ma mère serra si fort Kerry dans ses bras qu'elle faillit l'étouffer.

Une fois les verres remplis et distribués, mon père toussota. Zut, pensai-je, un autre discours.

— Je ne serai pas long, promit-il. Je dois avouer que tout cela s'est passé plutôt vite.

Il adressa un sourire à ma mère, un sourire timide de petit garçon.

— Mais si je me souviens bien, certaines personnes ici présentes ont pris une décision rapide sitôt après leur première rencontre.

Mes parents s'étaient connus au mariage d'un ami en 1974 et s'étaient eux-mêmes mariés deux mois plus tard.

— Il faut se fier à son instinct, reprit-il. Et je sais une chose : je n'ai jamais vu Kerry aussi heureuse et aussi belle. Brendan, tu as de la chance de l'avoir.

— Je sais, admit-il, déclenchant l'hilarité générale.

— Portons un toast aux jeunes mariés ! proposa mon père.

— Aux jeunes mariés ! lançâmes-nous tous en chœur en trinquant.

Je regardai Kerry. Elle était au bord des larmes. Ma mère avait dépassé ce stade, elle pleurait. Brendan se mouchait et essuyait ses joues mouillées. Même mon père était sur le point de les imiter. Je me promis de tout faire pour que leur mariage réussisse. Du moins, de ne rien faire pour l'en empêcher. On me poussa du coude.

— A quoi penses-tu ? s'enquit Brendan.

— Félicitations, dis-je. Je suis réellement contente pour toi.

— Ça compte beaucoup pour moi, tu sais.

Il se retourna. A l'autre bout de la pièce, papa, maman, Kerry et Troy bavardaient en riant. Brendan s'approcha de moi.

— Quand j'ai fait mon discours, je t'observais, reprit-il. Tu avais l'air choqué.

— Surpris, rectifiai-je. C'était si soudain.

— Je comprends que ça soit pénible pour toi.

— Pas du tout.

— En parlant, je regardais ta bouche.

— Hein ?

— Tu as une très belle bouche, murmura-t-il en s'approchant encore plus.

Je sentis son haleine aigre.

— Et je me rappelais que j'avais joui dans cette bouche.

— Quoi ?

— C'est marrant. J'annonçais que j'épousais ta sœur et je pensais à mon sperme dans ta bouche.

— Quoi ? répétai-je un peu trop fort.

Les autres s'arrêtèrent de discuter pour se tourner vers nous. Je sentis leurs regards sur ma peau brûlante, fiévreuse.

— Excusez-moi, bafouai-je, au bord du malaise.

Je posai mon verre et sortis vivement. J'entendis Brendan prononcer quelque chose. Je me précipitai dans les toilettes, arrivai juste à temps au-dessus de la cuvette et vomis tripes et boyaux. Un liquide acide me brûla la gorge et la bouche.

8

— Tu es sûre que ça ne te gêne pas, Miranda ?

— Hein ? Oui, absolument. Ça sera sympa.

J'avais l'esprit ailleurs. Je repensais à ma nuit échevelée avec Nick. J'avais enfin fini par m'endormir, mais je m'étais réveillée avant l'aube, ivre de fatigue, cherchant sa présence dans le noir. Le matin, il était toujours là, un visage d'étranger sur mon oreiller. Miracle ! Je clignai des yeux et souris à Kerry. J'avais les lèvres douloureuses et des picotements dans tout le corps.

— J'ai prévu d'en visiter quatre, disait-elle, et je me suis arrangée pour que ce soit le plus pratique possible. Ça ne nous prendra qu'une heure ou deux. On ne peut pas se fier aux petites annonces, tu ne crois pas ?

— Je t'invite à déjeuner après, si tu veux.

— Super ! Je dois retrouver Brendan. On n'aura qu'à lui téléphoner pour qu'il nous rejoigne quand on aura décidé où aller. Il serait bien venu ce matin, mais il avait promis à papa de l'aider à déplacer les meubles avant que les ouvriers ne débarquent pour les travaux. On ne pouvait pas faire ça l'après-midi parce que j'ai un acheteur qui vient visiter mon appartement pour la deuxième fois.

— Ça va dépendre à quelle heure on termine, répondis-je vivement, freinant des quatre fers. Réflexion faite, faudra peut-être que je file. J'ai l'agrandissement d'un loft qui m'attend.

— Un dimanche ! protesta Kerry. Tu bosses trop.

Le bonheur la rendait généreuse. Elle avait envie que tout le monde soit heureux.

— Tu as l'air fatigué.

— Tu crois ?

Je me tapotai la figure, comme Nick l'avait fait.

— Je vais bien, assurai-je. C'est juste que je me suis couchée tard.

Nous étions allés au cinéma. Le film se révéla médiocre, mais ça n'avait pas d'importance. Collés l'un contre l'autre, sa main sur ma cuisse, ma tête sur son épaule, nous nous embrassions toutes les dix minutes, des baisers légers, porteurs de promesses. Nick avait acheté du popcorn mais nous y touchâmes à peine. Nous savions que c'était pour ce soir et le film nous permettait juste de tromper notre attente, de nous vider l'esprit des scories qui l'encombraient. Pour moi, il s'agissait d'oublier ce que Brendan m'avait chuchoté la veille, la façon dont il s'était penché vers moi et m'avait susurré ces horreurs, un sourire narquois aux lèvres. Il fallait absolument que je cesse d'y penser; que je me sorte du crâne les mots qui y bourdonnaient encore comme une grosse mouche à merde. J'essayai donc de m'intéresser aux images qui défilaient sur l'écran, tout en jetant des coups d'œil à Nick et en fermant les yeux de temps en temps.

En sortant, il faisait nuit. Nick me prit la main et déposa un baiser sur ma paume.

— Chez moi ou chez toi ?

— Chez moi, répondis-je. C'est plus près.

Nous prîmes un bus et nous montâmes nous asseoir sur l'impériale. J'appuyai ma figure contre la vitre, tremblante de vibrations, et observai les gens dans la rue en dessous qui marchaient tête baissée pour lutter contre les rafales de vent. J'étais nerveuse. Bientôt, je ferai l'amour avec un inconnu que je n'avais vu que deux fois dans ma vie. Et ensuite ? Faire l'amour est parfois une chose simple et banale, mais c'est parfois problématique et presque impossible. Deux êtres unissent leurs espoirs, leurs attentes, leurs névroses et leurs désirs ; c'est un peu comme deux mondes qui se télescopent.

— C'est ici, annonçai-je.

Nick se leva et m'aida à me mettre debout. Sa main était chaude et ferme. Il souriait.

— Ça va ?

Ça allait bien, super-bien. A la maison, après nous être fait des sandwiches, au fromage de chèvre et tomates, avec la demi-baguette qui me restait, après avoir bu chacun un verre de vin, nous allâmes dans ma chambre, et, cette fois, ce fut plus que bien. Ce fut merveilleux. Encore maintenant, en y repensant dans la voiture de Kerry, je sentais le désir monter en moi. Nous prîmes ensuite un bain, les jambes entremêlées dans la baignoire minuscule, mes pieds contre l'intérieur de ses cuisses, en nous souriant d'un air béat comme des idiots.

— Pourquoi tu souris ?
— Hein ? Oh, pour rien.
— Tiens, voilà la première.

Kerry se rangea contre le trottoir et consulta sa feuille de papier d'un œil dubitatif.

— D'après l'annonce, il s'agit d'une maisonnette de trois quatre pièces, avec de nombreux éléments d'époque.
— Elle dit aussi que c'est à côté d'un pub ?
— Non.
— Allons toujours voir, proposai-je.

Acheter une maison est toujours une prise de risque. Avant même d'y pénétrer, on sait si on l'aime ou pas. C'est un peu comme pour une liaison, dont on dit que ce sont les premières secondes qui comptent, l'intuition immédiate, irrationnelle. Il faut un coup de foudre pour acheter une maison. Le reste – la solidité du toit, l'état de la plomberie, le nombre de pièces ne rentre pas en ligne de compte au début. On peut toujours abattre des cloisons, installer une toiture imperméable, mais on ne peut pas se forcer à être amoureux. J'avais été convoquée en tant qu'experte, j'étais la caution.

Kerry frappa et la porte s'ouvrit aussitôt à la volée, comme si la propriétaire nous attendait, le visage collé à l'œilleton, guettant les acheteurs éventuels.

— Bonjour, entrez, je vous en prie, attention à la marche, je vais vous faire visiter, à moins que vous ne préfériez être seules, mais vous risquez de passer à côté de l'essentiel. Voici d'abord le salon, désolée pour le désordre...

C'était une grosse femme à la poitrine plate qui débitait les mots à la vitesse d'une mitraillette. Elle nous balada à cent à l'heure de pièce en pièce, toutes impeccablement rangées, avec des moquettes à motifs. Les murs étaient recouverts d'assiettes, souvenirs de Venise, d'Amsterdam, de Scarborough, de Cardiff et de Stockholm, et je ne sais pourquoi mais j'eus pitié d'elle. Elle ouvrit les portes avec des gestes grandiloquents, nous montra le placard-séchoir, la chaudière neuve, les deuxièmes toilettes, un cagibi exigu rogné sur la cuisine, les régulateurs de lumière de la petite chambre de maître, la chambre d'amis, à peine plus grande qu'un placard à balais, et manifestement construite par des cow-boys. Je tâtai discrètement le mur, qui branla sous ma main. Kerry émit des murmures polis et examina les pièces avec de grands yeux brillants qui transformaient ce qu'ils voyaient en avenir radieux. Elle imaginait sans doute déjà le lit d'enfant dans la chambre d'amis.

— Le pub n'est pas trop bruyant ? demandai-je.

— Le pub ? fit-elle, jouant la surprise. Ah, ça ! Non, on l'entend à peine. Le samedi soir, peut-être...

Comme un fait exprès, les premières notes de musique résonnèrent à travers les murs, les basses faisant vibrer l'air. Elle rougit, mais continua de parler sans prêter attention au vacarme, à croire qu'elle était sourde. Je consultai ma montre : onze heures trente, et un dimanche en plus ! Nous terminâmes tout de même la visite, émettant des remarques vaguement enthousiastes sur la vue depuis la fenêtre de la salle de bains, le jardin verdoyant. Moins une maison vous plaît, plus on fait semblant de l'aimer. Cependant, je ne crois pas que la propriétaire était dupe.

— Qu'en penses-tu ? demanda Kerry dans la voiture. Si on...

— Nul ! Même pas pour la moitié du prix.

— Ça se déglingue de partout, décrétai-je au sortir de la seconde maison.

— Mais...

— Pas étonnant qu'elle soit si bon marché. C'est pour ça qu'ils n'arrivent pas à la vendre. Tu as sans doute assez d'argent pour l'acheter, mais il faut multiplier le prix par deux à cause de tous les travaux. Et même en la retapant, je ne suis pas sûre qu'une compagnie accepterait de l'assurer.

— Une si jolie maison...

— Une ruine ! Elle a fait replâtrer et repeindre les murs les plus abîmés, mais il y a encore de l'humidité partout, et sans doute des affaissements. Il te faudrait une expertise détaillée. Le châssis des fenêtres est pourri. L'électricité obsolète. Tu as l'argent pour les travaux ?

— Peut-être que... Tu sais, quand Bren aura trouvé un boulot...

— Il cherche ?

— Oh, oui. Et il se creuse vraiment la tête pour savoir ce qu'il lui faut. Il dit que c'est une chance de repartir de zéro et de mener enfin l'existence dont il a envie.

Elle rougit.

— Pour nous deux, ajouta-t-elle.

— En attendant, il ne possède rien, et vous n'avez que l'argent de la vente de ton appart et ton salaire.

— Papa et maman se sont montrés très généreux.

— Ah bon ?

Je m'efforçai de réprimer une pointe de ressentiment en l'apprenant.

— Tu l'as bien mérité, renchérissai-je. Mais ne claque pas ton fric dans cette baraque.

Il faut être capable d'imaginer ce qui ne saute pas aux yeux, de voir les choses sans les cochonneries qui les encombrent, de les améliorer en imposant son propre goût. La troisième maison était cradingue, empestait le tabac froid et l'air confiné d'années sans aération, avec des murs peints en marron sale, ou recouverts de papier peint à fleurs délavé. La moquette était d'un violet affreux. Le salon avait besoin d'être agrandi – il fallait abattre la cloison, faire une cuisine américaine, créer un grand espace au rez-de-chaussée et démolir le Placoplâtre de la cheminée.

— Tu pourrais avoir une immense verrière au-dessus de la cuisine, et la prolonger pour faire une serre, pourquoi pas ? Ça serait fantastique !

— Tu crois ?

— Avec ce jardin, absolument ! Il doit bien faire vingt mètres de long.

— C'est grand pour Londres, hein ? Mais c'est mangé par les ronces.

— Pense à ce que ça pourrait rendre !

— Tu as vu l'état de la cuisine ?

— Il a vécu ici pendant des années sans la retaper. Justement, c'est ça le pied — tu peux faire tout ce que tu veux.

— Nous n'aurions pas eu les moyens d'acheter une maison aussi spacieuse. Et t'as vu les corniches, les moulures, et ce sont de vraies fenêtres à guillotine...

— Ça m'a paru assez solide, pour autant que j'aie pu en juger. Je t'aiderai pour la décoration.

— C'est vrai ? Tu ferais ça ?

— Bien sûr.
— Et tu crois que c'est une maison pour nous ?
— La décision t'appartient. Le principal, c'est qu'elle te plaise ; mon avis ne compte pas. Mais tu pourrais la rendre vraiment agréable.
Kerry m'étreignit le bras.
— J'ai hâte d'en parler à Brendan.

J'écoutai mon répondeur.
— Allô, Mirrie ? Il paraît que tu as choisi notre nouvelle maison ? C'est vachement sympa. Un peu bizarre, tout de même, tu ne crois pas ? Bon, faudra qu'on s'y fasse, pas vrai ?
J'effaçai le message, les mains tremblantes.

Nous nous retrouvâmes tous les quatre au pub, Laura, Tony, Nick et moi. Nous étions déjà passés au stade où on sort en couple avec des amis. Désireux de bien nous entendre, nous nous efforçâmes tous d'être sociables. Nick paya une tournée, puis Laura une autre, et juste au moment où tout allait pour le mieux, patatras, je me mis à parler de Brendan.
— Je devrais me réjouir, dis-je. Kerry plane dans les nuages.
— De qui parlons-nous ? interrogea Nick d'un ton amical en enfournant des chips dans sa bouche.
— De Brendan, le petit ami de Kerry, expliquai-je. Ou plutôt son fiancé. Ils se connaissent depuis deux semaines à peine et ils vont se marier.

— Comme c'est romantique !

— Du coup, Laura et moi, on forme un couple vachement conformiste, déclara Tony d'un ton enjoué.

Laura lui lança un regard furieux qu'il fit allègrement mine de ne pas remarquer.

— Oui, mais il est complètement tordu, précisai-je. Il me flanque la trouille.

— C'est pas grave, ce n'est pas toi qui l'épouses.

— Tu n'étais pas sortie avec lui ? interrogea Tony.

Laura lui lança un autre regard noir. Je crois même qu'elle lui décocha un coup de pied sous la table.

— Pas vraiment.

— Comment peut-on sortir « pas vraiment » avec quelqu'un ?

— Ça n'a pas duré. C'était une passade.

Je savais que je n'aurais pas dû engager cette conversation ; je ne comprends donc pas pourquoi je me surpris à préciser :

— C'est moi qui ai rompu. Et non le contraire, comme il le clame partout.

Perplexe, Nick fut sur le point de poser une question, mais Tony le devança.

— Alors, où est le problème ?

— Euh, par exemple, il m'a dit un truc horrible quand il a annoncé qu'ils allaient se marier.

— Quel truc ?

— C'était dégoûtant. Il a dit...

Je m'arrêtai net. Je me sentis devenir écarlate, le front en sueur.

— Un truc vraiment répugnant.

— Quoi ? Vas-y, Miranda !

Tony était le seul à ne pas sembler mal à l'aise. Laura me dévisagea d'un drôle d'air, Nick baissa la tête et tripota son sous-verre.

— Rien, c'est ridicule. Je ne sais même pas pourquoi j'en parle.

— Ah, non, Miranda ! Explique-toi, sinon on va être forcés d'imaginer.

— Je refuse de le dire.

Qu'est-ce que ça faisait bégueule !

— Laissez tomber.

— C'est toi qui as mis ça sur le tapis.

— Je sais. Je n'aurais pas dû. C'est des conneries familiales sans intérêt.

— Dégoûtant ? insista Tony. Tu veux dire sexuellement suggestif ?

— Il m'a dit que... j'avais...

J'hésitai.

— Il a dit que j'avais une belle bouche.

— Ah !

Il y eut un silence. Rompu par le bruit des chips que Tony mangeait. Il me dévisagea, ahuri.

— Ben... ce n'est pas si terrible !

— Non, fis-je d'une voix faible. Laisse tomber. Oublie tout ça.

— Avant moi, il y avait ce type... Brendan ?

— Oui. Enfin, pas vraiment. Ça n'a pas duré.

Je me suis laissé entraîner. C'était une erreur. Oh, pas une grosse erreur, juste un faux pas. Mais c'est bizarre qu'il réapparaisse comme ça dans ma vie...

Merde, pourquoi discutions-nous de Brendan quand nous étions si bien au lit ?

— Et toi ? Qui y avait-il avant moi ?

Une fille qui s'appelait Frida, mais ça remonte à loin...

Nous étions enfin en terrain neutre. Nous nous racontions nos amours passés, dévoilant nos petits secrets comme le font les amoureux. Celui-là m'adorait, celui-là n'a pas compté, un autre m'a brisé le cœur... J'avais entendu une discussion à la radio où un type prétendait qu'on ne tombait amoureux que trois ou quatre fois dans sa vie. Blottie dans les bras de Nick, je calculai le nombre de fois où j'avais été amoureuse. L'étais-je maintenant ? Comment sait-on si on est amoureuse ?

Quelques jours plus tard, ils débarquèrent à l'improviste. Je venais de me plonger dans un bain bien chaud après une journée à transpirer, juchée sur mon échelle, quand on sonna à la porte. Je pestai, enfilai en hâte un vieux peignoir et allai ouvrir. Il faisait nuit, l'air était froid et humide. Kerry avait un sourire impatient et Brendan tenait un bouquet de fleurs à la main.

— On dérange ?

— Je prenais un bain.

Je croisai mon peignoir sur ma poitrine, le serrai au col.

— On peut patienter le temps que tu termines, proposa Brendan. Hein, Kerry ?

— Non, ça ne fait rien. Entrez.

Je m'effaçai à contrecœur pour les laisser passer et les conduisis au salon. Kerry s'assit sur le canapé tandis que Brendan restait debout au beau milieu, promenant un regard de propriétaire autour de lui.

— Tu as déplacé les meubles.

— Quelques-uns.

— Je préférais avant. Tu ne mets pas les fleurs dans un vase ?

— Si. Merci.

J'aurais préféré les ficher à la poubelle, oui !

— Tu as mangé ? demanda-t-il, comme si c'est moi qui étais venue frapper à sa porte.

— Non. Je n'ai pas faim pour l'instant. Je grignoterai quelque chose plus tard.

Je respirai à fond pour me calmer.

— Vous voulez du café ? Un verre, peut-être ?

— Du vin, ça sera parfait, répondit Brendan.

Je sortis du frigo la bouteille que Nick avait apportée à sa dernière visite.

— Tu veux que je l'ouvre ?

— Pas la peine, j'y arriverai toute seule.

Il leva les mains, comme pour apaiser une furie.

— Waouh ! Je sais bien, Mirrie. J'essayais juste d'être poli.

Je vissai le tire-bouchon de travers, et massacrai le bouchon. Brendan m'observa avec un sourire compatissant pendant que j'extrayais avec précaution la seconde moitié du bouchon, et remplissais nos trois verres. Il leva le sien à la lumière, puis pêcha délicatement les miettes de liège avant de boire.

— On aurait dû apporter une bouteille, dit Kerry. Parce que, pour ne rien te cacher, on est venus te demander un service.

— Oui ? fis-je, méfiante.

— Il nous est arrivé un drôle de truc. Tu te souviens que le type qui veut acheter mon appart devait revenir le visiter dimanche une seconde fois ?

— Oui.

— Il a fait une proposition. Sauf que c'est un peu moins que ce qu'on demandait.

— Génial ! ironisai-je.

— L'appart lui plaît vachement. Et c'est la première fois qu'il devient propriétaire.

— Mais il est pressé, intervint Brendan.

— Ah !

J'eus l'affreuse impression de savoir sur quoi ça allait déboucher.

— Il a l'air de penser qu'il peut régler l'affaire en une ou deux semaines. Son notaire lui a assuré qu'en commençant les recherches tout de suite, tu sais, les hypothèques, les trucs comme ça, la vente se conclura vers la fin de la semaine prochaine.

— Ça s'est déjà vu, acquiesçai-je, maussade.

— Brendan a déjà résilié son bail et nous ne pouvons pas encore emménager dans notre nouvelle maison, expliqua Kerry, même si le propriétaire vit dans une résidence du troisième âge et que notre notaire nous a promis d'agir aussi vite que possible.

— Voilà, conclut Brendan en me souriant.

Il se versa un second verre et en but une gorgée.

— Si je vends avant d'emménager, dit Kerry, ce qui n'est pas fait, nous sommes à la rue. On se demandait si on ne pourrait pas habiter chez toi. C'est juste l'histoire de quelques jours, une semaine ou deux tout au plus.

— Et chez...

— On irait bien chez Marcia et Derek, coupa Brendan, sauf que leur maison sera en chantier pendant plusieurs mois. Tu sais mieux que nous comment travaillent les ouvriers. Ça va être Beyrouth. Tes parents seront même peut-être obligés de déménager le temps des travaux.

— Tu veux bien ? demanda Kerry.

Pourquoi voulait-elle que je les héberge ? A sa place, j'aurais tout fait pour mettre des distances entre Brendan et son ex au lieu de les rapprocher, même si – surtout si – son ex était ma sœur. Peut-être étais-je plus parano qu'elle. Ou peut-être voulait-elle prouver, aussi bien à moi qu'à Brendan et à elle-même, qu'elle n'avait rien à craindre. Je n'arrivai pas à déchiffrer son expression.

— C'est trop petit, protestai-je. Je n'ai pas de chambre d'amis.

— Il y a toujours ton canapé, remarqua Brendan.

— Si ça se trouve, insista Kerry, on n'en aura pas besoin. Et c'est promis, on se fera tout petits, on ne te dérangera pas, et on fera le ménage, la cuisine. Tu ne sauras même pas qu'on est là.

— Vous n'avez pas d'amis qui peuvent vous loger ? Des amis qui ont de la place ?

— Miranda, tu es ma sœur !

Kerry avait les larmes aux yeux. Elle lança un regard à Brendan ; il lui prit la main et la tapota.

— Tu fais partie de la famille. Je ne te demande pas grand-chose. Papa et maman étaient certains que tu accepterais. Moi aussi, j'étais sûre que tu dirais oui. Je croyais même que ça te ferait plaisir de nous avoir. Je n'ai pas imaginé une seconde...

— Mirrie n'est peut-être pas encore remise, avança Brendan d'un ton suave.

— Quoi ?

— On n'aurait pas dû te demander, continua-t-il. C'est pas sympa. Tu n'es peut-être pas prête.

Je serrai si fort mon verre que je crus qu'il allait se briser.

— Cependant, tu ne trouves pas que tu dois bien ça à Kerry ? insinua-t-il. Après ce qui s'est passé ? Mmmh ? Mmmh ?

— Pardon ? fit Kerry.

Je dévisageai Brendan d'un air hagard. Je vis rouge, je rêvai de lui jeter mon vin à la figure, de lui fracasser le verre contre la joue, de lui expédier un direct au foie, de le virer de chez moi à coups de pompe dans le cul.

— Miranda ? supplia Kerry. Juste pour quelques jours ?

Je tournai mon regard vers son visage lourd de reproche. Je m'imaginais au lit en sachant Brendan à quelques pas de moi, sur le canapé avec ma sœur. Je me voyais me lever le matin et le trouver en train de déjeuner dans la cuisine, comme s'il était chez lui. Ou lui rentrer dedans en allant à la salle de bains... Mais peut-être pourrais-je rester chez Nick un jour ou deux, ou chez Laura. Partir quelque part en week-end. N'importe où.

— D'accord, concédai-je. Une semaine.

Kerry me saisit la main et Brendan s'avança, bras grands ouverts. S'il me touchait, je crierais, je vomirais, je deviendrais agressive. J'évitai son contact.

— Je retourne dans mon bain, dis-je. Finissez votre vin.

L'eau était tiédasse, mais je m'y plongeai malgré tout. Je fermai les yeux, restai sous l'eau le temps que les battements de mon cœur s'apaisent. Au moment où je refaisais surface, on frappa à la porte. Brendan m'appelait.

— Quoi ?

— Téléphone ! J'ai décroché. J'espère que tu ne m'en veux pas.

— Qui est-ce ?

J'agrippai vivement une serviette.

— Un certain Nick. Il a paru surpris que je réponde.

J'ouvris la porte à la volée et traversai le salon d'un air furieux.

— Je le prends dans ma chambre. Tu raccrocheras.

— C'est ton nouveau mec ?

Comme je ne répondais pas, il enlaça Kerry, l'attira à lui et me lança :

— C'est super, Mirrie. On est vraiment contents pour toi.

J'entrai dans ma chambre et claquai la porte.

— Nick ?

— Je voulais juste entendre ta voix. Comment vas-tu ?

— Beaucoup mieux depuis qu'on se parle.

J'entendis une respiration. Il y avait quelqu'un sur la ligne. Il y eut un léger déclic et peu après, la porte d'entrée se referma.

9

Je me penchai au-dessus de la table et toussotai.

— J'ai quelque chose à te dire. Rien de grave,

ajoutai-je en voyant son air soudain méfiant. J'ai eu l'impression qu'avec Laura et Tony, la discussion s'est mal goupillée.

— Ce n'est pas grave, assura Nick.

— Je sais, mais je veux être franche avec toi.

— Et tu ne l'étais pas ?

— Si, mais je me suis montrée maladroite. Alors, je tiens à éclaircir certaines choses. En réalité, c'est très simple.

Je bus une gorgée de vin avant de lui résumer ce qui s'était passé avec Brendan, Kerry et mes parents.

— Tu vois, concluai-je, je n'avais aucun sentiment pour lui, sauf qu'à la fin je le trouvais craignos. Et maintenant, il est avec ma sœur et tout le monde s'extasie parce qu'elle n'a jamais été aussi heureuse et... tu comprends...

— Tu te demandes si tu n'as pas fait une erreur.

— Qu'est-ce que tu veux dire ?

— En rompant avec lui.

Je fis la grimace.

— Jamais de la vie ! Quand j'ai rompu, j'étais sûre de ne jamais le revoir, et voilà qu'il fait partie des meubles !

Nick se coupa un morceau de poulet tandoori et le mastiqua consciencieusement.

— Pourquoi es-tu sortie avec lui si tu le trouves si craignos ?

— On s'est à peine vus. Et j'ai cessé de sortir avec lui.

— Ça me fait drôle de t'imaginer avec un type pareil.

— Tu n'es jamais sorti avec une fille que tu as fini par trouver inintéressante ?

— Je ne sais pas.

— Tu n'as jamais été attiré par une fille, et une fois l'attirance estompée, découvert que tu t'étais trompé ?

— Qu'est-ce que tu penseras de moi quand tu me connaîtras ?

— Je te connais. C'est bien pour ça que je me donne tant de mal à t'expliquer.

— Tu n'as pas d'explications à me fournir.

— Mais...

— Si on rentrait ?

Nous étions allongés côte à côte dans ma chambre, l'obscurité seulement brisée par la lueur des réverbères qui filtrait entre les rideaux. Ma tête sur la poitrine de Nick, je lui caressais le ventre, ma main effleurant les poils de son pubis ; sa respiration était lente et régulière. Je croyais qu'il dormait, mais il me demanda soudain :

— Qu'est-ce qu'il a dit ?

— Qui ?

— Brendan. Qu'est-ce qu'il t'a dit ? Je veux savoir ce qu'il t'a vraiment dit.

Je m'accoudai pour le dévisager.

— Tu sais que tu peux tout me demander.

— C'est bien pour ça que je te pose la question.

— J'allais te dire qu'il valait mieux ne pas savoir certaines choses. Sinon, on risquait d'en sortir souillé.

— D'accord, mais comme tu as commencé, il faut que je sache. Sinon, ça devient obsédant. Ça ne peut pas être si terrible que ça.

Je fus parcourue d'un frisson glacial, comme si j'avais la fièvre.

— Il a dit...

Je respirai à fond et me lançai.

— Il a dit qu'il pensait à la façon dont il avait joui dans ma bouche. J'ai eu... Enfin, je suis sortie et j'ai vomi. Voilà, tu sais tout.

— Bon Dieu ! s'exclama-t-il.

Il y eut un silence. J'attendis.

— Tu l'as dit à quelqu'un ?

— Je te le dis à toi.

— D'accord, mais pourquoi ne l'as-tu pas dit à tes parents ? Ils l'auraient foutu dehors.

— Tu crois ça ? Je n'en suis pas si sûre. Il aurait nié, prétendu que j'avais mal entendu puis trouvé une explication. De toute façon, j'étais trop abasourdie. J'avais l'impression d'avoir reçu à la fois un coup dans l'estomac et une claque sur la nuque. Alors, c'était pire que ce que tu avais imaginé ?

— Je ne sais pas.

Puis il se mura dans le silence. Je ne m'endormis pas tout de suite, et je ne suis pas sûre que lui-même y parvint. Je lui chuchotai quelque chose, mais il ne répondit pas et sa respiration était redevenue régulière. Je restai donc allongée à côté de lui en regardant la fenêtre éclairée par les lumières de la rue, les phares des voitures qui balayaient le plafond.

Quand ma mère entra dans le bar, je m'aperçus que Kerry n'était pas la seule à avoir changé. Maman était ravissante, comme rajeunie. Elle s'était fait un brushing et elle portait un imper ceinturé à la taille qui oscillait à chaque pas, des boucles d'oreilles, et du rouge à lèvres foncé. Elle sourit, et agita sa main gantée en traversant la salle. Quand elle se baissa pour m'embrasser, je sentis son parfum et son odeur de poudre de riz.

Je ne sais pourquoi un souvenir d'enfance me revint. Nous faisions une promenade à vélo et je restais à la traîne. J'avais beau pédaler de toutes mes forces, mes parents s'éloignaient inexorablement. Ils m'attendaient, mais à peine étaient-ils repartis que la distance grandissait de nouveau. Je pédalais, pédalais, pleurant de rage et de fatigue. A la fin de la promenade, mon père vérifia ma bicyclette et s'aperçut qu'un frein s'était coincé sur la jante. Cela illustre bien les fois où les choses deviennent trop pénibles. J'avais maintenant l'impression que ma mère avait passé des années les freins serrés et que, depuis que Kerry était amoureuse, ils se débloquaient.

— J'ai commandé une bouteille de vin, déclarai-je.

— Oh, je ne devrais pas boire, dit ma mère.

Ce qui, dans son langage, signifiait « merci beaucoup ».

— Ne t'inquiète pas, ajoutai-je, ils font un prix spécial ici. Quand tu commandes deux verres, ils t'offrent la bouteille. Tu sais que je ne peux pas résister à un marché aussi avantageux.

Je remplis son verre et nous trinquâmes. Elle se crut obligée de porter un toast à Brendan et Kerry. Je m'efforçai de le prendre à la légère, de bannir en moi la petite Miranda de cinq ans qui voulait qu'on porte un toast en son honneur, et qui piquait une crise si on refusait.

— Kerry m'a dit que tu l'avais aidée à choisir la maison et que tu les hébergeais. Je sais qu'elle a toujours du mal à exprimer sa gratitude, mais elle est très sensible à ce que tu as fait... et moi aussi.

— Ce n'était pas grand-chose.

— Je suis tellement heureuse pour Kerry que c'est presque trop. Je croise les doigts, je me réveille en pleine nuit et je prie pour que tout aille bien.

— Pourquoi ça n'irait pas ?

— Ça paraît trop beau pour être vrai. C'est comme si on l'avait touchée avec une baguette magique.

— Ça n'a rien d'un conte de fées, maman. Brendan n'est pas un chevalier blanc en armure scintillante.

— Je sais, je sais. Mais j'ai toujours pensé que

Kerry avait juste besoin de prendre confiance en elle, et que le jour où elle y parviendrait, tout lui réussirait. C'est cette confiance que Brendan lui a apportée.

— Y a de quoi s'interroger, remarquai-je en faisant tournoyer le liquide ambré dans mon verre. Quand on pense à toutes les conditions à remplir pour atteindre le bonheur. On aurait aimé que ça soit moins aléatoire.

— En tout cas, je n'ai jamais envisagé les choses de cette façon pour toi. Malgré les hauts et les bas, tu t'en sors toujours.

— Ah ! fis-je avec lassitude.

Je ne sais pourquoi, mais son compliment ne me réjouissait pas.

— Il ne reste plus que Troy, maintenant. Mais je ne peux pas m'empêcher de penser que tout va s'arranger. J'ai l'impression qu'on entre dans une spirale positive.

Elle avala ses dernières gouttes de vin et se versa un autre verre, attendit que je me serve à mon tour, puis enchaîna :

— Puisqu'on parle de Kerry et de Troy, c'est le moment d'aborder un sujet dont ton père et moi n'avons jamais discuté avec toi.

— Quel sujet ?

J'eus un horrible pressentiment.

Ma mère prit la serviette en papier sur laquelle on posait le verre et se mit à la plier et à la tordre comme pour faire un avion ou une cocotte.

— Bon, nous savons tous que Troy est fantastique, mais il ne sera jamais financièrement autonome. Tu sais que nous avons placé de l'argent en fidéicommis pour lui.

— Il se dégottera peut-être un boulot, avançai-je, sans trop y croire. Il faut juste qu'il trouve un truc dans ses capacités.

— Je le souhaite, Miranda, je le souhaite de tout mon cœur. Mais pour l'instant, ce n'est pas le plus urgent. Kerry et Brendan se marient dans deux mois, et nous avons opté pour une cérémonie très modeste. Cependant, ils n'ont pas un sou vaillant pour l'instant. Derek a discuté avec Brendan, et il a été très impressionné. Brendan a tout un tas de projets. En attendant, ils auront besoin qu'on les aide pour leur maison et le reste. Nous avons nos propres problèmes avec les travaux, tu le sais, mais tout de même, nous voulons les aider de notre mieux. Nous nous proposons de leur avancer l'argent pour la maison, une partie en tout cas.

— Très bien, approuvai-je. Mais pourquoi tu m'en parles ?

— Tu réussis tellement bien, Miranda ! dit ma mère en m'étreignant la main. Comme d'habitude. Je suis sûre que tu ne réalises pas à quel point la vie a été difficile pour Troy et Kerry.

— Je suis décoratrice d'intérieur, maman ! Pas courtier en Bourse !

Ma mère repoussa mon objection d'un hochement de tête.

— Tu te débrouilles à merveille. J'en ai parlé avec Bill. Il ne jure que par toi.

— Il devrait me payer mieux, alors.

— Ça viendra. Le ciel te tend les bras.

— Où veux-tu en venir ?

— Tu es si généreuse, Miranda, je sais que tu n'hésiteras pas. Nous sommes convaincus, ton père et moi, que Troy et Kerry auront toujours besoin de notre aide, contrairement à toi.

— Qu'est-ce que tu essaies de me dire ?

Je ne le savais que trop.

— Tout ce que j'essaie de te dire, c'est que nous avons alloué une somme d'argent exceptionnelle à Troy et à Kerry ; j'espère que tu seras d'accord avec nous.

Ce que cela signifiait – bien sûr –, c'était qu'ils retiraient de ma part d'héritage une somme importante pour la diviser entre Troy et Kerry. Que pouvais-je répondre ? Non, n'aidez pas mon frère et ma sœur ! Dans un coin de ma tête, une Miranda miniature, malheureuse comme les pierres, bouillait de rage et de jalousie, mais je la fis taire.

J'avais envie de pleurer. Ce n'était pas l'argent, je ne crois pas. C'était ce que le geste trahissait. Nous ne grandissons jamais assez pour nous passer de l'amour de nos parents. Nous avons toujours besoin qu'ils nous rassurent en s'occupant de nous. Je réussis à afficher un large sourire.

— Naturellement, mentis-je.

— J'en étais sûre ! s'exclama ma mère avec ferveur.

— Je n'ai plus qu'à me dénicher un riche mari, dis-je, toujours souriante.

— Oh, je ne m'en fais pas pour toi !

10

Ils arrivèrent plus tôt que prévu, j'étais encore en robe de chambre en train de boire mon café et de manger un beignet à la crème que j'avais acheté quelques jours plus tôt en rentrant du travail. Ce n'était pas un petit déjeuner très sain, mais si j'attendais un jour de plus, il faudrait le jeter à la poubelle. De toute façon, j'avais fait mon jogging, neuf kilomètres sur le tapis de feuilles mortes détrempées du Heath. C'était une belle matinée d'octobre, froide, peut-être, mais lumineuse. La course, la souffrance compensaient mon écart de régime. J'avais prévu de me faire les ongles des doigts de pied, de ranger un peu le salon et de téléphoner ensuite à Nick pour déjeuner avec lui. Je comptais donc accueillir Brendan et ma sœur, et m'esquiver sitôt après avec une bonne excuse.

Mais trois coups impératifs de sonnette ruinèrent mes projets. Avant d'avoir le temps d'aller ouvrir, j'entendis les raclements d'une clé dans la serrure, celle que j'avais donnée à Kerry, mais je n'en ressentis pas moins une pointe de dépit. Ils auraient dû me laisser les accueillir comme des invités! J'enfournai la dernière bouchée, me levai, rajustai ma robe de chambre et ouvris la porte, tirant en même temps Brendan, accroché à la clé restée dans la serrure. Nous n'étions qu'à quelques centimètres l'un de l'autre. Il portait un gros manteau qui appartenait à mon père et une longue écharpe mouchetée qui ressemblait comme deux gouttes d'eau à celle que j'avais offerte à Troy pour Noël. Il tenait à la main un grand sac transparent à travers lequel je vis un pyjama, une robe de chambre et du bain moussant. Ses yeux brillaient, ses cheveux bruns luisaient et ses lèvres étaient encore plus rouges que d'habitude.

— 'jour, fis-je d'un ton sec.

Je m'effaçai pour le laisser entrer, mais il s'avança comme pour m'inviter à danser et me dévisagea de toute sa hauteur. Le col remonté de son manteau m'effleura la mâchoire et je sentis son haleine sur ma joue.

— Salut, Mirrie! dit-il.

Avant que j'aie le temps de l'en empêcher, il dégagea avec son pouce une miette collée sur ma lèvre supérieure, puis se courba pour m'embrasser sur la joue. Il sentait la menthe et un drôle de relent aigrelet.

Je me détournai pour m'essuyer la joue, puis battis en retraite. Brendan me suivit. Kerry se tenait derrière lui, emmitouflée dans un duffle-coat rouge vif. Elle avait le visage empourpré, encadré par deux petites couettes. Elle portait un carton – pain au son, infusions, tablettes de vitamines, luzerne, stimulant organique à la fleur de sureau – qu'elle dut poser avant de m'embrasser.

— Ne ferme pas, demanda-t-elle, on a encore des paquets dans la voiture. Papa, maman et Troy nous les apportent.

— Ne t'inquiète pas, me rassura Brendan. Juste l'essentiel.

— J'enfile quelque chose et je vous aide.

— Fais-nous plutôt du café, suggéra Brendan. On n'a pas encore pris notre petit déjeuner, hein, Kerry ? On était tellement pressés !

— Pressés ? Je ne sais pas d'où tu tires toute cette énergie.

— Toasts et confiture, ça suffira, énonça-t-il avec un petit sourire narquois. A moins que tu n'aies de la crème de sésame ?

— De la crème de quoi ?

— Kerry et moi, on s'efforce de manger sainement.

Il caressa de sa grosse patte la tête de Kerry.

— On veut vivre ensemble pendant longtemps, hein, trésor ?

— On a rempli un questionnaire sur Internet, expliqua Kerry. Il faut dire quelles activités physiques on pratique, ce qu'on mange, et on calcule notre durée de vie. Je vivrai quatre-vingt-douze ans. Brendan quatre de plus.

— Je n'ai que de la confiture, déclarai-je.

Je pris tout mon temps. Je m'assis sur mon lit, pratiquai des exercices de respiration afin de calmer ma rage, puis je m'habillai, brossai longuement mes cheveux qui n'en avaient pas besoin, retapai mon lit. Le téléphone sonna, mais on décrocha depuis le salon avant moi.

A mon retour, la porte d'entrée était restée ouverte et mes parents se tenaient là ainsi que Troy. Il y avait une petite télévision sur un des fauteuils du salon, sur la table de la cuisine un ordinateur et une imprimante, un poste laser et une pile de CD, une lampe de chevet avec son fil qui pendait par terre, et trois gros fourre-tout à côté de la porte. Mais ce que je trouvai le plus affreusement intime était le tas de chaussures, celles de Brendan mélangées à celles de ma sœur. Deux raquettes de tennis étaient appuyées contre le mur et un vélo d'appartement bloquait l'entrée de la salle de bains. Divers objets s'éparpillaient dans la cuisine : deux brosses à dents électriques, du produit pour lentilles de contact – Brendan mettait des lentilles et je ne l'avais pas remarqué ? –, du shampooing antipelliculaire, une trousse de maquillage, un grille-pain, un fer à repasser, une photographie encadrée représentant Brendan et Kerry enlacés sur un banc, une pile de dépliants touristiques, un carillon à vent tout emmêlé que Kerry gardait depuis son adolescence. Comment avaient-ils réussi à accumuler autant de choses en si peu de temps ?

J'observai un instant le désordre depuis le seuil. Brendan moulait le café, Kerry préparait des toasts à la confiture pour tout le monde et une agréable odeur de pain grillé flottait dans l'air. Maman était mal fagotée, pantalon de velours à grosses côtes et chemise écossaise, les cheveux défaits, repoussés derrière les oreilles, et son accoutrement négligé me déconcerta. Elle tenait un bouquet de dahlias. Brendan s'approcha d'elle et l'enlaça ; elle appuya sa tête contre son épaule en riant et lui colla les fleurs sous le nez. Je tournai mon regard vers mon père, qui ne semblait pas le moins du monde en prendre ombrage. Il admirait la pièce. Il n'était pas rasé, des auréoles de sueur maculaient ses aisselles et il avait de la confiture sur le menton.

Troy était assis par terre sur un duvet plié, le dos contre le canapé. Il jouait avec un puzzle que je lui avais offert le jeudi précédent, des pièces en plastique qu'il fallait – d'après la notice – assembler en cube. J'observai son visage concentré, amaigri, pâle, aux traits tirés. Des cernes soulignaient ses yeux comme s'il avait pleuré, mais il semblait paisible. Troy était la seule personne de ma connaissance à la fois heureux et triste en même temps, capable de refléter deux humeurs opposées. Il réussit à obtenir la forme voulue

– oui, ça faisait réellement un cube –, eut un petit sourire satisfait, puis démonta le puzzle et recommença. Une vague de tendresse me submergea et je faillis éclater en sanglots.

— Bonjour, tout le monde ! lançai-je.

J'embrassai mes parents et ébouriffai les cheveux de Troy.

— Le café est prêt ! claironna joyeusement Brendan.

— Où vas-tu ranger tout ça ? questionnai-je Kerry. Je n'ai rien pour accrocher vos vêtements.

— Papa nous a donné un porte-cintres. Ce sera juste pour les trucs habillés et mes tenues de travail. On pourra le glisser derrière le canapé. On gardera le reste dans les sacs.

Je ne pus qu'esquisser un faible signe d'acquiescement. Je regardai ma mère mettre les dahlias dans un vase et je m'efforçai de ne pas m'apitoyer sur mon sort. Elle n'était pas venue avec des fleurs la dernière fois qu'on s'était vues.

— Et voilà ! s'exclama Brendan. Avec du lait et sans sucre, c'est bien ça ?

Il me fit un clin d'œil, comme s'il venait de répondre à une colle particulièrement ardue.

Je m'assis près de Troy et regardai Kerry ranger les boîtes de céréales dans les placards. Brendan déplaça une pile de livres sur une étagère pour installer la télévision minuscule.

— On la regardera au lit, expliqua-t-il. On dort bien dans ton canapé, Mirrie ? Je ne l'ai jamais essayé.

— Comment vas-tu ? demandai-je à Troy.

Je voyais bien qu'il était éteint, vidé, pâle, tout mollasson.

La musique emplit soudain la pièce.

— Mozart, précisa Brendan. Nous adorons Mozart, hein, Kerry ?

— Ça va, me répondit Troy. Bien.

Il recommença à jouer avec son puzzle.

— Alors, mon pote, fit Brendan en s'accroupissant à côté de lui. T'as besoin de glucose.

Il lui souleva le menton et l'obligea à le regarder.

— T'es fatigué, à ce qu'on dirait. T'as pas dormi ?

— Pas des masses, admit Troy.

— Il faut dormir. Tiens, un toast à la confiture. Plus tard, on ira tous marcher un bon coup. Ça t'aidera à vaincre tes insomnies.

— J'sais pas trop, dit Troy.

Il détourna les yeux de Brendan et mordit dans son toast.

— Je n'ai pas très envie de marcher.

— Faut que je vous prévienne, annonçai-je. Je vais bientôt devoir partir. Désolée. C'est un rendez-vous que j'ai pris avant de savoir que vous veniez.

— Oh, c'est dommage ! regretta ma mère. Tu ne peux pas annuler ?

— Rendez-vous avec qui ? interrogea Brendan.

— Tu ne connais pas.

— Miranda ! intervint ma mère. Je sais que ça t'a échappé, mais ce n'est pas très gentil.

Je fis un effort pour ne pas lui rétorquer quelque chose de réellement pas très gentil.

— Il s'appelle Nick.

— Nick ? parut s'étonner Brendan.

— Oui, Nick.

— C'est bizarre, je lui ai parlé au téléphone. Tu étais en train de t'habiller. Désolé, j'aurais dû te le dire tout de suite. Il voulait que tu le rappelles – mais il n'avait pas l'air d'être au courant de votre rendez-vous. Euh... je l'ai spontanément invité à dîner ici avec nous. Je savais que ça te plairait. On pourrait fêter l'événement, c'est un peu comme si on pendait la crémaillère, et comme Derek et Marcia n'ont plus de cuisine pour le moment, on ne peut pas faire ça chez eux.

Je fermai les yeux et les rouvris. Il était encore là, il me souriait.

— Je ne peux pas..., murmurai-je.

Je ne trouvai rien d'autre à dire. Je serrai les poings, enfonçai mes ongles dans mes paumes.

— Il a trouvé l'idée vachement sympa.

— Ça nous donnera l'occasion de le rencontrer, renchérit ma mère.

Elle était en train de ranger les chaussures de Kerry et de Brendan le long du mur.

— Troy fera la cuisine, dit Brendan.

— Je ne sais pas trop si j'en ai envie, répondit mon frère.

— On dirait que tu as tout arrangé, remarquai-je.

— Tu n'auras rien à faire, assura Brendan. On s'occupe de tout, Mirrie, on va te bichonner.

11

Je sortis tout de même. Je ne pouvais rester dans mon appartement. Mon appartement ! Comment me sentir chez moi avec la crème à raser de Brendan dans ma salle de bains, la télévision de Kerry sur mon étagère, leur musique à fond, leur lait de soja dans mon frigo, leurs pyjama et chemise de nuit suspendus derrière mon canapé ?

Je parcourus le Heath à grandes enjambées, piétinant les feuilles mortes, soufflant de petits nuages de buée. C'était une merveilleuse journée, j'avais rencontré un type qui me plaisait, j'aurais dû être heureuse – or, j'avais cette boule au creux de l'estomac, brûlante comme de l'acide. Je ne pouvais m'empêcher de penser à Brendan sur le siège de mes toilettes, allongé dans ma baignoire, mangeant à deux pas de moi, allant blottir sa tête dans le cou de Kerry, de ma mère..., ses cheveux sur ma brosse, sa main sur mon épaule, son haleine contre ma joue. Je frissonnai, et accélérai l'allure afin d'éteindre ma rage et d'oublier mon dégoût.

Je m'enjoignis d'être polie et amicale pour faire plaisir à Kerry. Je shootai dans un tas de marrons que je regardai zigzaguer. Juste quelques jours, une semaine ou deux, et ils emménageraient dans leur nouvelle maison ; ils seraient occupés à la décorer, à préparer leur mariage, je les verrais à peine. Mais, j'avais beau me persuader, je l'entendais encore me parler de ma jolie bouche, je me rappelais ses lèvres baveuses sur ma joue et la nausée me saisissait aussitôt.

Mon portable sonna dans ma poche.

— Allô !

— Miranda, c'est moi.

— Nick ! J'allais t'appeler.

— Je suis chez Greg. J'ai hâte d'être à ce soir, même si je suis intimidé à l'idée de rencontrer toute ta famille d'un coup. Tu veux que j'apporte quelque chose ?

— Tu n'es pas obligé de venir, tu sais.

— Tu n'as pas envie ?

— C'est pas ça. C'est juste que c'est un peu oppressant, tu sais, la famille, Kerry et Brendan qui viennent juste de débarquer avec la moitié de leurs affaires, l'appartement sens dessus dessous.

— Brendan m'a paru vachement sympa.

— Sans blague ?

— Si, je t'assure. J'ai l'impression qu'il fait un gros effort avec moi.

— Il vaudrait peut-être mieux que tu rencontres mes parents une autre fois...

— De quoi tu t'inquiètes ?

— De rien.

— C'est à cause de Brendan, je parie ? Tu ne veux pas que je le connaisse.

— Je pensais surtout à toi.

— J'ai promis de venir, je viendrai.

Il y eut un silence, puis il ajouta d'un ton sec :

— Si tu veux de moi, bien sûr.

— Pourquoi je ne voudrais pas ?

— Bon, alors à sept heures. Ça ira ?

— Très bien.

J'allai faire les courses avec Troy pour le dîner. Maman apportait le gâteau, nous devions nous charger seulement des ingrédients pour le plat principal. Nous errions dans les allées et Troy n'arrivait pas à se décider. Il sortait des rayons des paquets de lentilles, de haricots, de riz exotique bizarre, les remettait à leur place. L'abondance de choix, les couleurs, la lumière vive semblaient l'inhiber.

— Des pâtes, suggérai-je. Si on faisait quelque chose avec des pâtes ?

— Ouais, p't-être.

— Ou avec du riz ?

— Du riz ?

— Oui, c'est une bonne idée, non ?

— J'sais pas trop.

— Ou alors on triche. On achète des plats cuisinés et on leur fait croire qu'on les a préparés nous-mêmes.

Je piochai au hasard un paquet de cabillaud à la béchamel dans le congélateur.

— Deux comme ça, proposai-je. On met le tout dans un saladier et on n'y verra que du feu. Et même s'ils devinent, on s'en fout. Quelle différence ?

— Ça a l'air dégueulasse.

— Alors, décide ! dis-je en jetant les paquets dans le congélateur.

Il resta bouche bée devant les rayons, les caddies surchargés.

— Je n'ai pas envie de faire la cuisine, en fait. Je n'ai pas la tête à ça.

— Merde, on est là depuis une demi-heure ! fis-je, exaspérée, en me vengeant sur le caddie. Et on n'a acheté que du café en grains et un régime de bananes. Bon, c'est moi qui choisis, d'accord ?

— Comme tu veux, acquiesça-t-il en me regardant d'un air si désespéré que ma colère retomba d'un coup.

Je posai mes mains sur ses épaules et les étreignis.

— Aucune importance, Troy. Tout ira bien. Laisse-moi faire.

Kerry et Brendan devaient ranger l'appartement, mais à notre retour en fin d'après-midi, tandis que la nuit tombait et que la lune pointait à l'horizon, le désordre demeurait intact. Je crus un instant qu'ils étaient partis, mais j'entendis des gargouillis de tuyauterie et des éclats de voix dans la salle de bains. Ils étaient dans la baignoire ! Us trempaient dans leur jus pendant que j'aidais Troy à piler l'ail et à hacher les légumes. Un silence paisible régnait. De temps en temps la tuyauterie se réveillait, ou des cris de plaisir nous parvenaient. Je jetai un coup d'œil vers Troy. J'avais l'impression qu'ils faisaient l'amour dans la baignoire, d'après les gémissements entrecoupés de bruits d'éclaboussures. Je mis la musique à fond et retournai à la cuisine. Je me sentais moite, les muscles noués. J'aurais aimé prendre un bain avant l'arrivée de Nick, me laver la tête, changer de vêtements, et me maquiller. Je consultai ma montre, envisageai d'aller tambouriner à la porte de la salle de bains, mais je me retins.

Lorsqu'ils émergèrent enfin, enveloppés dans leurs serviettes, ils étaient tout roses et ruisselants. La salle de bains baignait dans une vapeur parfumée.

— Je vais prendre un bain vite fait, annonçai-je en reposant mon couteau tandis qu'ils cherchaient leurs habits dans leurs sacs.

Il n'y avait plus d'eau chaude ! Une colère justifiée monta en moi. Je me débarbouillai à l'eau froide dans l'évier, me brossai les dents, mais au moment où j'allais dans ma chambre me changer, on sonna à la porte. Merde ! Brendan ouvrit. Sur le seuil, Nick et mes parents se souriaient d'un air embarrassé.

— Nick ! dit Brendan en tendant la main. Entre. On avait tous hâte de te rencontrer.

— Salut ! fis-je.

Je faillis aller l'embrasser, mais je restai bêtement près du fourneau.

— Tu as sans doute deviné tout seul, mais le chef, dans la cuisine, c'est Troy.

Mon frère se détourna du plan de cuisson et brandit une cuillère en bois.

— Et voici mes parents, Marcia et Derek. Ma sœur, Kerry.

Elle avait revêtu une robe de velours rouge et portait un foulard qui mettait en valeur son long cou gracile. Elle était ravissante.

— Et Brendan.

Tout le monde se serra la main. Je débarrassai le canapé du duvet et des manteaux, mais personne ne s'assit. Je m'éclaircis la gorge.

— Bonne journée ? lançai-je gaiement à Nick à travers la pièce.

— Superbe.

— Il a fait drôlement beau, hein ?

Nous nous regardâmes, consternés.

— L'apéritif s'impose ! s'écria Brendan.

Il prit les deux bouteilles de vin que j'avais sorties du frigo et les ouvrit avec des gestes théâtraux.

— Va chercher des chips, Kerry. C'est toujours

un peu éprouvant de rencontrer les parents, hein ? Quand Kerry m'a présenté à Marcia et à Derek, j'étais pétrifié.

Il se fendit d'un éclat de rire.

— Tiens ! s'étonna mon père. Nous n'avions pas remarqué.

Papa s'adressa à Nick.

— Miranda m'a dit que vous étiez dans la pub.

— Exact. Et vous êtes dans le conditionnement.

— Oui.

— J'avais envisagé de faire carrière dans la pub, déclara Brendan après un silence. Mais je n'avais pas envie de faire la réclame pour des trucs qui me déplairaient.

— C'est que... euh..., commença Nick.

— Les compagnies pétrolières, par exemple.

Nick me jeta un coup d'œil inquiet, imaginant manifestement que j'avais parlé à Brendan de son nouveau contrat.

— Je ne pourrais jamais travailler pour elles. Ce que j'aime, c'est les rapports humains. Y a que ça qui m'intéresse. Tiens, voilà ton verre.

— C'est un peu comme les avocats, suggéra Nick. Ils ne défendent pas uniquement les gens qu'ils approuvent.

— Tu veux dire que même les mauvaises compagnies ont droit à une bonne publicité ? l'interrogea Brendan en sirotant une longue gorgée de vin. Ouais, c'est une façon d'envisager les choses.

Assis autour de la table ronde, serrés les uns contre les autres, les fourchettes raclant dans les assiettes dépareillées, nous en étions à la troisième bouteille de vin. Nick mangeait lentement en silence, mais Brendan se goinfrait et réclamait du rab.

— Faudra que tu m'apprennes la recette, dit-il à Troy.

Il s'adressa ensuite à Nick d'un ton complice.

— Mirrie t'a déjà fait la cuisine ?

— Une fois.

Brendan sourit.

— Laisse-moi deviner. Des blancs de poulet cuits à l'ail et à l'huile d'olive ?

— J'en avais parlé à Kerry, rétorquai-je vivement.

— Oui, c'était ça, acquiesça Nick.

Il me sourit avec tendresse.

Et en le servant, j'avais dit...

— Et quand elle a posé l'assiette devant toi, elle a fait comme ça...

Il haussa les sourcils, et reprit d'une voix aiguë :

— Ta-da-da ! Monsieur est servi !

Même moi, je dus avouer que l'imitation était ressemblante. Brendan s'esclaffa. Je dirigeai mon regard vers Nick. Il esquissa un sourire... léger. Kerry aussi. Tout le monde souriait. Je plongeai ma tête dans mon assiette. Je trouvais Brendan ordurier, mais je me demandais si – pour Nick – sa grossièreté n'allait pas déteindre sur moi. Et si c'était le cas, devrais-je souhaiter qu'il soit séduit par Brendan ?

— Ça va ?

C'était Kerry, ma voisine de table, qui posait sa main fraîche sur la mienne, moite. Son odeur de savon et de parfum me chatouillait les narines.

— Super, maugréai-je en retirant ma main.

— Mirrie ?

Soudain, tous les regards se tournèrent vers moi.

— Je vais bien, assurai-je.

— On est entre nous, dit Brendan d'une voix douce. On est en famille. Ce n'est pas grave.

— *J'ai rompu avec toi !* m'entendis-je déclarer. *C'est moi qui ai rompu !*

Un long silence s'abattit sur la pièce, brisé seulement par le crissement de la fourchette de Troy dans son assiette.

— Qu'est-ce qui t'a pris ?

Après un départ en catastrophe, nous étions en train de nous diriger vers le métro.

— Je ne sais pas. Ce n'est pas important. J'ai été stupide, voilà tout.

— C'est sûr ?

— Je me suis juste sentie... Je ne sais pas... J'étouffais.

— Personne n'a été vache avec toi. Tu t'es emportée.

— Tu ne comprends pas, Nick. Il faut lire entre

les lignes. Ecouter les non-dits. Je t'assure, je n'ai pas rêvé.

— Tu n'es pas un peu parano ?

— Tu trouves ? On voit que tu ne connais pas ma famille.

— Brendan essayait juste d'être gentil.

— Tu parles ! C'est ce qu'il voulait que tu penses. Il cherche à te mettre dans sa poche.

— Bon Dieu, Miranda, tu devrais t'entendre !

— Oh, laisse tomber !

Je me frottai les yeux.

— Je me suis rendue ridicule, je le sais. Je me sens idiote. On ne va pas passer la vie là-dessus !

— Comme tu voudras, dit-il d'un ton froid.

Nous arrivâmes à la station. Un air tiède et nauséabond soufflait de la bouche du métro. Je pouvais à peine respirer. Je pris la main de Nick.

— Je suis désolée, m'excusai-je. On oublie, d'accord ?

— Pour moi, ce n'est pas un problème, répondit-il. Mais pour toi ?

12

— Allez, Miranda ! insista Kerry. Je peux t'organiser ça sans problème, tu serais dans l'avion demain soir ! Profites-en !

Elle marqua une pause, puis ajouta d'un ton sans réplique :

— T'as besoin de faire un break.

— Je vais très bien, assurai-je, hargneuse.

— J'essaie juste de t'aider. On s'inquiète tous pour toi.

Je serrai les poings et m'efforçai de rester calme.

J'ouvris la bouche pour refuser, mais, après avoir réfléchi, je me dis que ce n'était pas une mauvaise idée. Pourquoi ne pas s'esquiver quelques jours ? Faire la grasse matinée, traîner dans mon bain, fréquenter les terrasses de café, farniente, tourisme, caresse du soleil sur la peau, huîtres, bon vin... Et pas de Brendan en rentrant le soir. Le matin, pas de Brendan attablé, la robe de chambre ouverte, en train de manger la dernière tranche de pain. Pas de « Mirrie ». Pas de murmures obscènes à l'oreille. Ils n'étaient là que depuis la veille, et je suffoquais déjà. Je venais de l'envoyer acheter du papier toilette, et, en son absence, j'avais l'impression de revivre.

— D'accord, consentis-je. Juste deux ou trois jours. Après tout, ma sœur bosse dans une agence de voyages, je serais bien bête de ne pas en profiter !

— Ah, quand même ! Crois-moi, tu en as besoin, tu te sentiras beaucoup mieux après.

— Quelques jours de congé ne me feront pas de mal, finalement.

Ça serait donc l'explication : Miranda se tuait au travail.

Je calculai dans ma tête : si je partais demain soir, ou le lendemain pour être réaliste, et ne rentrais qu'à la fin de la semaine, ils auraient peut-être débarrassé le plancher à mon retour. Kerry assurait que l'achat de leur maison avançait à grands pas.

— Où as-tu envie d'aller ? Faut pas que ça soit trop loin, en si peu de jours.

Elle alla chercher son attaché-case derrière le canapé.

— Regarde, j'ai rapporté des dépliants au cas où. On propose des séjours courts et à cette saison il y a toujours de la place... Je peux te les avoir au quart du prix.

Elle étala plusieurs brochures sur la table.

— Que dirais-tu de Prague ? Ou de Madrid ? J'ai aussi la Normandie, au bord de la mer. Remarque, c'est peut-être un peu froid en ce moment. A ta place, j'irais dans le Sud.

— Et l'Italie ? hésitai-je en prenant un dépliant.

— Rome ?

— J'y suis déjà allée. Je préfère un endroit que je ne connais pas.

— Il y a Florence, Venise, Sienne, ou Naples. Quatre jours. Ou, tiens, il y a un superbe hôtel en Sicile, sur une falaise qui domine la baie.

J'examinai les photos glacées. Eglises rose et gris, gondoles, chambre d'hôtel avec un grand lit.

— Une minute ! fis-je.

Je décrochai le téléphone et composai un numéro.

— Nick ? C'est Miranda... Oui... Oui, beaucoup mieux, merci. Désolée pour tout, je ne sais pas ce qui m'a pris, la fatigue, j'imagine... Ecoute...

Il pleuvait à notre arrivée à l'aéroport, nous fîmes la queue sous des trombes d'eau pour prendre un vaporetto. Le ciel était d'un gris acier. Nous étions trempés au bout de trente secondes. L'eau nous dégoulinait dans le cou. Les cheveux de Nick étaient plaqués sur son crâne. Cela se poursuivit durant tout le trajet et la ville nous apparut à travers un écran de brume – ville fantôme émergeant des flots. Notre hôtel se situait à cinq minutes à pied du débarcadère ; nous traînâmes nos valises, pleines de vêtements légers, aucun imper, le long d'un étroit canal où les gondoles, bâchées, étaient amarrées côte à côte.

Il plut chaque jour. Nous nous précipitions dans les églises, les musées, avec des arrêts dans de petits cafés où nous buvions des doubles express ou des chocolats chauds. J'avais rêvé de longues promenades dans le labyrinthe des canaux, je m'étais imaginée avec Nick, accoudés sur un parapet en train de regarder les gondoles défiler, de faire l'amour dans des draps fins, les volets clos. Nous passâmes trop de temps au restaurant – au lieu de pique-niques à grignoter du pain, du fromage ou des tranches de pizzas – afin d'être à l'abri une heure ou deux, mais cela entraînait des repas touristiques copieux trop arrosés. Nick m'acheta un portefeuille en cuir et une bague en verre. Je le photographiai, dégoulinant de pluie, sur le Rialto. Le soir, nous allions dans de petites tavernes, nous nous endormions bercés par le crépitement de la pluie contre les carreaux. Nick se nettoyait les dents au fil dentaire pendant cinq minutes tous les matins et tous les soirs, il ronflait, adorait le chocolat et les glaces.

De temps en temps, la pluie cessait et le soleil perçait le voile de nuages. Les flaques d'eau luisaient, la lumière frappait les rides des canaux en crue, les pierres fumaient. C'était la ville la plus silencieuse et la plus belle que j'aie jamais vue, et je me surpris une fois ou deux à rêver d'y être seule, sans avoir à m'inquiéter pour notre liaison naissante, sans avoir à faire d'efforts pour plaire. J'aurais marché, marché, marché dans les ruelles désertes, sans un mot, pour réfléchir, faire le point. Je me serais fichue de la pluie.

Ils étaient encore là à mon retour le dimanche après-midi. Ils semblaient même encore plus enracinés, leurs affaires répandues sur les étagères, leur linge dans la machine à laver, leur brosse à dents dans mon gobelet. Il y avait deux piles d'invitations de mariage sur la table : samedi 13 décembre à 16 heures. Ils dressaient la liste des invités, des décisions à prendre, des tâches à accomplir. Ils baignaient dans une atmosphère d'agitation et d'excitation.

Je déballai ma valise et allai voir Laura, mais Tony recevait des amis et je rentrai au bout d'une demi-heure. Je dis à Brendan et à ma sœur que j'avais la migraine. Je me fis des œufs brouillés et une tasse de thé que j'emportai dans ma chambre. Assise sur mon lit, j'entendais la télévision dans le salon, le téléphone sonner, quelqu'un décrocher, l'eau qui coulait, des rires, les ressorts du canapé-lit grincer. Je picorai mes œufs brouillés du bout de ma fourchette, les laissai refroidir et contemplai, l'œil fixe, mes étagères de livres et mon bureau encombré de paperasse. Est-ce que je rêvais ou est-ce qu'on avait fouillé dans mes affaires ? J'éteignis et restai allongée dans le noir. Brendan riait très fort, comme s'il voulait qu'on l'entende. Comme s'il voulait que JE l'entende.

Le lendemain matin, néanmoins, ils sortirent de bonne heure pour retourner voir leur nouvelle maison. Ils voulaient, paraît-il, prendre des mesures pour les rideaux et les étagères avant que Kerry ne commence sa journée de travail. Je décidai d'arriver un peu plus tard que d'habitude à mon chantier afin de profiter de ma matinée de liberté.

Par la suite, je repassai dans ma tête tout ce que j'avais fait avant de partir. J'avais nettoyé le salon, la cuisine, rangé le duvet et les draps dans le placard du coin, replié le canapé-lit, ramassé les vêtements qui traînaient, lavé la vaisselle de la veille. J'avais ouvert en grand les fenêtres pour aérer et chasser les odeurs envahissantes de mes « invités », lavé le carrelage, passé l'aspirateur sur la moquette. J'avais ensuite pris un long bain et m'étais lavé la tête. J'avais ôté le bouchon, vidé et récuré la baignoire, fermé les robinets avant de prendre mon petit déjeuner en peignoir, les cheveux trempés enturbannés. J'ai fini les yaourts, bu une grande tasse de café. J'avais même fait chauffer le lait au préalable. Puis, je m'étais habillée, brossé les dents, j'avais empoigné ma salopette, étais sortie, avait fermé la porte à clé. Je sais que j'avais fait tout ça. Je m'en souviens parfaitement.

Je travaillais encore sur la grande maison de Hampstead. Bill passa vers midi m'inviter à déjeuner. Je terminai à cinq heures et demie, lavai mes brosses et mes pinceaux et rentrai. Je ne devais pas voir Nick, ce soir, et comme Kerry avait projeté d'aller au cinéma, je rêvais d'une soirée tranquille, consacrée à mon bien-être exclusif. J'envisageais d'acheter un plat cuisiné et d'écouter de la musique. Ou de lire un roman. De traînasser.

Je me garai devant chez moi vers six heures et demie. Il n'y avait pas de lumière et les rideaux étaient encore ouverts. Mon cœur fit un bond. Je montai les marches quatre à quatre, ouvris la porte... J'entendis tout de suite le bruit de l'eau. Un robinet mal fermé, peut-être ? Non, c'était plus fort, plus compliqué. J'entrai.

Il y avait de l'eau partout. Trois centimètres dans la cuisine, et lorsque je marchai sur la moquette, elle était spongieuse. De l'eau coulait sous la porte de la salle de bains. Je l'ouvris : une inondation ! Les restes du livre que j'avais lu dans ma baignoire flottaient près de la cuvette des W.C., à côté d'un rouleau de papier toilette en bouillie. L'eau débordait en cascade du rebord de la baignoire. Le robinet d'eau chaude était à moitié ouvert. J'allai le fermer en pataugeant, puis, sans prendre la peine de retrousser ma manche de veste, plongeai le bras dans la baignoire et cherchai la bonde à tâtons. Malade d'angoisse, je pensai aussitôt à l'appartement du dessous, et mon malaise empira. Je trouvai une casserole et commençai à puiser l'eau que je transvasai dans la baignoire qui se vidait.

Il me fallut trois quarts d'heure pour éponger le plus gros. J'étalai des journaux afin d'assécher le carrelage, puis m'attaquai à la cuisine. On sonna à la porte.

Mon voisin hurlait avant même que je lui ouvre. Il entra en m'injuriant, rouge de colère. Je crus qu'il allait avoir une crise cardiaque, une attaque, que sa tête allait exploser...

— Je suis infiniment désolée.

Je me confondis en excuses. Je n'arrivai pas à me souvenir de son nom.

— Débrouillez-vous, mais faudra réparer les dégâts. Et me rembourser, c'est compris ?

— Bien sûr. Si vous me donnez les détails de...

Au même moment, Brendan et Kerry arrivèrent bras dessus, bras dessous, rayonnant de bonheur.

— C'est pas vrai, qu'est-ce qui se passe... ? commença Kerry.

— Bonne question, rétorquai-je.

Je me tournai vers Brendan.

— Regarde ce que t'as fait, merde ! Tu crèches chez moi, tu vides mon frigo, tu bois mon café et mon vin, tu annexes l'espace au point que je ne peux pas faire un pas sans te rentrer dedans. Tu prends des bains en pleine journée et tu...

Je bredouillais de rage.

— ... tu t'en vas en laissant la bonde et en oubliant de fermer les robinets. Regarde, regarde, bordel !

— Et c'est rien à côté de mon appartement, renchérit mon voisin.

— Miranda ! s'écria Kerry. Je suis sûre...

— Waouh ! fit Brendan en levant les bras. Calme-toi, Mirrie.

— Miranda, rectifiai-je. Je m'appelle Miranda, Mirrie ça n'existe pas.

— Arrête d'être hystérique.

— Je ne suis pas hystérique, je suis furieuse.

— Je me suis absenté toute la journée.

— Quoi ?

— Je me suis absenté toute la journée, répéta-t-il.

— Tu es passé, forcément.

— Non, je t'assure. Assieds-toi, je vais faire du thé. Tu préfères peut-être un verre ?

Il s'adressa au voisin :

— Et vous, monsieur... euh... ?

— Lockley. Ken Lockley.

— Ken. Un whisky ? Je crois qu'il nous en reste.

— Pourquoi pas ? accepta-t-il à contrecœur.

— Du whisky, c'est parti !

Brendan sortit la bouteille et quatre verres du placard.

— Tu es forcément passé, insistai-je derrière son dos. Il n'y a pas d'autre explication.

— Je suis allé voir la maison avec Kerry, puis j'ai fait des courses. J'ai retrouvé Kerry pour le déjeuner.

Kerry opinait du chef, encore secouée par mon esclandre.

— Ensuite, je suis allé chez Derek et Marcia voir Troy.

Il me posa les mains sur les épaules.

— Pas de bain de midi, Mirrie.

— Mais...

— Tu en as peut-être pris un avant de sortir ?

— Je n'ai pas pu oublier le bouchon ni le robinet. Ça ne m'arrive jamais.

— Ça arrive à tout le monde, Mirrie. N'est-ce pas ? demanda-t-il à Ken. Je suis sûre que

Miranda arrangera tout. Elle travaille dans la décoration, elle vous aidera à repeindre et à retaper les murs. Mmmh ?

— C'est pas moi, me défendis-je, à moitié vaincue.

— Miranda, intervint Kerry, personne ne t'en veut. Mais c'est toi qui es partie la dernière. Et tu as pris un bain avant de sortir, hein ?

— Oui, mais je...

Je m'arrêtai net, abattue, fatiguée de lutter.

— Je me rappelle très bien avoir nettoyé la baignoire.

— Ne t'en fais pas, dit aussitôt Brendan avec gentillesse. On t'aidera pour les dégâts.

— Je ne comprends pas.

A ma grande honte, des larmes ruisselèrent sur mes joues.

— Miranda ! lança Kerry d'un ton sec. Ecoute...

— Tss-tss ! fit Brendan.

Il la prit par le bras et la tira à l'écart. Je la vis tressaillir, un rictus déforma sa bouche.

— Là, là, Mirrie, me susurra-t-il à l'oreille. C'est fini. Tout va bien, je suis là.

Je m'enfermai dans ma chambre et téléphonai à Laura.

— Laura ! dis-je à voix basse. Il s'est passé un truc horrible, Laura. J'ai besoin d'en parler...

— Tu veux me faire croire que Brendan est revenu en douce juste pour inonder ton appartement ? demanda Laura lorsque je lui eus tout raconté.

— Oui.

— Mais pourquoi, bon sang ?

— Parce qu'il est tordu ; il a un truc avec moi.

— Oh, allez ! J'ai oublié de vider ma baignoire et de fermer les robinets des centaines de fois. Ça arrive à tout le monde.

— Ça ne m'est jamais arrivé.

— Il y a un début à tout. C'est bien plus probable que ton délire parano.

— Je me souviens parfaitement d'avoir nettoyé la baignoire. Sûre et certaine.

— Tu vois ! Tu as remis le bouchon, tu as arrosé la baignoire, et tu as mal fermé les robinets.

Je renonçai à essayer de la convaincre. J'aurais presque pu croire que c'était de ma faute, même si je me rappelais très bien le moindre de mes gestes. De toute façon, je n'avais plus la force de protester.

13

Le couple qui habitait la maison d'Ealing avait loué deux bennes, et elles étaient déjà presque pleines. En quittant le chantier, j'y jetai un coup d'œil. Parmi les vieux bouts de moquette, la vaisselle fêlée, les meubles cassés, je remarquai un ordinateur qui me parut neuf, une imprimante laser, deux téléphones, un grand tableau représentant un lévrier, plusieurs livres de cuisine, une lampe et un panier en osier. J'aurais dû y être habituée, je voyais souvent les gens jeter des télévisions encore sous garantie, des cuisinières d'un an et des frigos en parfait état de marche. Dans mon métier, nous détruisons souvent du neuf pour le remplacer par du « neuf plus ultra », ce qui était l'année précédente à la mode par du dernier cri. Des cuisines entières disparaissaient dans les bennes à ordures, avec des baignoires, des lits, des placards, des abris de jardin et des kilomètres d'étagères. Les centres de recyclage sont des montagnes d'obsolescence. Ça nous donne du travail en plus. Les gens qui nous emploient parlent sans cesse de tout rénover, comme si l'acier inoxydable et le verre que nous installons partout en ce moment n'allaient pas être bientôt remplacés par la nouvelle tendance du bois à l'ancienne. C'est un éternel recommencement. Tous les dix ans, la mode change, puis reparaît légèrement modifiée, comme les pattes d'éléphant de mon pantalon dont Bill se moque parce qu'elles lui rappellent sa jeunesse dans les années 70.

Je pris en douce un livre de cuisine. J'avais au moins sauvé ça. Des recettes espagnoles. Je le rangeai dans mon fourre-tout, avec mes pinceaux et mes brosses.

Dans l'appartement, Brendan faisait tout un foin des quelques bols qu'il était en train de laver, et Kerry s'activait devant le réchaud mélangeant je ne savais quoi. Elle avait l'air moite et irritable.

— C'est nous qui faisons la cuisine, ce soir, annonça Brendan.

— Merci.

Je pris une bière dans le frigo et battis en retraite dans ma chambre. Un peu plus tard, je mijotais dans mon bain, légèrement dans les vapes quand Brendan entra. Je m'assis vivement, les genoux repliés contre ma poitrine. Comme s'il était seul, il pissa dans la cuvette de W.C., qui se trouvait juste à côté de la baignoire. Puis, il remonta sa fermeture Eclair, se lava les mains et se tourna vers moi en souriant

— Excuse-moi, fis-je d'un ton sec.

— Hein ?

Il s'approcha.

— Sors !

— Désolé.

— Fous le camp, merde, je suis dans mon bain !

— Tu aurais dû fermer le loquet.

— Il n'y en a pas !

— Ah, tu vois !

— Et tu n'as même pas tiré la chasse ! C'est pas vrai, je rêve !

Je me levai, voulus attraper une serviette, mais Brendan me devança et l'agita hors de portée. Il me matait ! Il avait une expression bizarre, une sorte de ricanement triomphant. On aurait dit un gamin qui n'avait jamais vu de femme nue.

— Donne-moi cette serviette, bordel !

— A croire que je ne t'ai pas déjà vue à poil.

Il me tendit la serviette ; je m'en enveloppai prestement.

La porte s'ouvrit et Kerry entra. Son regard réprobateur alla de Brendan à moi.

— Qu'est-ce qui se passe ? demanda-t-elle.

— Miranda n'avait pas fermé la porte. Je ne savais pas qu'elle prenait son bain, je suis entré.

— Ah, fit Kerry. Je vois.

La façon dont elle me regarda me fit rougir. Je serrai la serviette contre moi.

— Il n'y a pas de loquet, expliquai-je, mais elle ne parut pas m'entendre.

— Le dîner est bientôt prêt, annonça-t-elle après un silence. Brendan ? Je peux te dire deux mots ?

— Ah ! soupira Brendan avec un clin d'œil dans ma direction. Madame a des ennuis ?

Je m'habillai en me disant que ça ne durerait pas. Je devais juste prendre mon mal en patience, attendre qu'ils s'en aillent, et vivre ma vie comme avant.

C'était Kerry qui avait fait la cuisine, or ma sœur n'est pas précisément ce qu'on appelle un cordon-bleu. Elle avait cuit des macaronis au fromage, avec des petits pois et de la viande hachée. C'était bourratif et trop salé. Brendan ouvrit une bouteille de vin rouge en faisant son cinéma, comme à chaque fois. Il me servit un verre à ras bord. Peut-être valait-il mieux se soûler.

— A la cuisinière ! dit-il.

— A la cuisinière ! répétai-je.

Je bus une toute petite gorgée.

— Et à toi, ajouta Kerry en me regardant. A notre hôtesse.

Ils trinquèrent avec moi.

— C'est rien, assurai-je, car ils s'attendaient à ce que je dise quelque chose. Ça me fait plaisir.

— Tant mieux, répondit Brendan... Ça tombe bien.

— Que veux-tu dire ?

— On a un service à te demander, commença Kerry.

— Lequel ?

— Euh... la vente est tombée à l'eau.

Je restai pétrifiée.

— Comment ça se fait ? finis-je par demander. Vous étiez sur le point d'emménager, nom d'un chien ! C'était une question de jours, à vous entendre.

— Ils se sont foutus de notre gueule, annonça Brendan.

— C'est-à-dire ?

— On ne va pas t'ennuyer avec les détails, nota-t-il.

— Si, vas-y.

— On a laissé tomber.

— Tu as laissé tomber, rectifia Kerry d'un ton acide.

— Peu importe, conclut-il en chassant l'objection d'un geste. On va être obligés d'abuser de ton hospitalité.

— Pourquoi as-tu laissé tomber ? insistai-je.

— Un tas de raisons.

— Ça t'ennuie vraiment, Miranda ? s'inquiéta Kerry. On se sent coupables, tu sais. Mais on fera tout pour trouver une solution rapidement, je t'assure.

— Ce n'est pas grave, Kerry, dis-je d'un ton morne.

J'ouvris à peine la bouche pendant le repas. Les pâtes avaient un tel goût d'enduit que j'essayais tant bien que mal de ne pas vomir. Kerry me força à reprendre du rab. Elle avait acheté une tarte au citron congelée pour le dessert. J'en pris une demi-tranche, puis prétextai une affreuse migraine pour aller me coucher. Si ça ne les dérangeait pas ?

Dans ma chambre, j'ouvris la fenêtre et respirai à grandes goulées comme si la pièce empestait. Je passai une nuit atroce. Je restai éveillée des heures, faisant des projets chimériques. Epouser Nick, par exemple. Vers trois heures du matin, envisageant sérieusement d'émigrer, je commençai à dresser la liste des pays les plus éloignés de Londres. La Nouvelle-Zélande me paraissait une destination particulièrement attirante. L'esprit enfiévré, je sombrai dans un sommeil agité, rêvant que je devais attraper un train. Mais j'avais tellement de bagages que je n'arrivais pas à sortir de ma chambre. Je me retrouvai ensuite dans le noir en me demandant ce qui m'avait réveillée, puis je hurlai. J'avais aperçu une silhouette dans la pénombre, et l'esprit encore embrumé, je reconnus Brendan. Je cherchai l'interrupteur à tâtons et allumai.

— Qu'est-ce que tu fous ?

— Chut !

— Y a pas de chut qui tienne, sifflai-je, atterrée et furieuse. Qu'est-ce que tu fiches ici ?

— Je... euh... je cherchais quelque chose à lire.

— Fous le camp...

Il s'assit sur mon lit et me plaqua sa main sur la bouche.

— Ne crie pas, s'il te plaît. Tu vas réveiller Kerry. Elle trouvera ça bizarre.

Je repoussai sa main.

— Ce n'est pas mon problème, rétorquai-je.

— Oh, si, crois-moi !

Je remontai le duvet sur mes épaules et m'efforçai de parler avec calme.

— Brendan, ça ne va pas du tout.

— Tu veux dire, entre nous ?

— Il n'y a rien entre nous.

Il hocha la tête.

— Tu sais, Miranda, un soir je t'ai bien regardée. C'était la deuxième fois qu'on couchait ensemble. Je m'étais déshabillé plus vite que toi et je m'étais glissé dans le lit. Ce lit. J'étais allongé à ta place, et je t'observais. Quand tu as dégrafé ton soutien-gorge, tu t'es détournée, comme si je n'allais pas te voir toute nue la seconde suivante, puis tu t'es avancée vers moi avec un drôle de petit sourire. C'était un sourire merveilleux, et je me suis demandé si quelqu'un d'autre l'avait un jour noté. Tu vois, Miranda, ce sont des petites choses que je remarque, moi, et je m'en souviens.

Malgré ma rage, ma confusion, mon désespoir et ma frustration, mon esprit restait d'une clarté absolue. Si j'avais été amoureuse de Brendan, j'aurais pris cela comme une preuve de grande tendresse. Mais comme je ne l'étais pas, je ressentis une forte répulsion physique. J'avais l'impression qu'un parasite s'était glissé sous ma peau et que je ne parvenais pas à m'en débarrasser.

— C'est insupportable ! m'exclamai-je. Va-t'en !

— Tu n'as pas entendu ce que je viens de dire ? Ton sourire secret. Je l'ai vu. Je te connais comme personne. Nous partageons ce petit secret, toi et moi. Bonne nuit, Miranda.

Le matin, en me réveillant, j'eus l'impression d'émerger d'un cauchemar, mais je n'avais pas rêvé, il était bien entré dans ma chambre. Ma bouche était pâteuse, mon crâne résonnait comme un tambour. Je pris une douche, m'habillai, bus un café bien noir. Brendan et Kerry dormaient encore. Avant de partir travailler, je retournai dans ma chambre. J'examinai mes étagères, essayant de deviner si un livre avait été déplacé. Je pris un vieux roman qu'on m'avait donné quand j'étais enfant. C'était ma cachette spéciale, car je plaçais de l'argent entre les pages. Je comptai soixante-quinze livres, les remis à leur place et rangeai le livre. Que faire ? Je me souvins d'une scène que j'avais vue dans un film. Je déchirai un morceau de papier d'à peine trois centimètres de long, fin comme un fil. En refermant la porte, je coinçai le bout de papier dans la fente, à la hauteur du gond inférieur. Dans la rue, je m'interrogeai : Comment en étais-je arrivée à devoir faire des trucs pareils ?

Malgré mes efforts, j'y repensai toute la journée. Je regrettais à moitié mon stratagème, j'avais bien conscience de rentrer dans le jeu de ce pervers. Du reste, à quoi cela me servirait-il ? Si le papier n'avait pas quitté sa place, cela suffirait-il à me rassurer ? Si je le trouvais par terre, qu'est-ce que cela prouverait ? Kerry avait pu entrer dans ma chambre m'emprunter mon déodorant, passer l'aspirateur, que sais-je ? Qu'est-ce que je cherchais, au juste ? Des signes qui me rendraient encore plus furieuse, encore plus soupçonneuse ?

En rentrant chez moi, le soir, l'appartement était désert. Je courus à ma chambre. Ce que je trouvai me déconcerta. Le morceau de papier était toujours coincé dans la fente, mais trente centimètres plus haut !

14

— Nick ? commençai-je.

— Mmmm ?

Nous marchions sur le Heath, les feuilles ambrées crissaient sous nos pas. Les arbres étaient presque dénudés, le soleil pâle et bas dans le ciel. Il n'était pas encore quatre heures, mais nous venions de passer à l'heure d'hiver et la nuit tombait plus tôt. J'avais les mains froides, les siennes étaient tièdes, et des nuages de buée accompagnaient notre respiration. Nous nous étions retrouvés dans un bistro près de chez lui pour déjeuner – une soupe de potiron avec des croûtons, un verre de vin chacun – et nous comptions nous rendre à une soirée chez un de ses amis que je ne connaissais pas encore. J'avais fourré ma brosse à dents et une culotte de rechange dans mon sac.

— Je me demandais...

— Oui ?

Je ralentis.

— Euh... Tu sais que Kerry et Brendan restent plus longtemps que prévu ?

— Tu préfères qu'on aille chez moi plutôt que chez toi ? C'est ça ?

— Oui, mais...

— J'allais te le proposer. On a besoin d'un peu d'intimité, hein ?

Il m'étreignit la main.

— Et si je venais habiter chez toi ? Juste le temps qu'ils déménagent ?

Je surpris une ride sur son front, un léger pincement des lèvres.

— Non, oublie ce que je t'ai demandé, ce n'était pas une bonne idée.

— Si tu ne les supportes vraiment plus..., dit-il en même temps que moi.

— Je n'aurais jamais dû te le demander.

— Bien sûr que si ! protesta-t-il un peu trop vivement. D'accord, c'est pas très grand chez moi, on ne se connaît pas depuis longtemps, mais j'allais te le proposer...

— Non. Fais comme si je n'avais rien dit.

Il n'oublierait pas. Et je n'oublierais pas non plus son bref instant de consternation, son silence pendant lequel nos doutes affluèrent. J'avais compris ce que je savais depuis longtemps – depuis Venise, en tout cas –, ça ne durerait pas entre nous. Nous avions été amoureux, nous avions ressenti cet incroyable élan de bonheur qui semble vous tomber dessus comme la grippe. Nous avions passé des nuits blanches, des journées entières à penser l'un à l'autre, à se souvenir de nos moindres phrases, de nos moindres caresses, à attendre avec impatience nos retrouvailles, nos étreintes, nos embrassades. Pendant une ou deux semaines, nous avions cru que c'était le grand, le véritable amour. Nous nous étions trompés. La fin approchait, pas aujourd'hui, ni cette semaine, mais bientôt, parce que la lame de fond qui nous avait emportés se retirait, ne laissant derrière elle que des débris de souvenirs.

Les larmes me piquèrent les yeux et j'accélérai de nouveau l'allure, tirant Nick derrière moi. Oh, ce n'est pas tant lui qui allait me manquer que le fait d'être avec un mec. De rentrer au plus vite du travail, pleine d'espoir et d'attente. Les projets qu'on fait ensemble. Se réveiller le cœur léger, pleine d'énergie. Se sentir désirée, belle, être amoureuse. J'avais vraiment envie de tout cela, et je ne voulais pas que ça s'arrête. Je clignai des yeux, m'efforçant de ne plus m'apitoyer sur mon sort.

— Viens, le pressai-je. Il commence à faire froid.

— Écoute, Miranda, si tu as besoin de rester chez moi...

— Non.

— ... il n'y a pas de problème...

— Non, Nick.

— Je ne sais pas pourquoi tu t'es vexée, juste parce que je ne t'ai pas répondu aussitôt...

— Non, je t'en prie. Pas ça.

— Quoi ?

— Tu sais bien.

— Non, je ne sais pas.

Il fit la moue.

J'avais l'affreux pressentiment que si nous continuions à jouer sur les mots, notre histoire serait fichue avant la nuit.

— Si on rentrait prendre un bain ensemble ? proposai-je. D'accord ?

— D'accord.

— Je peux coucher chez toi cette nuit ?

— Naturellement ! J'en ai envie. Et si tu as besoin...

Je posai un doigt sur ses lèvres.

— Chut !

— Laura ?

— Ah, Miranda !

J'entendais de la musique en arrière-plan et la voix de Tony. Ça me fit regretter de ne pas être chez moi, chassée par Brendan et Kerry, qui s'étaient incrustés et dînaient sans doute en regardant une vidéo. Je leur avais dit que je sortais avec des amis ; c'était faux, j'étais attablée dans un café glacial en bas de la rue, buvant mon second café amer, me reprochant de ne pas avoir mis de vêtements plus chauds.

— Je dérange ?

— Non, pas du tout. Nous étions sur le point de manger, mais je t'écoute.

— J'ai un service à te demander.

— Vas-y.

— Un grand service, en réalité. Tu peux m'héberger ?

— T'héberger ?

J'entendis croquer, comme si elle grignotait une carotte ou une pomme.

— Bien sûr. Ce soir ? Est-ce que ça va ?

— Oui. Non. Si, je veux dire, ça va. A peu près. Non, pas forcément ce soir, demain ou après-demain... Juste pour quelques jours.

— Attends, je ne comprends rien. D'ailleurs, je t'entends mal et l'eau est en train de déborder. Ne bouge pas.

La musique baissa d'un ton.

— Je t'écoute.

Je pris une profonde inspiration.

— La vente de la maison de Kerry est tombée à l'eau, Dieu sait pourquoi, du coup ils ne peuvent pas emménager, et il faut que je me tire.

J'entendis ma voix grimper dans les aigus.

— Il le faut, Laura, sinon je vais faire une connerie. Poignarder Brendan avec un couteau de cuisine. L'ébouillanter...

— Pigé, assura Laura.

— Tu crois que je suis dingue ?

— Un peu. Pour combien de temps ?

— Juste quelques jours.

Je déglutis avec peine, étreignis mon portable. Une jeune serveuse au crâne rasé vint essuyer ma table, soulevant les deux tasses avant de les reposer.

— J'espère. En fait, j'en sais rien. Quelques jours, une semaine à tout casser. C'est ce que Brendan et Kerry m'avaient dit.

Maintenant, leurs affaires envahissaient mon appart, et c'est moi qui étais obligée de m'exiler ! Je sentis la colère monter.

— Qu'est-ce que va en penser Tony ?

— Ça ne le concerne pas, assura Laura d'un ton de défi. Tu peux venir, bien sûr. Demain, c'est ça ?

— Si ça ne te dérange pas.

— Pas de problème. Tu ferais la même chose pour moi.

— Absolument, affirmai-je avec ferveur. Et je me ferai toute petite. Je ne resterai pas dans vos pattes.

— Tu ne crois pas que ça fait un peu dramatique, Miranda ?

— C'est comme une allergie. Il faut que je les évite et ça ira mieux.

— Hum !

J'avais bu assez de café et il était trop tôt pour rentrer. J'errai dans la grand-rue, puis m'arrêtai au magasin de sandwiches ouvert toute la nuit. J'en achetai un au saumon et au fromage, et le mangeai sur le trottoir, au milieu des passants du dimanche soir, qui rentraient sans doute chez eux, prendre un bain, se faire cuire quelque chose au four, pour se glisser dans leur lit qui les attendait.

— J'ai pensé que ça serait mieux comme ça, annonçai-je à Kerry et à Brendan. Vous avez besoin d'un peu d'intimité.

Kerry s'assit à la table de la cuisine et me dévisagea, le menton dans les mains. Elle n'irradiait plus de bonheur. Elle avait le visage pincé, le regard inquiet, comme dans ses mauvais jours, avant qu'elle ne rencontre Brendan et se sente aimée.

— Tu ne peux pas faire ça, Miranda. On ne peut pas te laisser abandonner ton propre appartement.

— J'ai déjà tout arrangé.

— Si c'est ce qu'elle veut, intervint Brendan d'une voix douce.

— C'est donc si terrible pour toi de nous avoir ? s'offusqua Kerry.

— La question n'est pas là. J'ai pensé que c'était normal.

— Comme tu voudras. De toute façon tu n'en fais toujours qu'à ta tête.

Elle se leva, quitta la pièce, claqua la porte derrière elle et nous entendîmes peu après la porte du rez-de-chaussée claquer à son tour.

— A quoi joues-tu ? demanda Brendan d'un ton mielleux.

Il s'approcha de moi.

— Que veux-tu dire ?

— Tu n'as pas encore compris ? Tu ne gagneras pas. Regarde.

Il prit le verre de jus de citron encore à moitié plein et l'abattit sur la table avec une telle rage que le liquide gicla et des éclats de verre fusèrent.

— Ah, merde! m'exclamai-je. Qu'est-ce qui te prend?

— Regarde, répéta-t-il.

Il s'assit et se mit à presser le verre brisé dans son poing.

— C'est toujours moi qui gagne. Je suis bien plus tenace que toi.

— ...

— Ha!

Il me sourit, même si son visage était blême.

— T'es complètement cinglé!

Je lui saisis le poing et m'efforçai de l'ouvrir. Du sang coulait entre ses doigts, sur mon poignet.

— Il faut que tu me supplies d'arrêter.

— T'es encore plus malade que je ne le croyais.

— Demande-moi d'arrêter.

Je regardais, atterrée, le sang jaillir à flots de sa main. J'entendis la porte d'entrée s'ouvrir, les pas de Kerry approcher. Elle commença à s'excuser d'être partie sur un coup de tête, puis elle stoppa net et se mit à hurler. Brendan me souriait toujours, le front ruisselant de sueur.

— Arrête! m'écriai-je. Arrête!

Il ouvrit sa main, secoua les morceaux de verre. Le sang, qui formait une flaque dans sa paume, dégoulina sur la table.

A l'hôpital, Brendan reçut douze points de suture et une piqûre antitétanique. On lui banda la main et on lui prescrivit du paracétamol toutes les quatre heures.

— Qu'est-ce qui s'est passé ? demanda Kerry pour la dixième fois.

— C'est pas grave, un petit accident, répondit Brendan. C'est ridicule, hein ? Mirrie n'y est pour rien. Tout est de ma faute.

J'ouvris la bouche.

— C'était pas..., commençai-je. Je n'ai pas...

Je me tus, incapable de continuer parce que personne ne m'aurait crue et que je n'étais même pas sûre de pouvoir me convaincre moi-même.

— Et puis, merde !

Brendan souriait d'un air satisfait et assoupi. Il avait posé sa tête sur l'épaule de Kerry et sa main bandée sur ses genoux. Sa chemise était tachée de sang.

— Vous devriez vous réconcilier, suggéra-t-il. De toute façon, il n'y avait pas de quoi se disputer. Mirrie est vachement sympa de nous laisser l'appartement.

Kerry lui ôta des mèches de cheveux du front.

— Je sais, dit-elle avec une infinie douceur.

Elle tourna son regard vers moi.

— O.K., Miranda. Je te remercie.

Puis elle reporta un regard amoureux sur Brendan comme s'il revenait de la guerre en héros.

— Des prises de bec comme ça, ajouta-t-il, ça arrive dans toutes les familles.

Il ferma les yeux.

— Je veux juste que vous soyez heureuses toutes les deux.

Je le laissai avec Kerry et rentrai chez moi boucler mes bagages.

15

Fuir mon appartement m'avait semblé la seule issue à une situation de crise, aussi évidente que de tirer le signal d'alarme dans un train. Mais, comme trop souvent, je n'avais pas suffisamment réfléchi. Ça me rappelait l'histoire d'un ami qui s'était rendu à une soirée. Il se dispute avec quelqu'un et finit par exploser : « Tu fais chier ! » et sort en claquant la porte. Arrivé dans la rue, il s'aperçoit qu'il vient de s'enfuir de chez lui. Il remonte et sonne bêtement à sa porte pour qu'on lui ouvre.

J'étais partie de chez moi et je me sentais idiote. Je n'avais pas assez préparé mon affaire. Le deuxième soir chez Laura, nous étions assises toutes les deux à boire le whisky que j'avais apporté, avec une demi-douzaine de bouteilles de vin, des pâtes fraîches et de la sauce achetées en route chez l'Italien, plus deux sachets de salade. Comme Tony passait la soirée dehors entre mecs, j'avais fait à manger pour Laura et moi. C'était sympa de se retrouver, juste toutes les deux, ça me rappelait les nuits blanches à l'université. Sauf que nous n'étions plus des étudiantes et que nous avions chacune notre vie. Combien de temps avant qu'elle se fatigue de ma présence ? Je remplis nos verres.

— Tu sais, dis-je, je trouve que le whisky est parfait pour des moments comme ça.

Je commençais à avoir la voix pâteuse, mais Laura aussi.

— Ça me rappelle les nuits à la fac, l'une de nous se mettait soudain à pleurer, l'autre pleurait à son tour. Et il n'y avait pas que le whisky, y avait les joints. Comme la fois où nous étions à bicyclette et qu'un taxi m'avait renversée, tu t'en souviens ?

— Bien sûr.

Laura but une rasade et grimaça comme lorsqu'on boit une gorgée plus grande que prévue.

— Pourquoi est-ce toujours le whisky ?

— Pourquoi pas ? Tu crois que je suis folle ?

— Ça a un rapport avec le whisky ? demanda Laura, perplexe.

Je bus une autre rasade et secouai la tête.

— Regarde les choses en face. Je romps avec Brendan. Qu'est-ce qu'il fait ? Il se fiance avec ma sœur. Je ne supporte pas de le voir. Et voilà qu'il habite chez moi. Du coup, je ne peux pas y rester. Donc, je m'enfuis. Résultat, après des jours de manœuvres, un type qui me donne envie de gerber habite chez moi et je suis à la rue, une SDF.

— Tu couches chez moi, me fit remarquer Laura. Tu n'es pas à la rue.

Je la pris dans mes bras et l'étreignis bien fort.

— Heureusement que je t'ai ! m'écriai-je dans un élan de sentimentalisme.

Pour un spectateur, nous devions ressembler à deux ivrognes devant un pub après la fermeture.

— J'avoue que je suis curieuse, reconnut Laura.

— A propos de quoi ?

— Ton Brendan. Tu en dis tellement de mal que ça me donne envie de le connaître. C'est comme à la fête foraine, on veut tous voir la femme à barbe.

— Tu crois que j'exagère ?

— Je veux le voir opérer. Je me demande quel genre de mec peut te donner envie de gerber.

Le lendemain, je partis travailler de bonne heure afin que Tony et Laura profitent d'intimité. Je retournai à Hampstead parce que les propriétaires ne cessaient de changer d'avis. Leur dernière lubie, ils n'aimaient plus l'éclairage du salon – finalement, ils ne voulaient plus des appliques murales, mais de petits halogènes au plafond. Les stores vénitiens rouges de la chambre à coucher étaient trop foncés ; en réalité, ils étaient trop rouges. Ils auraient peut-être dû choisir le vert petit pois, après tout... L'homme, un certain Sam Broughton, s'était libéré à midi pour discuter des détails, et j'avais passé la matinée à peindre les portes et les plinthes, enduisant le bois gris d'épaisses couches de laque blanche.

Sam Broughton venait juste d'arriver de la City, répétant qu'il n'avait que vingt minutes à m'accorder, tout au plus, et nous étions en train de visiter la maison, calepin et stylo en main, lorsque mon portable sonna.

— Excusez-moi, dis-je. Je le couperai après cet appel.

— Miranda ? Dieu soit loué, tu es là !

— Je suis en réunion, maman. Tu ne peux pas rappeler...

— Je n'aurais pas téléphoné si c'était pas urgent.

Je tournai le dos à Broughton qui s'impatientait, jetait des regards insistants sur sa montre, et portai mes yeux vers un écureuil trempé, immobile sur la branche d'un marronnier.

— Je t'écoute.

— Je viens de recevoir un coup de fil du professeur particulier de Troy, elle se plaint qu'il ne soit pas venu.

— Et tu appelles ça une urgence ?

— Ça fait des jours qu'il n'y va pas. Presque toute la semaine dernière.

— C'est mauvais signe.

— Ça recommence comme avant. Il prétend qu'il y va et il sèche. Je croyais qu'il allait mieux.

Je l'entendis hoqueter.

— Je me fais du souci, Miranda. J'ai téléphoné chez toi, il n'y est pas, ou il ne répond pas, et je ne sais pas où il peut être ni ce qu'il fait ; de plus, il pleut et il fait froid.

— Qu'est-ce que tu attends de moi ?

— Je suis coincée ici. Je ne peux pas me libérer... et, de toute façon, le cabinet dentaire est à des kilomètres. J'ai essayé chez toi, mais je suis tombée sur le répondeur. Je me suis dit que tu pouvais faire un saut, voir si tu le trouves.

— Tu veux que je le trouve ?

Derrière moi, Broughton toussait avec impatience. Ses richelieux vernis tapotaient avec nervosité le parquet que nous venions de vernir.

— Tu peux te libérer plus facilement que moi, Bill ne t'en voudra pas. Et si quelque chose arrive...

— Je vais essayer, assurai-je.

— Je n'en peux plus, se lamenta ma mère. J'en ai assez d'être forte, chacun son tour maintenant. Qu'est-ce qui nous arrive ? Je croyais que tout allait bien.

— Ça s'arrangera, la tranquillisai-je. Je pars tout de suite.

Je raccrochai et déclarai à Broughton que je devais m'en aller. Il me fusilla du regard.

— Mon temps est précieux, fulmina-t-il. Je n'ai pas que ça à faire.

— Je suis désolée, m'excusai-je.

J'aurais voulu lui dire que mon temps était au moins aussi précieux que le sien, mais je ne répliquai pas. Je pensais à Troy, dehors sous la pluie.

J'allai d'abord chez mes parents. Les ouvriers n'étaient pas là, et le rez-de-chaussée restait en chantier, un mur à moitié démoli, la cuisine ouverte à tous vents et de la glaise jaune par terre. J'allai de pièce en pièce en appelant Troy. Dans sa chambre, j'ouvris les rideaux, secouai le duvet froissé, le retapai pour qu'il trouve un lit accueillant à son retour. Un livre sur les oiseaux migrateurs était ouvert par terre. Je marquai la page avec un morceau de papier et le posai sur son oreiller.

Je ne savais pas où chercher. Où aurais-je été traîner à sa place en attendant la fin de la journée ? Je parcourus la grand-rue, jetai des coups d'œil dans les cafés, les magasins de disques, les librairies. J'essayai la bibliothèque, mais elle était fermée. Elle n'ouvrait plus que deux jours par semaine. J'entrai dans la salle où des garçons – qui faisaient sans doute l'école buissonnière – s'énervaient sur des jeux vidéo dans la pénombre enfumée. Troy détestait ces endroits qui lui donnaient l'impression d'être pris au piège.

Je traversai le parc sous la pluie. Ne s'y trouvaient que deux ivrognes sur un banc et une jeune maman qui poussait avec rage un landau d'où s'échappait un cri semblable au hurlement d'une sirène. Mais pas de Troy. Quant au terrain de jeux où il aurait pu s'abriter, il était désert. Des pigeons sautillaient dans les flaques. Je fis un détour par le snack-bar qui vendait des glaces les jours de soleil, sans succès.

Troy pouvait se cacher n'importe où. Je téléphonai au cabinet, mais ma mère n'avait aucune nouvelle. J'appelai ensuite papa, parti en voyage d'affaires à Sheffield, mais la communication était mauvaise et nous fûmes vite coupés. J'essayai chez moi, au cas où Troy s'y serait réfugié, mais après deux sonneries, le répondeur se déclencha. Je laissai tout de même un message du genre : « Troy ? Troy ? Tu es là ? Si tu es là, décroche. Décroche, Troy, je t'en supplie ! » Je surpris une note d'angoisse dans ma voix.

J'errai pendant une heure, croyant le voir partout, me reprochant de m'inquiéter pour rien. Finalement, trempée, gelée, je retournai récupérer ma voiture que j'avais garée devant chez mes parents, et j'entrai à tout hasard, au cas où il serait de retour.

Par la porte entrouverte, je vis Troy assis sur le vieux canapé. Ses cheveux mouillés plaqués sur son crâne, il était emmitouflé dans une épaisse couverture écossaise, complètement nu. Il paraissait si misérable, pauvre oisillon déplumé, que j'eus à peine le cœur d'approcher. Il leva la tête, esquissa un faible sourire en direction d'une personne que je ne distinguais pas, mais qui vint me boucher la vue. J'ouvris la porte en grand et entrai.

— Troy ! Brendan ! Que se passe-t-il ?

J'ignore à quoi je pensais, mais j'avais parlé d'une voix dure. Je repoussai Brendan, m'agenouillai près de Troy et étreignis ses épaules fluettes.

— Troy ? Ça va ?

Il se contenta de me regarder sans répondre. Il ressemblait aux rescapés d'un naufrage qu'on voit à la télé aux informations.

— Mon lapin, murmurai-je, au bord des larmes, comme s'il était encore un bébé. Qu'est-ce qui s'est passé ?

— Je t'ai fait couler un bain bien chaud, annonça Brendan. Vas-y, je t'apporterai un chocolat chaud. D'accord, mon pote ?

Troy acquiesça.

— Et je préviens ta mère, d'accord ?

— Je t'emmène dans ton bain, dis-je.

Je laissai Troy se baigner et allai dans la cuisine où Brendan attendait parmi les gravats que le micro-ondes réchauffe le lait.

— J'ai écouté le message de Marcia sur ton répondeur, m'informa-t-il. Manifestement, elle ignore que tu as déménagé.

Le micro-ondes sonna et, gêné par sa main bandée, Brendan sortit maladroitement le pot de lait, versa le chocolat, du sucre, et battit le tout pour obtenir une boisson mousseuse. Il goûta, puis rajouta du sucre.

— J'ai pensé que je devais essayer de le retrouver.

— Où était-il ?

— Dans les entrepôts en ruine. Je ne sais pas ce qui m'a poussé à y aller – un pressentiment, l'instinct. Je savais ! Il y a des gens qui ont ce genre de don, tu ne crois pas ?

Je haussai les épaules.

— Qui sait ce qui se serait passé si je n'avais pas été là. Je l'ai sauvé. C'était écrit. Le destin, je crois. Du coup, j'ai pris une décision.

Il versa le chocolat dans une grande tasse.

— Je suspens mes recherches d'emploi tant que Troy aura besoin de moi. Je vais m'occuper de lui à plein temps.

— Non ! m'écriai-je. Je ne crois pas que ça soit une bonne idée. En réalité, c'est même une très mauvaise idée. Si tu veux mon avis...

— Je ne te le demande pas, répliqua-t-il avec calme.

— Je vais te le dire quand même. Troy n'a pas besoin de toi. Au contraire. Ce dont il a besoin, à part tout le reste, c'est que tu lui fiches la paix...

— Je lui apporte son chocolat, coupa Brendan. Tu n'es pas obligée de rester si tu as du travail.

— J'attends, rétorquai-je, furieuse. Je ne le laisse pas tout seul.

— A ton aise.

16

— Je croyais que tu allais mieux. Je croyais que les choses reprenaient leur cours normal.

Ma mère arpentait la pièce de long en large, son chignon défait, des mèches de cheveux qui lui tombaient sur les yeux et son pull de guingois.

— Mieux, qu'est-ce que ça veut dire ? demanda Troy. Et c'est quoi, normal ? Personne n'est normal.

Il était assis sur le canapé où je l'avais trouvé la veille, dans la même position avachie, comme s'il ne lui restait plus de squelette pour le soutenir.

— Oh, pour l'amour de Dieu ! fulmina ma mère.

— Calme toi, chérie, intervint mon père, debout le dos contre la fenêtre.

Il était rentré en catastrophe de Sheffield et portait encore son costume. Il n'avait pas eu le temps de se raser et sa cravate était dénouée. Ce n'était pas encore la dépression nerveuse, mais ça lui donnait l'air négligé.

— Me calmer ? C'est tout ce que tu trouves à dire ? Chaque fois que ça va mal, c'est la même rengaine. Tu ferais mieux de nous faire du thé bien chaud.

— Marcia...

— J'en ai marre d'être la seule adulte responsable, chacun son tour !

Je coulai un regard vers Troy. Le soleil qui entrait par la fenêtre frappait ses cheveux soyeux ; il avait l'air tranquille. Sentant mon regard, il leva la tête, haussa les sourcils et m'adressa un petit sourire.

— Je boirais bien une tasse de thé, dit-il. Et j'ai faim. J'ai rien mangé de la journée.

Je me levai.

— J'irai chercher quelque chose dans une minute, annonçai-je. Toasts au fromage pour tout le monde ?

— Dieu merci, Brendan était là, soupira ma mère avec ferveur.

Je tiquai. J'avais été là, moi aussi, non ?

— S'il ne l'avait pas trouvé...

— Je suis dans la même pièce que toi, maman, intervint Troy. Tu peux me parler.

— Qu'est-ce que j'ai fait de mal ?

— Ça n'a rien à voir avec toi. Troy a raison, dit mon père. On n'avancera pas si tu ramènes ta culpabilité à tout propos. Il ne s'agit pas de toi, mais de Troy.

Ma mère ouvrit la bouche pour protester, mais se ravisa. Elle s'assit à côté de Troy et lui prit la main.

— Je sais, répondit-elle, je m'inquiète trop. Je n'arrête pas de penser...

Elle n'alla pas plus loin.

— C'est pas comme si j'avais voulu me suicider ou un truc comme ça, marmonna Troy.

— Alors, c'était quoi ? l'interrogea mon père. Tu sèches tes cours, tu erres on ne sait où.

Troy haussa les épaules.

— Je voulais qu'on me fiche la paix, finit-il par dire. J'en ai marre qu'on soit toujours sur mon dos. Qu'on me demande comment je vais.

— C'est de moi que tu parles ? fit ma mère. C'est moi qui suis toujours sur ton dos. J'essaie de ne pas intervenir, mais c'est plus fort que moi. J'aimerais tellement t'aider à repartir du bon pied, à faire en sorte que ça s'arrange.

— Tu devrais me faire confiance.

— Comment te faire confiance ? demanda mon père. Tu sèches tes cours, tu nous mens.

— C'est moi que ça regarde, se rebella Troy. J'ai dix-sept ans. Si je veux sécher, je sèche. Si je fais des conneries, je fais des conneries. C'est moi qui paierai, pas vous. Vous me traitez encore comme un enfant.

— Oh ! gémit ma mère.

— Si tu veux qu'on te traite comme un adulte, reprit mon père, conduis-toi comme un adulte.

Il se frotta le front, puis ajouta :

— C'est parce qu'on t'aime, Troy.

Mon père ne disait jamais ce genre de chose.

— Je vais préparer les toasts, annonçai-je, battant en retraite dans la cuisine à moitié démolie.

Lorsque je reparus, portant un plateau avec quatre grandes tasses de thé et des toasts débordant de fromage fondu, ma mère avait les yeux rougis d'avoir pleuré.

— Troy nous a dit qu'il aimerait habiter chez toi quelque temps, déclara-t-elle.

— Ah ! fis-je. J'aimerais beaucoup, Troy, ça serait sympa. Le truc, c'est que je ne vis pas chez moi en ce moment. C'est Brendan et Kerry qui y sont.

— Ça sera pas pour longtemps, insista Troy. Je peux rester avec eux une semaine ou deux, en attendant ton retour. D'accord ?

— Tu sais bien que j'aimerais que tu viennes habiter avec moi, mais ça ne peut pas attendre un peu ?

— Pourquoi ?

Je le dévisageai d'un air désarmé.

— Tu es sûr que ça ira avec Brendan et Kerry ?

— Ils me tanneront autant que maman. Je préfère avec toi.

— Eh bien, attends un peu.

— Il faut que ça soit tout de suite.

— Je passerai te voir, promis-je. Appelle-moi si t'as besoin de quoi que ce soit. D'accord ?

— D'accord.

Le lendemain, je pris quelques heures de congé pour emmener Troy à l'Aquarium. Nous y restâmes deux heures, le nez collé aux vitres. Troy adorait les poissons tropicaux aux couleurs éclatantes, mais mes préférés étaient les grands poissons plats avec leur tête cousue à l'envers. Ils avaient un air amical, perplexe, lorsqu'ils flottaient en ondulant. Je conduisis ensuite Troy chez mes parents afin qu'il fasse ses bagages. Brendan et Kerry devaient passer le prendre plus tard. Je l'embrassai bien fort.

— Je viendrai te voir très bientôt, assurai-je. Dans un jour ou deux.

Il ne se passait pas une heure sans que je m'aperçoive que j'avais oublié des affaires. Je dus me trimballer avec un stylo et une feuille de papier pour en dresser une liste. Je pouvais certes acheter des petites culottes, mais pas tout ce qui me manquait. Trois T-shirts, ma pince à ongles, ma crème hydratante, un bonnet en laine, mon carnet de chèques, un plan de Londres. C'était ridicule ! Le lendemain, en sortant du travail, je me rendis donc chez moi avec ma liste. Je trouvai Brendan et Troy en train de jouer aux cartes dans le salon. Ils me dévisagèrent avec surprise. Brendan dit quelque chose que je ne compris pas à cause de la musique. J'allai baisser le son.

— On n'entend plus rien, protesta Troy. A moins de coller un stéthoscope contre le haut-parleur !

— Je suis juste venue faire un saut pour prendre des affaires, expliquai-je.

— Pas de problème, déclara Brendan. Vas-y.

Que Brendan m'accorde son autorisation me donna envie de lui verser une casserole d'eau bouillante sur la tête. Je restai un instant interdite.

— Comment ça va, Troy ? demandai-je enfin.

— On va bien, hein, Troy ? répondit Brendan.

Mon frère me sourit d'un air interrogateur.

J'allai dans ma chambre. Naturellement, c'était là que Troy dormait et il ne lui avait fallu qu'une journée pour la transformer en chantier. Le lit n'était pas fait, des vêtements traînaient par terre avec des livres ouverts, et une drôle d'odeur flottait dans la pièce. Je fis le plus vite possible. Je fourrai deux, trois trucs dans le sac que j'avais apporté. Je fermai la porte sans bruit, et cherchai sur mes étagères le livre où j'avais caché l'argent. En le comptant, mon sang ne fit qu'un tour. Soixante livres. Je recomptai. Soixante ! Pourquoi n'avait-il pas tout volé ? A quel jeu jouait-il ? Je rangeai les billets dans mon portefeuille et retournai au salon.

— J'avais de l'argent dans ma chambre, dis-je.

Brendan me regarda d'un air épanoui.

— Oui ?

— Il en manque. Quelqu'un m'en a emprunté ?

— Pas moi, fit Brendan. Il était où ?

— Qu'est-ce que ça peut te faire ?

— Tu l'as peut-être perdu, ou il a glissé derrière je ne sais quoi.

— Peu importe. Ah, je ne trouve pas mes Tampax non plus.

— Ça doit être Kerry. Elle a ses règles.

— Kerry ?

— Oui, en ce moment, on n'a que des relations anales.

J'en crus à peine mes oreilles. Je sentis une bile acide refluer dans ma gorge.

— Quoi ? suffoquai-je.

— Je plaisantais, dit Brendan en souriant à Troy, qui semblait pétrifié. Miranda adore quand je la taquine. C'est ce que je crois, en tout cas. A toi de donner.

Je repassai tout dans ma tête et essayai de l'expliquer à Nick. Je lui parlai du bout de papier dans ma porte et de l'endroit où je l'avais retrouvé le lendemain. Nous étions dans un bar à vin de Tottenham Court Road, tout près de chez moi.

— Bon, fis-je, d'accord, c'est compliqué. Tu sais, dans les films, quand le type coince un bout de papier dans la porte et qu'il le retrouve par terre, il sait que quelqu'un est entré.

— Oui, répondit Nick, j'ai vu ça dans *L'Arnaque*. Robert Redford utilise le truc parce qu'il a des gangsters au cul.

— Ah bon ? Moi j'ai vu ça à la télé il y a des années. Je ne me souviens pas de *L'Arnaque*. Pour les films, ma mémoire est une véritable passoire.

Je bus une gorgée de vin. J'avais l'impression de boire bien plus que Nick. Il était calme, sobre, j'étais agitée, je parlais tout le temps et je buvais trop.

— Le plus pénible, c'était que le bout de papier était toujours là, mais un peu plus haut. Tu vois l'embrouille ?

— Non.

Je commençais à m'empêtrer dans mes explications. Il fallait absolument que j'arrête d'y penser. J'avais le cerveau en bouillie.

— Le truc, m'efforçai-je d'expliquer, c'est que, en général, personne ne remarque le bout de papier. Peut-être que cinq pour cent seulement le repèrent et s'arrangent pour le remettre à la même place en partant afin de masquer leur intrusion. Et sur ce nombre, cinq pour cent – des Machiavel – ne le remettent pas au même endroit, exprès. Pour montrer qu'ils ont éventé le piège. Tu saisis ?

— Pas vraiment.

Je voyais bien qu'il m'écoutait d'une oreille distraite et qu'il s'impatientait, mais je n'arrivais pas à changer de sujet. Je ne voulais pas ! D'une certaine manière, j'avais envie de le tester. Quand on aime quelqu'un, on se moque qu'il ou elle soit parfois obsédé par une question. On se moque même qu'il ou elle soit parfois ennuyeux. Peut-être essayais-je de mesurer son degré de tolérance à mon égard.

— Brendan joue avec moi, insistai-je. Il a remis

le bout de papier un peu plus haut pour que je sache qu'il savait, pour me montrer qu'il se fichait que je sache qu'il était entré dans ma chambre.

Je bus une autre gorgée de vin.

— C'est comme s'il m'avait envoyé un message disant : « Je sais que tu me soupçonnes ; je veux te montrer que je le sais ; je veux aussi te montrer que je m'en fous. Je suis bien entré dans ta chambre, et tu ne sais pas ce que j'ai été y faire. » Autre chose, j'avais caché soixante-quinze livres dans un bouquin.

— Tu ne peux pas tirer de l'argent au distributeur comme tout le monde ?

— Non. Les distributeurs sont trop souvent à court de billets. Il vaut mieux en avoir une réserve dans un coin. Bon, un voleur normal aurait pris tout l'argent. Mais Brendan n'a volé que quinze livres. C'est sa manière de me harceler, il veut s'introduire dans mes pensées.

— Dans tes pensées ?

— Résultat, il a réussi à habiter chez moi, et je suis obligée de me soûler pour l'oublier.

Il y eut un long silence. J'avais l'impression d'être comme un comique racontant une histoire qui ne fait rire personne, un bide absolu.

— Ça ne peut pas continuer, déclara enfin Nick.

— Qu'est-ce que tu veux dire ?

Hélas, je le savais.

— Tu veux que je sois franc ?

— Surtout pas, répondis-je.

Quand on demande ça, c'est qu'on a l'intention de sortir une vacherie.

— Tu sais ce que je pense ?

— Non.

— D'ailleurs, je ne pense pas, j'en suis sûr. Tu es encore amoureuse de Brendan.

— Quoi ? m'écriai-je.

Je m'étais attendue à tout sauf à ça.

— Il t'obsède. Tu ne parles que de lui.

— Bien sûr qu'il m'obsède. C'est comme si j'avais un parasite qui s'insinuait en moi, qui me tourmentait.

— C'est bien ce que je voulais dire. Ça a été très chouette, Miranda.

— Oui, fis-je d'une voix terne. Ça a été.

Il finit par boire une gorgée de vin, lui aussi.

— Désolé, dit-il.

J'aurais voulu hurler, le frapper. Mais je me contentai de sortir un billet de vingt livres que je posai sur la table. Puis je me penchai, en m'efforçant de ne pas perdre l'équilibre, pour l'embrasser.

— Adieu, Nick. On ne s'est pas rencontrés au bon moment.

Je me dirigeai vers la porte d'un pas incertain. Encore une sortie précipitée. J'avais prévu de passer la nuit chez Nick. C'était ce que j'avais promis à Laura. Encore une promesse en l'air.

17

Le lendemain, je paressai quelque temps sur le canapé-lit de Laura avant de me forcer à me lever et à affronter la journée. Dehors, il faisait encore à moitié nuit et le vent soufflait. J'avais froid, j'étais fatiguée, j'avais besoin de me laver les cheveux, ma langue était épaisse et râpeuse comme du papier de verre. Oublié le jogging depuis des jours, je ressentais une certaine raideur des articulations. Je fermai les yeux, écoutant les murmures sympathiques provenant de la chambre de Laura comme si je glissais inexorablement dans un gouffre. Chaque fois que je me raccrochais à une prise, elle cédait sous mon poids.

Je devais retourner pour la énième fois à la maison de Hampstead afin de repeindre un mur rouge en vert, passer ensuite prendre Kerry à l'heure du déjeuner pour visiter un autre appartement trop cher. Et m'obliger à rentrer chez Laura et Tony le plus tard possible afin que ma présence ne les agace pas trop. Je poussai un profond soupir et, avec un effort surhumain, rejetai le duvet et me levai.

J'arrivai légèrement en avance à l'agence de voyages où Kerry travaillait, poussai la porte d'un coup d'épaule, contente d'être à l'abri des rafales de vent glaciales. Malcolm, son patron, essayait de persuader un obèse en costume criard que l'Egypte était un endroit sûr, et deux clients feuilletaient des brochures près du présentoir, admirant les photos de jeunes gens blonds au sourire éclatant qui prenaient des bains de soleil au bord d'une eau bleu turquoise. Kerry discutait à l'autre bout de la salle avec un homme en long pardessus qui me tournait le dos. Je le reconnus tout de suite et m'arrêtai net à quelques pas. C'était Brendan.

— Je suis déjà à découvert, disait Kerry d'une voix plaintive.

— Quarante livres, c'est pas la mer à boire.

— Mais...

— Kerry, susurra Brendan d'une voix suave qui m'arracha un frisson, tu ne peux pas me refuser ça ! Après tout ce que j'ai fait !

— La question n'est pas là, Bren...

Elle fouilla dans son sac.

— Non ? Je suis vraiment surpris, Kerry, et déçu.

— Ne dis pas ça. Tiens, c'est tout ce que j'ai.

— Non, je ne peux pas. Plus maintenant.

— Prends-les, Bren, supplia-t-elle en lui tendant plusieurs billets.

S'apercevant de ma présence, elle rougit et détourna vivement les yeux.

— Je ne sais pas ce que tu as, mais t'as l'air lessivé aujourd'hui, ironisa Brendan en empochant l'argent. Mmmh ?

Kerry tressaillit comme s'il l'avait giflée. Elle porta la main à sa figure pour cacher son désarroi.

Une heure plus tard, je prenais un café avec Kerry dans un petit bistro ringard de Finsbury Park.

— Ce manteau te va très bien, dis-je.

— Tu trouves ?

Elle joua machinalement avec son col.

— Ça ne me donne pas un teint terreux ?

— On est en novembre, Kerry, on est tous un peu pâlots. Non, je t'assure, ça te va bien.

Je lui parlais du ton enjoué qu'on réserve d'habitude aux convalescents.

— Merci, répondit-elle avec une humilité qui me donna envie de la secouer.

— Enfin, tu pars bientôt en lune de miel, te faire bronzer... Où déjà ? Aux Fidji ?

— Oui, fit Kerry en se forçant à sourire.

— Génial !

Il y eut un silence que je meublai en faisant mine de boire le marc de ma tasse vide.

— Brendan sait ce qu'il va faire ?

— Comme travail ?

— Oui.

— Il dit que son job est de remettre Troy d'aplomb.

— C'est vraiment une très mauvaise idée, Kerry.

— Je ne sais pas, dit-elle sans conviction.

— Troy a envie qu'on lui fiche la paix. C'est pour ça qu'il part de chez nos parents.

— Je sais.

Elle se mordit la lèvre.

— Je l'ai plus ou moins fait comprendre à Brendan.

— Et tous les deux, ça va ?

— Bien sûr, lança-t-elle d'un ton sec. Pourquoi ça n'irait pas ?

— Je trouve qu'il devrait davantage penser à vous deux. Qu'est-ce qu'il faisait avant ?

— Oh, des tas de choses, en réalité.

Elle se rongea un ongle.

— Il a étudié la psychologie, a occupé ensuite un poste dans ce domaine, mais ça n'a pas marché. Il est trop indépendant. Il s'était lancé dans plusieurs projets. Il aime prendre des risques. Et il a voyagé, naturellement.

— Naturellement. Je vois.

J'essayais de me souvenir de ce qu'il m'avait dit. Et un nom me revint à l'esprit, un nom qu'il avait glissé dans une conversation au barbecue, chez mes parents. Vermont. C'était ça, Harry Vermont et la start-up. Après le départ de Kerry, je sortis mon portable et téléphonai aux renseignements.

Le lendemain matin à huit heures et demie, j'étais assise dans un vaste bureau aux immenses baies vitrées qui auraient ouvert sur la Tamise si elles avaient été de l'autre côté de l'immeuble. Mais elles donnaient sur un HLM aux portes et aux fenêtres murées – si l'on peut qualifier de murs les plaques de métal qui les obstruaient. Harry Vermont m'offrit un café, mais comme nous étions tous les deux pressés, nous ne perdîmes pas de temps en politesses. Je lui annonçai que je connaissais Brendan Block.

— Vraiment ?

— Vous aviez lancé une start-up avec lui, paraît-il.

— Pardon ?

— J'aimerais savoir quel genre de travail vous avez fait ensemble.

Il prit une cigarette dans le paquet qui traînait sur son bureau, l'alluma et tira une bouffée avant de répondre.

— Le travail que nous avons fait ensemble ? s'étonna-t-il, sarcastique.

— Vous ne voulez peut-être pas en parler ?

— Oh, si, je peux. Sans problème.

— Tu as perdu beaucoup d'argent quand ta start-up s'est écroulée ? questionnai-je Brendan gaiement.

Je picorai quelques miettes de stilton. Nous déjeunions tous chez Bill pour son anniversaire. C'était une journée froide et brumeuse, mais un grand feu brûlait dans la cheminée ; Judy et Bill, bien meilleurs cuisiniers que mes parents, avaient préparé une excellente tourte au gibier.

Le vin rouge coulait à flots et nous entamions le fromage. A l'autre bout de la table, Kerry essayait de persuader Sasha d'être sa demoiselle d'honneur, et Sasha, qui avait douze ans mais en paraissait vingt et ne portait que des jeans à pattes d'éléphant démesurées et des hauts à capuchon, lui expliquait qu'elle ne mettrait une robe de satin pêche pour rien au monde. Papa et Bill m'écoutaient, près de Troy, assis en face de Brendan. Mais comme il était dans une de ses humeurs indéchiffrables, il avait l'esprit ailleurs.

— Bien trop! s'esclaffa Brendan d'un air contrit.

L'homme d'expérience dans toute sa splendeur.

— Et les autres? insistai-je.

Je vidai mon verre et le reposai bruyamment.

— Tout le monde a perdu de l'argent? demandai-je, assez fort pour que Kerry et Judy m'entendent et se tournent vers moi. Harry aussi, tu sais le type dont tu nous as parlé? Comment s'appelait-il, déjà?

Brendan parut un instant déconcerté.

— Vermont, je crois, dis-je. C'est pas ça?

— Comment t'en souviens-tu? s'étonna ma mère, souriante.

Elle était fière de moi, elle croyait que je m'intéressais à Brendan, que j'étais polie.

— Mitch et Sasha, ordonna Judy, débarrassez la table.

Ils s'exécutèrent de mauvaise grâce.

— Parce que j'avais fait le rapprochement

entre Vermont et la Nouvelle-Angleterre, expliquai-je.

Bill me remplit mon verre et je bus une longue rasade. En voulant emporter mon assiette de fromage, Mitch fit tomber le couteau à beurre sur mes genoux.

— Ce pauvre vieux Harry, dit Brendan. Il était anéanti.

— Qu'est-ce qu'il fait, maintenant ? Vous êtes restés en contact ?

— On ne laisse pas tomber ses amis quand ils traversent une mauvaise passe, répondit Brendan d'un ton sentencieux.

— Je l'ai vu, annonçai-je.

— Quoi ?

— Il m'a raconté qu'il t'avait rencontré brièvement, mais que vous n'aviez jamais travaillé ensemble, et qu'il n'avait jamais monté d'entreprise de conditionnement. De toute façon, il ne t'a pas donné le poste.

Je bus une nouvelle gorgée de vin rouge.

— Du café ? proposa Bill à la ronde.

— Avec plaisir, Bill, accepta ma mère.

Il y avait pourtant une note d'affolement dans sa voix.

— Alors ? demandai-je à Brendan.

— Tu es allée voir Harry Vermont ? interrogea Brendan d'une voix très douce. Pourquoi, Miranda ? Pourquoi ne pas m'en avoir parlé avant ?

Tous les yeux étaient braqués sur moi. J'agrippai le rebord de la table.

— Vous n'avez jamais travaillé ensemble, répétai-je. Tu n'as pas perdu d'argent. Tu le connaissais à peine.

— Pourquoi avoir fait ça ? fit-il en hochant la tête, éberlué. Pourquoi ?

— Parce que tu as menti.

Je commençais à me sentir mal, j'avais le front moite.

— Si tu m'avais demandé, je t'aurais expliqué, Miranda.

— Harry Vermont m'a dit que...

— Harry Vermont laisse tomber tous ceux avec qui il travaille ! Brendan se cala sur sa chaise et prit toute la tablée à témoin.

— Il recherche la gloire, reprit-il avec une sorte de résignation peinée. Mais il refuse les responsabilités. Mais je lui ai pardonné, c'était un ami.

— Il a dit...

— Miranda ! siffla ma mère, ça suffit !

— Je voulais savoir...

— J'ai dit que ça suffisait ! gronda ma mère en abattant sa main sur la table avec tant de rage que les couverts s'entrechoquèrent. Cesse ! Tout le monde prend du café ?

Judy lança un regard vers Bill. Ils se levèrent et sortirent. Dans la cuisine, quelqu'un fit tomber un verre.

Je faillis me précipiter pour ramasser ce qu'il

en restait, mais j'étais coincée entre la table et le mur, et Troy aurait dû se lever pour me laisser passer.

— Tu nous as trompés, dis-je. Il nous a tous trompés, répétai-je en m'adressant à la ronde.

Brendan hocha la tête.

— Je ne vous ai pas raconté toute l'histoire parce que c'était un ami. Je voulais le protéger. Mais je ne t'ai pas trompée, Miranda.

Il marqua une pause, puis me sourit.

— Toi, par contre, tu ne t'es pas gênée.

Dans le couloir, l'horloge de grand-père émettait son tic-tac régulier. Par les portes-fenêtres, je pouvais apercevoir les branches nues du hêtre pourpre s'agiter dans le vent.

— Comme la fois où tu as trompé Kerry.

— Arrêtez ! s'écria Troy. Arrêtez, je vous en prie.

— Quoi ? lança Kerry en même temps, d'une voix où perçait la peur. Qu'est-ce que tu veux dire ?

— Remarque, je suis sûr que Kerry t'a pardonné ça. Je la connais, elle pardonne toujours.

— De quoi parles-tu ?

Kerry me fixait d'un air effaré.

— Tu n'avais que dix-sept ans, après tout.

— Brendan, je suis désolée si...

— Quel âge avais-tu, Kerry. Dix-neuf, j'imagine.

— Quand ?

— Tu sais, quand Miranda est sortie avec ton

petit ami. Comment s'appelait-il, déjà ? Mike, je crois ?

Un silence pesant s'abattit sur la pièce.

Brendan porta la main à sa bouche.

— Ah, tu ne savais pas ? fit-il. Miranda ne te l'a jamais avoué ? J'ignorais. Je croyais que... Comme elle m'en avait parlé quand on se connaissait à peine, et avec une telle désinvolture, j'ai cru que tout le monde était au courant... J'ai cru que c'était une de ces histoires de famille...

Sa voix mourut.

J'ouvris la bouche pour déclarer que je ne lui avais rien raconté, qu'il l'avait lu dans mon journal intime. Mais qui se souciait de la façon dont il l'avait appris ? C'était vrai.

— Kerry, articulai-je enfin. Pas ici... Sortons et parlons-en juste toi et moi.

Elle me fusilla du regard.

— Ah, je comprends, dit-elle. Et maintenant, tu essaies de recommencer.

18

Judy essaya de me retenir à la porte, mais je m'en allai, montai dans ma voiture, roulai jusqu'en bas de la rue et me garai devant l'arrêt de bus. J'étais frigorifiée et en sueur en même temps. Je tremblais tellement que j'eus du mal à couper le contact. J'avais un sale goût dans la bouche, mélange de gibier, de fromage et de vin rouge, l'horreur. Je crus que j'allais vomir. Je restai assise les yeux dans le vide sans voir les voitures qui défilaient. Il commençait à faire sombre, on aurait dit que les couleurs s'étaient toutes retirées, laissant la grisaille envelopper la ville.

Un coup de klaxon grave me fit sursauter. Je jetai un coup d'œil dans le rétroviseur ; l'autobus réclamait la place. Je démarrai, déboîtai, mais sans savoir où aller. Je me dirigeai vers chez moi, mais je n'avais plus de chez-moi. J'avais adoré mon appartement, c'était autrefois mon havre de paix. Plus maintenant.

J'aurais pu retourner chez Laura, mais j'avais un besoin désespéré de solitude. Je roulai donc au hasard, passai devant des magasins de matériel d'occasion, de téléphones, de carabines à air comprimé, de nains de jardin, de carrelage, de carillons à vent... Je traversai des banlieues de plus en plus pauvres ; j'y découvris des ponts couverts de graffitis, des petits cafés miteux, des boucheries à donner la nausée où des quartiers de viande se balançaient dans les vitrines. A un feu rouge un jeune homme en battle-dress tapa à ma vitre pour m'ordonner de lui donner de l'argent. Je franchis un autopont, plusieurs carrefours importants, parvins dans une banlieue plus prospère, où les pavillons cédèrent la place aux belles demeures avec des jardins à l'avant et à l'arrière. On venait d'allumer les réverbères et les lampes luisaient désormais dans le crépuscule gris. Je débouchai enfin dans la campagne ; les arbres avaient perdu leurs feuilles et une rivière coulait à travers champs.

Je tournai à gauche au hasard en haut d'une côte, m'engageai sur une route secondaire, puis m'arrêtai à l'entrée d'un pré où j'aperçus des vaches à l'autre bout. Il ferait nuit noire dans une heure et lorsque j'ouvris la portière, le froid transperça ma veste. J'étais trop légèrement habillée pour la saison, sans chaussures adéquates, mais je m'en fichais. Je descendis le chemin de terre, contente de sentir le vent me piquer les joues, me rabattre les cheveux dans la figure. Je marchai de longues minutes, si vite que j'en avais mal aux mollets. Je me mis alors à réfléchir, essayant de me souvenir.

Quand Kerry avait dix-neuf ans, elle était mignonne, mais comme elle se croyait laide, on ne la remarquait pas. En tout cas, les garçons ne la regardaient pas. Michael n'était pas son premier flirt, mais c'était le premier dont elle était tombée amoureuse et sûrement son premier amant. Elle ne m'en avait jamais parlé, je ne lui avais pas posé la question au début parce que j'attendais le bon moment, mais celui-ci ne se présenta jamais. C'était pendant les grandes vacances, elle faisait la plonge et servait les clients dans un café du quartier. Il avait environ trois ans de plus qu'elle, il étudiait le génie civil à Hull, et un jour, en lui commandant un thé, il lui avait proposé de boire un verre après le travail.

Peut-être était-ce parce qu'il ne la connaissait pas, ni elle ni son milieu, dont elle s'était toujours tenue un peu à l'écart, ou peut-être étaitelle prête à avoir une aventure – en tout cas elle tomba pour de bon amoureuse. Elle était fière parce qu'il était plus âgé qu'elle, pas exactement beau garçon, davantage extraverti que séduisant, mais qu'avec lui elle avait l'impression d'être plus mûre et plus rayonnante. Elle irradiait de bonheur, un peu comme depuis qu'elle fréquentait Brendan.

Et puis... j'avais passé trop d'années à essayer de ne plus y penser, je dus me forcer à rechercher les souvenirs enfouis. Ça n'avait pas duré aussi longtemps qu'avec Brendan, et il devint vite évident qu'elle était plus mordue que lui. C'était du moins ce que je m'étais dit à l'époque, et même après. Au début, Michael ne m'avait pas remarquée. J'avais cinq ou six ans de moins que lui. J'avais des devoirs et très peu d'argent de poche. De plus, j'étais vierge. Je ne crois pas lui avoir fait des avances, mais je me souviens du regard qu'il m'avait lancé un jour – un regard approbateur par-dessus la tête de Kerry, et je me rappelle encore maintenant mon sentiment de triomphe, et le profond dégoût que cela m'avait inspiré. Du jour au lendemain, juste parce qu'il m'avait regardée en présence de ma sœur, je ne pensais plus qu'à lui. Je rayonnais d'un plaisir aussi secret que coupable.

Il m'avait embrassée, devant la chambre de Kerry, un baiser que je lui avais laissé me voler en me disant que ça ne tirait pas à conséquence, je ne voyais pas le mal. Nous avions fait l'amour, un après-midi, pendant qu'il avait envoyé Kerry lui acheter des cigarettes. Cette fois, je ne pouvais plus me dire que ça ne comptait pas. Ce furent deux minutes pénibles, et même avant de commencer j'avais compris que je faisais la pire bêtise de ma vie. Je ne pus bientôt plus supporter sa présence, son visage satisfait. Je le fuyais. Quand il venait à la maison, je sortais. Je ne répondais plus au téléphone. J'attendais que ma honte s'efface. Il resta avec Kerry quelque temps, mais peu à peu cessa de lui téléphoner et ne la rappelait pas quand elle essayait de le joindre. Une semaine plus tard, il retournait à Hull et Kerry entrait à l'université. J'étais sûre qu'il l'aurait quittée de toute façon. J'essayais de me trouver des justifications, mais n'y parvins jamais. Je ne savais pas, et ne voulais pas savoir, ce que Kerry en aurait pensé. Je n'arrivais pas à croire à ce que nous avions fait. Il m'arrive encore de me dire qu'il ne s'était rien passé. Mais je l'avais écrit dans mon journal intime, comme pour m'en libérer, en faire un objet que je pouvais jeter ou oublier. Je n'avais jamais pu m'y résoudre, c'eût été comme de me séparer d'une partie de moi-même.

La question que je me posais était celle-ci : l'avais-je fait parce qu'il sortait avec ma sœur aînée ? Parvenue devant un escalier, je m'assis sur la marche mouillée dont je sentis le froid à travers la laine de mon pantalon tandis que mes chaussures prenaient l'eau. Je m'enfouis la tête dans les mains, fermai les yeux, et pressai mes pouces contre mes oreilles pour me concentrer sur mon monde intérieur. Si j'avais pu faire une chose pareille, comment qualifier un tel acte ? Et que se passait-il maintenant ? L'horrible réplique d'une histoire longtemps oubliée, qui se renouvelait au vu et au su de tous ? J'entendais encore ma mère m'ordonnant de cesser, la supplique de Troy. Je revoyais les regards braqués sur moi, le visage blême de Kerry, le sourire de Brendan.

Et maintenant, que faire ? Je rouvris les yeux et me levai. Il faisait nuit et les nuages masquaient la lune. Je me trouvais dans une campagne perdue, au milieu des bois et des champs, et je n'avais aucune idée de ce que j'allais faire. J'aurais voulu disparaître pour ne pas avoir à affronter la situation. Mais où peut-on s'enfuir quand on doit prendre des décisions, quelle route choisir et quels lendemains vivre ? Je finis par retourner à ma voiture, grimpai, mis le contact et démarrai. J'avais si froid que même en allumant le chauffage défectueux à fond, je n'arrivais pas à me réchauffer. J'achetai du lait, du chocolat en poudre et des sablés à quelques minutes de chez Laura. En entrant chez elle, j'entendis l'eau couler dans sa salle de bains. Je me préparai donc un chocolat bien chaud, avec beaucoup de sucre, m'assis sur le canapé, les jambes repliées sous moi, et le sirotai pour le faire durer le plus longtemps possible.

19

Je pris mon courage à deux mains et téléphonai chez moi. Brendan répondit. Je manquai défaillir, envisageai aussitôt de raccrocher, mais il aurait découvert le numéro du correspondant, ce qui n'aurait rien arrangé. Bien au contraire.

— Salut, fis-je.

— Ah, Miranda ! Ça ne va pas trop mal ?

— Qu'est-ce que tu veux dire ?

— Ça a dû être vachement pénible pour toi.

— A qui la faute ? demandai-je.

Je me maudis aussitôt. J'étais comme un boxeur qui avait volontairement baissé sa garde. Le direct au foie ne tarda pas à arriver.

— Miranda, Miranda, Miranda ! répéta-t-il d'une voix mielleuse. Ce n'est pas moi qui ai trahi Kerry.

— Tu l'as su en lisant mon journal intime. Et tu as menti en prétendant que je te l'avais raconté.

— Quelle importance comment je l'ai appris ? Mais ça vaut peut-être mieux, Miranda. Les secrets de famille, c'est mauvais. Ça fait du bien d'en parler.

Je crus devenir folle. Pas seulement à cause de ce que venait de dire Brendan. J'avais l'impression que sa voix s'insinuait en moi et me contaminait, qu'une chose vivante et visqueuse s'introduisait dans mon oreille.

— J'appelais pour prévenir que je passerai demain prendre quelques affaires, dis-je. Si ça ne dérange pas, ajoutai-je après un silence.

— Vers quelle heure ?

J'allais répondre que ça n'avait aucune importance, mais je n'en eu pas le courage. Ça m'aurait entraînée dans une discussion d'où je serais sortie anéantie.

— En sortant du travail.

— Ça veut dire à quelle heure ?

— Vers six heures et demie. Pourquoi ?

— Pour pouvoir t'accueillir comme tu le mérites, Miranda.

— Kerry est là ?

— Non.

— Tu peux lui demander de m'appeler ?

— Bien sûr, acquiesça-t-il d'un ton affable.

Je raccrochai en claquant trop fort le combiné sur son socle. Je jetai un regard coupable vers

Laura. Il n'aurait plus manqué que je lui casse son téléphone ! Elle me lorgna d'un air inquiet.

— Tu es sûre que ça va, Miranda ?

— Je préfère ne pas en parler. Figure-toi que j'en suis réduite à prendre rendez-vous pour passer chez moi ! Excuse-moi. Je te dis que je ne veux pas en parler et je fais tout le contraire.

Elle me sourit et m'embrassa.

— Tu sais, dis-je, ça serait bien que Tony et toi songiez sérieusement à avoir des enfants le plus vite possible.

— Pourquoi ?

— Parce qu'il me faudra bien huit ans de baby-sitting pour vous rembourser.

Elle s'esclaffa.

— Je m'en souviendrai, promit-elle. Mais n'en parle pas à Tony pour l'instant. Chaque fois que j'aborde le sujet des enfants, il se renferme.

Laura et Tony se préparaient pour sortir. Ils s'étaient manifestement disputés parce que Laura était brusque et méthodique, et que Tony faisait la gueule. Je m'apprêtai à passer une soirée larmoyante à m'apitoyer sur mon sort. J'avais déjà tout prévu. Quelques verres de vin, un en-cas pour dîner, un avocat avec du bacon et un pot de mayonnaise que j'avais acheté en rentrant du boulot. Encore un peu de vin, un bain chaud et au lit. Torpeur avinée, larmes et hurlements à programmer ultérieurement.

Je devais avoir une mine affreuse parce que j'entendis Laura murmurer quelque chose dans mon dos et Tony me demander si je voulais venir avec eux.

— Quoi ? Moi ?

J'étais gênée.

— Non, non, mon tailleur groseille est chez le teinturier. Je reste ici, je préfère.

— Ne sois pas stupide, fit Laura. On va dans une fête. Il y aura plein de monde. Tu vas t'amuser. Et tu ne seras pas dans nos jambes, ne t'inquiète pas.

La dernière phrase était surtout destinée à Tony qui me lança derrière son dos un regard interrogateur que je fis mine de ne pas remarquer.

— Non, je ne peux pas, persistai-je.

— C'est chez une amie à moi, insista Laura. Joanna Gergen. Tu la connais ?

— Non.

— Je lui ai parlé de toi.

— Tu lui as dit que j'étais folle ?

— Juste que tu étais ma meilleure amie. Elle pend la crémaillère. Ça sera sympa.

Je finis par me laisser convaincre. Il me fallut trente secondes pour prendre une douche, quarante-cinq autres pour enfiler ma robe noire. Installée sur la banquette arrière de leur voiture, je tentai de me maquiller pendant le trajet dans des conditions incroyablement précaires.

Joanna logeait près de Ladbroke Grove, dans un appartement qui avait dû coûter... Je luttai contre ma déformation professionnelle, j'étais ici pour me détendre, au diable le prix de son appart. En ouvrant la porte, Joanna, une blonde qui fréquentait visiblement les salons de coiffure chics et qui portait avec aisance une robe écarlate au décolleté ultrasexy, parut surprise de me voir derrière Tony et Laura. J'eus l'impression d'être la cinquième roue du carrosse.

— Je te présente Miranda, dit Laura.

Le visage de Joanna s'éclaira d'un sourire.

— C'est toi qui as été virée de ton propre appartement ? demanda-t-elle.

Laura me regarda d'un air d'excuse.

— Je lui ai juste expliqué que tu étais ma meilleure amie et que tu avais des ennuis.

Cela ne portait pas à conséquence et ça eut le mérite de briser la glace. Joanna me conduisit dans le salon en décrivant avec un luxe de détails les aménagements qu'elle avait apportés à son appartement et en se lamentant de la durée des travaux. Elle savait à l'évidence quel métier j'exerçais, et sans doute davantage de choses sur moi que ne l'avait prétendu Laura.

Cependant, la soirée était très réussie. L'appartement était vaste, dans la cuisine des portes-fenêtres ouvraient sur un grand jardin éclairé par des bougies fichées dans des pots de confiture. Il y avait un orchestre de salsa dans le salon et la baignoire regorgeait de glaçons et de bouteilles de bière. A part Laura et Tony, je ne connaissais personne, ce qui n'était pas pour me déplaire. Aller dans une soirée peuplée d'inconnus signifiait pour moi débarquer sur une nouvelle planète. J'étais en train de me batailler avec la capsule d'une bouteille de bière quand un jeune homme s'approcha et l'ouvrit à l'aide de son briquet.

— Tenez, dit-il en me tendant la bouteille.

— Vous avez l'air un peu trop fier de vous, remarquai-je.

— Je m'appelle Callum.

Je le dévisageai d'un œil soupçonneux. Il était grand, avec des cheveux bruns crépus et une drôle de barbichette pas plus grande qu'un timbre-poste sous la lèvre inférieure. Il me surprit en train de la regarder.

— Vous pouvez la toucher, si vous voulez, proposa-t-il.

— Ça porte un nom ?

— J'en sais rien.

— Est-ce difficile à faire ?

— Comparé à quoi ? interrogea-t-il. A la chirurgie esthétique ?

— A une barbe normale.

— J'y arrive sans problème.

— Je m'appelle Miranda.

— Je sais, répondit-il. Vous êtes celle qui s'est fait virer de son propre appart.

— C'est pas si terrible, assurai-je. Juste pathétique et un peu triste.

— Ça avait l'air marrant quand on me l'a raconté.

— Eh bien, ça ne l'est pas du tout. C'est triste.

Je lui narrai toute l'histoire à la mode de

Coleridge dans la *Ballade du vieux marin.* Tout en m'écoutant, il me poussa vers une table, me servit une assiette de tourte au porc avec deux sortes de salade. J'avais déjà raconté ma mésaventure à des tas de gens, mais cette fois, je ne sais pourquoi, j'y ajoutais une pointe d'humour. En partie parce que Callum mesurait dix centimètres de plus que moi, qu'il devait se pencher pour m'écouter, ses cheveux retombant ainsi sur son front, et qu'il me regardait avec une moue perplexe. Par ailleurs, il est difficile de rester digne et solennelle quand on raconte une histoire tout en buvant de la bière à la bouteille, et qu'on essaie de picorer dans l'assiette qu'on tient maladroitement à la main.

— Tu devrais les foutre à la porte, conclut Callum lorsque j'eus terminé.

Je remarquai qu'il était passé au tutoiement.

— Je ne peux pas, affirmai-je sans réfléchir.

— Dans ce cas, fais comme si tu prenais des vacances, sauf que tu ne bouges pas de Londres. Tu as des gardiens pour surveiller ton appartement, tu peux sortir autant que tu veux et te payer du bon temps.

La conversation dériva sur d'autres sujets. Il savait déjà quel métier j'exerçais, et, comme la plupart des gens, le fait que je monte sur des échelles et que je scie des bouts de bois pour gagner ma croûte l'impressionnait. Il finit par me demander mon numéro de téléphone. Je lui dis que je n'en avais pas, précisément, il n'avait donc pas écouté ? Il rit de bon cœur et comme il était un ami de Tony, il m'appellerait chez lui.

J'eus un peu honte lorsque je vis Tony et Laura traînasser ; ils avaient manifestement envie de rentrer. J'étais censée être déprimée, or c'était moi qui m'amusais et eux qui étaient pressés de partir. Sur le trajet du retour, je me souvins du conseil de Callum.

— Je vais les foutre à la porte, annonçai-je.

Laura se retourna vers moi, perplexe.

— Comment ? fit-elle.

— Je me suis laissé embarquer, expliquai-je. Je n'avais pas les idées claires. Dorénavant, j'agirai comme quelqu'un de normal. Je trouverai un endroit pour Kerry et Machinchose, même si je dois leur payer l'hôtel.

— Tu peux encore rester chez nous, tu sais, dit Laura. N'est-ce pas, Tony ?

— Hein ?

— Elle peut rester chez nous.

— C'est toi qui décides.

— Oh, je t'en prie !

— Non, intervins-je. Vous avez été rudement sympas. Mais j'ai l'impression d'être coincée dans une chambre avec le chauffage qui marche et les rideaux fermés, alors qu'un truc pourrit je ne sais où. Je vais tirer les rideaux, ouvrir les fenêtres et aérer la pièce.

— Qu'est-ce qui est en train de pourrir ? demanda Laura.

— C'est juste une métaphore. Si les autres veulent se conduire de manière bizarre, c'est leur problème. J'ai l'intention de vivre ma vie.

— Ça fait plaisir de t'entendre parler comme ça. Pourquoi ce changement soudain ?

Je m'esclaffai.

— Peut-être parce que j'ai discuté avec Callum. Je me croyais dans une tragédie grecque, or c'était peut-être tout simplement une comédie.

20

Je nouai les lacets de mes baskets et bus un verre d'eau avant de sortir. Il était six heures et demie du matin, il faisait encore sombre et bien plus froid que la veille. Il avait gelé et une fine couche de givre recouvrait les pare-brise. Je me reprochai un instant d'être masochiste. Au lieu de me flageller comme une nonne du Moyen Age, je devrais retourner me coucher dans mon lit douillet. Mais je chassai cette pensée, fermai sans bruit la porte derrière moi et m'élançai à petites foulées vers le parc.

Cela faisait longtemps que je n'avais pas couru. Au début, j'avais froid, j'étais raide, mais peu à peu je trouvai mon rythme. Je passai devant le marchand de journaux qui ouvrait juste son rideau de fer, l'école primaire déserte, le centre de recyclage, tandis que le jour pointait. Les réverbères s'éteignirent, certaines fenêtres s'allumèrent et les voitures commencèrent à envahir la chaussée. Le ciel gris sombre s'éclaircit et se zébra de nuages roses. Le facteur effectuait sa tournée. Une femme était tirée par trois énormes chiens qu'elle s'efforçait de retenir. Je songeai aux gens arrachés à leurs rêves par la sonnerie du réveil, aux enfants qui s'étiraient et bâillaient avant de replonger sous les draps pour voler quelques minutes de sommeil en plus. Aux douches qui coulaient, à l'eau qui chauffait, à l'odeur du pain grillé... et soudain je ressentis une pointe de bonheur, contente d'être en train de courir dans les rues désertes tandis que le soleil se levait sur une merveilleuse journée d'automne.

Sur le chemin du retour, je m'arrêtai en bas de la rue pour acheter un sachet de bacon et du pain. Dans l'appartement, comme personne n'était réveillé, je pris une douche rapide, puis enfilai mon pantalon et un vieux jersey chaud rose framboise. Je fis chauffer de l'eau pour le café et cuire du bacon. La porte de la chambre s'entrouvrit et Laura pointa son museau, à moitié endormie, comme une fillette, toute décoiffée, les joues roses. Elle renifla et marmonna quelque chose d'incompréhensible.

— Du café et du bacon, annonçai-je. Tu veux que je te les apporte au lit ?

— On est lundi !

— Je sais, mais c'est pour bien commencer la semaine.

— Depuis quand es-tu debout ?

— Une heure ou deux. Je suis allée faire un peu de jogging.

— Qu'est-ce qui t'arrive pour être si gaie ?

— Je reprends ma vie en main. Tu as devant toi une nouvelle Miranda.

— Seigneur ! fit-elle, et elle rentra sa tête.

Peu après elle me rejoignit dans la cuisine, emmitouflée dans une épaisse robe de chambre. Elle s'assit à la table et me regarda glisser des tranches de bacon entre les toasts et faire bouillir le lait pour le café. Lorsqu'elle fut servie, elle picora ses toasts du bout des lèvres tandis que je mordais dans les miens à belles dents.

— Qu'est-ce que tu comptes faire aujourd'hui ? demanda-t-elle.

Je lampai mon café et sentis la chaleur m'envahir peu à peu.

— J'ai eu une idée, cette nuit. Je vais téléphoner aux clients qui quittent le pays pour quelque temps. Je sais qu'il y en a plusieurs parce qu'ils nous ont demandé de faire les travaux en leur absence. Je leur proposerai de faire garder leur maison par un couple responsable. Il y a au moins une famille avec animaux qu'il faudra nourrir deux fois par jour. Elle sera contente que Kerry et Brendan s'en occupent. Je suis sûre de trouver... C'est bien mieux que d'éplucher les petites annonces. Alors...

Je me versai une autre tasse de café, ajoutai du lait bouillant et pris deux autres toasts au bacon.

— Je vais leur trouver un endroit où habiter parce qu'ils ne le chercheront pas eux-mêmes, c'est couru. Comme ça, Troy habitera avec moi comme prévu. Ensuite, j'irai au centre de récupération avec Bill, je ferai mes comptes, et je passerai chez moi prendre quelques affaires et leur dire quand ils devront déménager. Voilà !

— Tu me fatigues rien qu'à t'écouter.

— Je débarrasserai bientôt le plancher.

— Je suis contente que tu habites avec nous.

— Vous avez été fabuleux, mais je vous gêne et je veux partir avant que vous n'en ayez marre.

— Tu veux que je m'occupe du dîner ?

— J'achèterai des plats cuisinés, dis-je. Curry et bière.

Après le départ de Laura, je débarrassai la table, fis une lessive et passai l'aspirateur dans le salon. Je me promis de lui acheter un beau cadeau pour la remercier.

J'allai au bureau de Bill, à quelques centaines de mètres de chez lui, afin de téléphoner aux clients. La famille avait déjà trouvé quelqu'un pour s'occuper de ses animaux. La jeune femme qui vivait à Shoreditch ne voulait pas d'inconnus chez elle. Le couple avec la merveilleuse serre avait modifié ses projets et ne partait pas avant plusieurs mois. Mais les deux hommes qui habitaient dans une petite maison de London Fields étaient intéressés. Ils devaient me rappeler après en avoir discuté.

Je commençai à faire mes comptes en attendant leur coup de fil. Ils me rappelèrent presque aussitôt. Ils partaient dans huit jours en Amérique, où ils comptaient rester trois mois, peut-être plus si tout allait bien. Ils n'avaient pas pensé à faire garder leur maison, mais du moment que leur cuisine serait terminée à leur retour, que Brendan et Kerry leur étaient recommandés et qu'ils payaient un loyer, entretenaient la maison et arrosaient le palmier et l'oranger de leur salle de bains, ils étaient d'accord.

— Dans huit jours ? demandai-je.

— Exactement.

Leur maison était très belle, plus vaste que mon appartement, et elle donnait sur un parc. Il y avait une baignoire circulaire, une moquette épaisse, et quand la cuisine serait installée, il y aurait un plan de cuisson en acier inoxydable, un sol carrelé et une grande verrière horizontale. Brendan n'aurait aucune objection à présenter. Dans huit jours, je récupérerai mon appartement, peindrai ma chambre en jaune, déplacerai les meubles, nettoierai les vitres et jetterai des tas de vieilleries.

— C'est génial ! déclarai-je. Vraiment génial. Vous n'imaginez pas à quel point ça me fait plaisir.

J'appelai Troy sur mon portable et lui fis part de la bonne nouvelle. Je l'entendis presque sourire au bout du fil.

J'arrivai à mon appartement un peu trop tôt. Il y avait de la lumière à l'une des fenêtres, mais je ne vis pas la voiture de Kerry. Je glissai ma clé dans la serrure, ouvris la porte du bas et entrai, espérant qu'ils étaient sortis tous les deux. Sinon, j'en profiterais pour leur parler de la maison de London Fields et pour avoir une discussion avec Kerry. Hier, j'avais senti qu'elle ne me pardonnerait jamais, mais tout me semblait différent aujourd'hui. Il ne s'était pourtant rien passé, mais j'avais changé.

Je montai l'escalier et une drôle d'odeur m'interpella. Tant qu'à me chasser de chez moi, ils pouvaient au moins faire le ménage ! J'ouvris la porte qui heurta quelque chose et se coinça. Je poussai plus fort, j'entendis comme un fracas.

Que vis-je ? Que ressentis-je ? Je n'en sais rien. Je ne le saurai jamais. Tout s'embrouilla dans ma tête et même maintenant les souvenirs sont encore flous.

Je vis des grosses chaussures aux bouts éraflés aperçues des centaines de fois, mais trente centimètres au-dessus du sol, puis un pantalon de toile, taché au genou, et un ceinturon autour de la taille. Ça puait la merde. Une chaise était renversée. Je fus saisie d'une angoisse atroce. Je n'arrivais pas à me résoudre à lever les yeux.

Pourtant, il le fallut bien. Sa tête était au-dessus de la mienne, inclinée sur le côté, sa bouche entrouverte, le bout de sa langue pendant, ses lèvres bleuies, ses yeux grands ouverts. C'est alors que je vis la corde.

Il vivait peut-être encore. O, Seigneur, faites qu'il soit encore en vie ! Je redressai la chaise et grimpai dessus, manquant perdre l'équilibre, mon corps pressé contre le sien, m'efforçant de diminuer la tension de la corde, essayant de dénouer le nœud coulant. Mais mes mains tremblaient trop. Je sentais ses cheveux contre ma joue, son front glacé, son inertie. Cependant, on peut vivre même quand on a l'air mort, on lit plein de trucs sur des gens qu'on ramène à la vie quand tout espoir est perdu. Toutefois, je n'arrivais pas à dénouer le nœud et son corps pesait trop lourd, il sentait déjà la mort. La merde et la mort !

Je courus à la cuisine. Le couteau à pain gisait dans l'évier ; je m'en saisis et retournai à toute vitesse dans le salon. Je grimpai de nouveau sur la chaise et, debout sur la pointe des pieds, sciai la corde tout en retenant son corps. Soudain, il tomba et nous roulâmes tous deux à terre, ses bras autour de mes épaules, dans une horrible étreinte.

Je le repoussai, fonçai décrocher le téléphone et composai un numéro.

— Au secours ! hurlai-je dans l'appareil. Il s'est pendu ! Venez vite. Que dois-je faire ?

La personne qui me répondit était très calme. Elle me posa des questions auxquelles je répondis en bredouillant. Et pendant tout ce temps, Troy gisait à quelques pas.

— Que dois-je faire ? ne cessai-je de répéter, affolée. Que dois-je faire ?

— Les secours arrivent, me répondit-on.

— Dois-je lui faire du bouche-à-bouche ? De la respiration artificielle ? Dites-moi !

Mon regard restait rivé sur Troy. Son visage était blême, ses lèvres bleues, le bout de sa langue pointait entre ses dents, ses yeux étaient ouverts, vides. Le nœud coulant s'était desserré, mais on en voyait la trace sombre autour de son cou. Mon petit frère !

— Faites vite ! suppliai-je dans un souffle. Je vous en prie, faites vite !

Je raccrochai le téléphone et rampai jusqu'à Troy. Je posai sa tête sur mes genoux, repoussai les cheveux collés sur son front, l'embrassai sur les joues, sur les lèvres. Je pris sa main et la caressai. Je reboutonnai un bouton de sa chemise. J'avais l'intention de téléphoner à mes parents, mais comment leur annoncer la nouvelle ? C'était trop horrible, je n'y arriverais jamais !

Son pull était étalé sur le dos du canapé. Il y avait un livre retourné sur la table. L'horloge murale faisait entendre son tic-tac régulier. Elle indiquait 18 h 25. Ah, si on pouvait remonter les minutes, les heures, jusqu'au moment où Troy avait grimpé sur la chaise, le nœud coulant autour du cou, juste avant qu'il ne donne le coup de pied fatal! Ah, si j'étais arrivée plus tôt, si j'avais laissé mon pain et mon fromage, mes livres de comptes, si je ne m'étais pas attardée au bureau! Je lui ébouriffai les cheveux. Plus rien ne serait jamais comme avant.

On sonna à la porte. Je reposai doucement la tête de Troy sur la moquette et allai ouvrir. Pendant que les secours s'affairaient autour de lui, j'appelai mes parents.

21

Tout était décousu, incohérent, baignant dans une étrange lumière, les gens parlaient dans une langue étrangère. Je n'avais plus l'impression d'être chez moi, plutôt dans une rue où un accident venait de se produire. Des gens que je ne connaissais ni d'Eve ni d'Adam entraient et sortaient. Trois personnes en combinaison verte avaient commencé par s'affairer avec des gestes vifs, criant des instructions, mais elles opéraient maintenant avec calme parce que, après tout, il n'y avait plus d'urgence, il était trop tard. Je vis aussi deux policiers, un homme et une femme. Ils avaient dû arriver vite. Je jetai un coup d'œil sur ma montre, mais ne parvins pas à lire l'heure, les chiffres semblaient trop loin et dans le désordre. On me tendit une tasse ; je bus un liquide qui me brûla les lèvres. Tant mieux ! J'avais besoin d'avoir mal, de ressentir enfin quelque chose, de me réveiller de mon engourdissement.

J'avais eu ma mère au téléphone et envisagé de lui annoncer la nouvelle par étapes. Ça me semblait plus facile à entendre. Quelque chose comme : « Troy est très malade. Je crois que c'est grave. » Mais j'en fus incapable. Il était trop froid, les yeux grands ouverts, bel et bien mort. Je lui annonçai donc simplement que Troy était mort et qu'elle devrait venir, mais que si elle préférait, ce n'était pas la peine car j'étais assez grande pour m'occuper de tout. Je l'entendis hoqueter, puis elle me posa des questions ridicules. « Mort ? Tu es sûre ? » Puis il y eut une sorte de gémissement. Elle commença à m'expliquer qu'elle croyait que Troy allait mieux, mais je la coupai parce que je n'arrivais pas à me concentrer sur ses paroles.

On me toucha l'épaule. Une femme m'observait. C'était la policière, plus jeune que moi, pâle, les pommettes grêlées de minuscules taches violacées. Est-ce que je me sentais bien ? J'acquiesçai. Elle voulait des détails. Le nom de Troy, son âge. Je me mis en colère. Comment pouvait-elle poser des questions aussi stupides dans un moment pareil ? Puis je compris qu'elle avait besoin de mes réponses. Je vis soudain la scène avec ses yeux. Elle faisait son métier. On l'appelait pour ce genre d'occasions. Les hommes en combinaison verte aussi. Ils s'occupaient de tout, puis rentraient chez eux, regardaient la télé. La femme flic était sans doute entraînée spécialement pour prendre soin de gens comme moi. Quand elle me regardait, elle voyait juste une personne de plus à aider, une personne incapable d'affronter la réalité toute seule. Elle avait probablement vu une femme comme moi la veille et en verrait une autre demain ou le jour suivant. Elle m'étudiait en se demandant si j'étais du genre à lui poser des problèmes. Certaines personnes pleuraient, d'autres ne réagissaient même pas, quelques-unes perdaient la tête, se montraient parfois agressives. Dans quelle catégorie me ranger ?

Il y avait tant de choses à faire ! me dis-je. Des papiers à remplir, des enveloppes à coller, des gens à prévenir. Tout à coup, la réalité me frappa dans toute son horreur. Je suffoquai, comme si l'air se raréfiait. Je fus prise de vertiges et commençai à vaciller. Le visage de la femme se matérialisa devant mes yeux.

— Ça ne va pas, Miranda ?

Elle me prit la tasse des mains. J'avais déjà renversé du thé sur mon pantalon. Il avait refroidi maintenant.

— Ça ne va pas ? répéta-t-elle. Vous allez vous évanouir ?

Je lui assurai que j'allais bien parce que je ne pouvais pas lui dire ce que je ressentais : le choc, la certitude que c'était la fin de l'histoire de Troy. J'avais la tête bourdonnante de souvenirs. Troy enfant, juché sur un château de sable léché par les vagues. Troy trébuchant dans la cour de récréation à l'école primaire, et perdant une dent de devant. Troy qui se mordait la lèvre courbé sur un de ses dessins. La façon dont il se roulait par terre, riant aux éclats, comme s'il était possédé. Les fois, plus nombreuses, où il s'assombrissait comme le mauvais temps et se renfermait, loin de nous. Troy, la tête fourmillant d'idées, mais incapable de les exposer tellement elles se précipitaient, les yeux brillants d'espoir. Ses longs doigts déliés, ses grands yeux, qui lui mangeaient presque toute la figure. Je repensais aux discussions que nous avions sur lui en son absence. Je gardais de mon enfance le souvenir de l'expression peinée de ma mère quand elle l'observait. Que faire pour Troy ? Mes parents avaient tout essayé : le conduire chez une psychologue, chez un médecin, le laisser seul, tenter les encouragements, les mises en garde, les cris, les pleurs, allant même jusqu'à faire comme si tout était normal. Des milliers de souvenirs, des fragments d'anecdotes, qui se terminaient de la même façon. Toutes les routes menaient à mon appartement, à la corde, à la poutre, au corps de Troy qui n'était plus, allongé par terre, entre les mains de gens qu'il ne connaissait pas et qui ne le connaissaient pas davantage.

La policière reparut avec une poignée de Kleenex. Je m'aperçus que je sanglotais bruyamment. Les gens me regardaient d'un drôle d'air. J'enfouis mon visage dans les mouchoirs, essuyai mes yeux et me mouchai. Je ne pouvais m'arrêter de pleurer. Nous avions tous échoué. C'était comme si j'avais assisté toute ma vie à la noyade de Troy. Nous avions fait ceci ou cela, nous avions discuté, nous avions échafaudé des plans, nous avions essayé de l'aider, mais il avait fini par couler et nos efforts étaient restés vains.

Les pleurs cessèrent peu à peu et je me sentis vidée.

La femme officier m'apprit qu'elle s'appelait Vicky Reeder. Elle était accompagnée d'un homme en costume qu'elle me présenta comme l'inspecteur Rob Pryor. Il me demanda comment j'avais trouvé Troy. Le calme de ma voix et la précision de mes réponses l'impressionnèrent. Je n'avais aucun éclaircissement à lui apporter et il se contenta de m'écouter en hochant la tête. Ensuite, avec un policier en uniforme, il examina la poutre. Il revint et me parla à voix basse d'un ton respectueux, à la manière d'un croque-mort. Je m'aperçus que je faisais désormais partie d'une race particulière, les endeuillés, légèrement en retrait de la vie normale et qu'on devait traiter avec respect et une certaine déférence. Il me dit qu'on allait emporter Troy et me conseilla de passer dans la pièce voisine car je risquais d'être bouleversée. Je refusai. Je voulais tout voir. Je me forçai à regarder Troy. Il portait son pantalon kaki et un polaire bleu marine. Il avait encore ses grosses chaussures et j'entraperçus ses chaussettes rayées rouge et bleu. Je l'imaginai les enfiler ce matin. Savait-il alors qu'il ne les ôterait plus jamais ? Avait-il décidé à son réveil de se pendre ou avait-il agi sur un coup de tête ? Si je lui avais téléphoné dans l'après-midi pour bavarder, aurait-il changé d'avis ? Il fallait absolument que je cesse de penser à ça. C'était mon frère, il était mort chez moi et je n'étais pas présente. Je me demandai ce que je faisais au moment où il avait renversé la chaise d'un coup de pied et qu'il s'était débattu pendant quelques secondes au bout de la corde. Non, je ne devais plus y penser !

L'un des ambulanciers en uniforme vert déroula un sac en plastique de la taille de Troy. Il ressemblait à un long étui pour stylo. L'homme leva les yeux vers moi d'un air gêné, comme s'il faisait quelque chose d'indécent. C'était en effet obscène. Ils le soulevèrent par les pieds et les épaules et le posèrent sur le sac ouvert, puis ajustèrent le corps, rangèrent la corde à l'intérieur et remontèrent la grosse fermeture Eclair. Maintenant, on pouvait l'emporter dans l'ambulance sans choquer les personnes présentes.

J'entendis alors des voix dans l'escalier et mes parents parurent sur le seuil. Ils n'avaient pas sonné en bas. Ils observaient tout autour d'eux comme s'ils venaient juste de se réveiller et paraissaient complètement perdus. Ils avaient pris un coup de vieux. Mon père portait un costume. Il avait dû venir de son travail et était passé prendre ma mère en route. Celle-ci posa son regard sur le sac et je vécus de nouveau un moment pénible. Elle semblait incrédule, choquée par la réalité hideuse. L'inspecteur se présenta et prit mon père à l'écart pour discuter. Je ressentis un certain soulagement. J'étais redevenue une petite fille, mon père s'occupait de tout. Je n'aurais pas à passer les coups de fil, à remplir les papiers. Mes parents s'en chargeraient.

Ma mère s'agenouilla près de la forme qui avait été autrefois Troy. Elle posa doucement sa main sur l'endroit où son front devait se trouver. Je vis ses lèvres remuer mais n'entendis pas ses paroles. Elle battit des paupières, se releva et se dirigea vers moi. Elle n'enjamba pas le corps de Troy, mais le contourna d'un pas mal assuré, les yeux rivés sur le sac comme s'il s'agissait d'un gouffre dans lequel elle risquait de tomber. Elle approcha une chaise, s'assit à côté de moi, et me prit la main. Quand les hommes en vert soulevèrent le corps, j'observai ma mère. Elle ne pleurait pas, mais je vis ses mâchoires se crisper.

Mon père fit ses adieux à l'inspecteur Rob Pryor avec la même désinvolture que s'il l'avait aidé à changer un pneu crevé. Je vis Pryor noter quelque chose sur un morceau de papier qu'il remit à mon père, puis ils se serrèrent la main et tout le monde partit. Nous restâmes seuls, mes parents et moi. J'avais l'impression de devenir folle. Que s'était-il passé ? Les autorités étaient venues enlever le corps de Troy pour l'emporter je ne savais où, et maintenant, que devions-nous faire ? Ils n'avaient donc pas d'autres questions à nous poser ? Avions-nous des devoirs à remplir ? Je n'avais pas encore eu l'occasion de parler avec mes parents.

— Troy..., commençai-je.

Je m'arrêtai net. Il n'y avait rien à dire et trop de choses à la fois.

Je m'étais attendue à ce que ma mère fonde en larmes, et que je la console, ce qui nous aurait permis de ne pas penser à autre chose, mais elle continuait d'afficher la même perplexité. Mon père vint s'asseoir en face de moi, très calme.

— Ça t'a surpris ? me demanda-t-il.

Je faillis hurler que c'était une saloperie de surprise, mais je pensais à lui, à ma mère, au fils qu'ils venaient de perdre et me contentai d'acquiescer.

— Tu crois qu'on aurait dû s'apercevoir de quelque chose ? interrogea-t-il.

— Ça a toujours été comme ça toute sa vie, dis-je.

Toute sa vie ! Le sens des mots avait changé. Ma mère se mit à parler comme une somnambule. Elle parla de Troy, du malaise qu'elle avait senti en lui ces dernières semaines, mais maintint qu'il allait mieux depuis quelque temps. Il avait traversé des périodes bien pires et s'en était toujours remis. Elle s'était demandé s'il n'y avait pas eu des signes annonciateurs, des alertes, mais n'en trouva aucun. Elle parla de Troy plus jeune. Ce n'étaient pas encore des réminiscences, elles viendraient après. Nous avions toute la vie pour cela. Elle énuméra ce qu'ils avaient fait pour lui, leurs échecs, et ne cessait de se demander s'ils n'auraient pas dû agir autrement. Elle n'était pas amère et ne s'apitoyait pas sur son sort, elle était simplement curieuse, comme si mon père ou moi-même pouvions lui apporter une réponse satisfaisante.

Papa se conduisait avec un sérieux professionnel qui me parut proche de la folie. Il prépara du thé, puis revint avec une feuille de papier et un stylo, et commença à dresser une liste des choses à faire. Et il y en avait ! Des gens à prévenir, des arrangements, des décisions à prendre. Il couvrit une page entière de son écriture précise et carrée.

Outre l'horreur, c'était une situation bizarre. Nous étions tous trois chez moi. Ma mère n'avait pas encore ôté son manteau, mon père avait terminé sa liste. Il y avait des tas de choses à faire, cependant nous étions désœuvrés. Nous n'avions pas faim, nous n'étions pas prêts à annoncer la nouvelle. C'était comme si nous avions besoin d'être réunis afin de garder le secret et ne le répandre que le plus tard possible. Nous n'avions donc rien d'autre à faire que de parler par bribes, et si un malaise planait je ne m'en rendis pas compte. J'étais encore sous le choc. J'avais l'impression d'avoir reçu une décharge électrique en mettant mes doigts dans une prise, et que le courant me traversait sans interruption.

Le temps passa et les neuf heures approchaient lorsque j'entendis des voix et des rires dans l'escalier. Brendan et Kerry entrèrent bras dessus, bras dessous, hilares. Ils parurent agréablement surpris de nous voir.

— Que nous vaut cette visite ? demanda Brendan.

22

Le temps était humide et étrangement lourd. Dans moins de quatre semaines, ce serait Noël. Rues commerçantes illuminées, pères Noël, clochettes, personnages de Disney, vitrines scintillantes de guirlandes et de colifichets. On trouvait déjà des sapins devant l'épicerie, appuyés contre le mur, les branches emmaillotées. Dans ma rue, certaines portes étaient ornées de couronnes. Les supermarchés croulaient sous les diablotins, les tourtes à la viande hachée, les calendriers de l'Avent, les cartons de dattes, les boîtes de chocolats, les dindes congelées, les bouteilles de porto ou de xérès, les paniers de sels de bains et de savons, les CD, les livres humoristiques, les petits cadeaux inutiles. Un orchestre de cuivres jouait *O Little Town of Bethlehem* devant le Woolworth's. Des femmes emmitouflées agitaient des sébiles cliquetantes.

Que ferions-nous à Noël ? Installerions-nous un sapin dans la maison en chantier de mes parents ou dans mon salon, là où Troy s'était pendu il y avait maintenant neuf jours ? Allions-nous manger une dinde aux marrons, des pommes de terre cuites au four, coiffer des bonnets pointus ridicules et raconter des blagues à tour de rôle ? Qu'allions-nous faire ? Que pouvions-nous faire qui ne sombre pas dans le grotesque ? Comment reprendre une vie normale après un drame aussi atroce ?

Il n'y avait pas eu grand monde à l'enterrement de Troy. C'était un adolescent solitaire. Ses rares camarades de classe n'avaient plus donné de nouvelles après son départ du collège, même si deux d'entre eux étaient venus avec le sous-directeur et le professeur de physique. Son professeur particulier était présente, elle aussi, de même que des amis de la famille qui connaissaient Troy depuis toujours. Ainsi que Bill, Judy et leurs enfants, Kath, la sœur de ma mère, descendue de Sheffield avec les siens, quelques parents éloignés que nous recevions une ou deux fois par an, ceux avec qui nous nous contentions d'échanger des cartes de vœux. Carol, une amie de Kerry, assistait aussi aux funérailles, de même que Tony et Laura.

Et naturellement papa, maman, Kerry... et Brendan. Celui qui paraissait le plus affligé : les yeux rougis, un hématome sur le front qui virait au jaune. Même moi, je dus admettre qu'il avait été merveilleux ces derniers jours ; infatigable, indispensable, solide. « Merveilleux » entre guillemets, cependant. Je découvrais une nouvelle facette de son talent. Plein de ressources, d'énergie, dévoué, persuasif, à l'écoute, toujours prêt à rendre service. Il avait le don de devancer les désirs de chacun.

Il avait proposé de se charger des funérailles, afin de soulager la famille, mais ma mère avait refusé, assurant qu'elle avait besoin de s'occuper. Il avait répondu au téléphone, rempli les documents officiels, préparé le thé, fait les courses, rapporté ses affaires et celles de Kerry chez mes parents afin que je récupère mon appartement. Kerry et lui devaient emménager dans deux jours dans la maison que je leur avais trouvée.

Une semaine après le drame, nous discutâmes du mariage. Kerry voulait le repousser, mais mes parents déclarèrent que seul l'amour nous aiderait à faire le deuil. Brendan approuva, prit la main de Kerry et la tapota en lui disant d'une voix pleine de sagesse :

— Oui, chérie, c'est grâce à l'amour que nous nous en sortirons.

Cela aurait dû m'exaspérer, mais je baignais dans une telle torpeur que plus rien ne m'atteignait.

En rentrant du cimetière, nous nous étions réunis chez mes parents et nous nous tenions dans le salon ouvert à tous vents, buvant du thé sans savoir quoi se dire. Que peut-on formuler, d'ailleurs, dans une occasion pareille ?

— Tiens, me dit Bill en me fourrant un verre de whisky dans la main, c'est plus efficace que le thé.

Je bus une large rasade.

— Merci.

— Comment te sens-tu ? s'enquit-il.

— Ça va.

— C'était une question idiote. Comment pourrais-tu aller bien ?

— S'il était mort dans un accident ou d'une maladie, ça aurait...

Je ne pus terminer.

— Marcia va passer sa vie à se demander ce qu'elle a fait de mal.

— Je sais.

— C'est toujours comme ça avec un suicide. La réalité, c'est qu'elle a fait tout ce qu'elle pouvait. Vous tous aussi.

— Non. Il n'aurait jamais dû se suicider.

— Non, dit Bill, je sais bien.

— Je n'arrive pas à comprendre. Maman répète sans arrêt qu'elle croyait qu'il allait mieux. Et c'est vrai qu'il allait mieux, Bill.

— On ne peut pas savoir ce qui se passe dans la tête des autres.

— T'as peut-être raison.

Je bus une autre gorgée.

— Il était mal dans sa peau, reprit Bill.

— Oui.

Je pensais à Troy gloussant de joie, faisant des plaisanteries stupides, me souriant. Je ne le revoyais que dans ses périodes fastes, plein d'énergie, irradiant de joie.

Bill remplit de nouveau mon verre avant d'apporter la bouteille de whisky à mon père. Je sortis du salon surpeuplé, traversai la cuisine en travaux, enjambai le mur écroulé et sortis dans le jardin détrempé. Des planches fendillées, de vieux éléments s'entassaient contre la clôture. Le temps était brumeux, les contours semblaient flous, mais peut-être était-ce dû au whisky.

Après ma conversation avec Bill, je pataugeais en plein doute. L'autopsie avait conclu au suicide par pendaison. Je repensais au coup de fil avec Troy le matin de sa mort ; il semblait fatigué, mais plutôt joyeux. Je lui avais appris que j'avais trouvé une maison pour Brendan et Kerry, et nous avions fait des projets. Je lui avais dit combien j'avais hâte que nous habitions ensemble, et il m'avait assuré, d'un ton un peu bourru, qu'il partageait mon impatience. Mes yeux s'emplirent de nouveau de larmes alors que j'avais cru les avoir toutes déjà versées. Je réentendis Brendan me demander, la veille, à quelle heure je comptais passer prendre mes affaires, et je me souvins lui avoir répondu vers 18 h 30. Je me revis ouvrir la porte en avance, découvrir le corps de Troy au bout de la corde, son visage blême, ses yeux vides, ses lèvres bleuies et la chaise renversée à ses pieds.

Tu deviens folle, me dis-je. Je voulais tellement que Troy ne se soit pas suicidé, ne pas me sentir coupable de sa mort, comme mes parents, ne pas avoir à imaginer le désespoir qui l'avait conduit à une telle extrémité que j'étais prête à inventer les théories les plus farfelues.

Je reçus quelques gouttes de pluie. Je vidai mon whisky et retournai au salon. Je restai près de la porte afin de ne pas avoir à parler de Troy ni à discuter avec qui que ce soit. Kerry se tenait à côté de mon père, un bras sur son épaule. Son mascara avait bavé et son cou était marbré de taches rouges. Brendan restait seul à l'autre bout du salon. Nos regards se croisèrent. Il détourna les yeux et son visage se fripa. J'eus soudain l'impression qu'il jouait la comédie pour moi seule. Des larmes roulèrent sur ses joues, coulèrent dans son cou. Il se fourra un poing dans la bouche et se plia en deux comme pour étouffer un gémissement.

Laura vint lui poser une main sur l'épaule. Elle resta près de lui tandis qu'il était secoué de sanglots. Lorsqu'il se redressa, elle retira sa main. Ils parlèrent quelque temps, puis regardèrent dans ma direction.

Je me détournai et montai chercher ma mère, qui s'était éclipsée. Je la trouvai dans la chambre de Troy – où Brendan et Kerry avaient dû emménager car je vis leurs valises près de la porte. Elle était assise sur son lit, tripotant les draps, le regard fixé au loin. Elle semblait épuisée. Même ses cheveux étaient ternes. J'allai m'accroupir près d'elle et lui posai une main sur le genou. Elle me fit un petit signe de remerciement.

— J'ai pensé qu'ils pouvaient l'occuper, dit-elle.

— Tu as eu raison.

— Je ne sais pas quoi faire de moi. J'ai l'impression de n'être nulle part à ma place.

— Oui, je comprends ce que tu ressens.

— Miranda ?

— Oui ?

— Il allait mieux, c'est vrai.

— Je sais.

Je restai avec elle quelque temps, puis retournai auprès des autres, et de la bouteille de whisky.

Laura me ramena car j'étais trop ivre pour conduire. Elle me soutint dans l'escalier, me fit entrer, m'enleva mon manteau, m'installa sur le canapé, puis m'ôta mes chaussures.

— Voilà, dit-elle. Et maintenant, thé ou café ?

— Ça serait dommage de dessoûler si vite. Whisky, plutôt.

— Du café, ordonna-t-elle d'un ton sans réplique. Et je vais te faire couler un bain.

— C'est vachement sympa, mais t'es pas obligée.

— C'est rien, assura Laura.

Elle remplit la bouilloire électrique et la brancha.

— On devait habiter ensemble, l'informai-je.

— Je sais. Tu veux manger quelque chose ?

— J'ai un goût affreux dans la bouche. Qu'est-ce que Brendan t'a raconté ?

— Quoi ? fit-elle, perplexe.

— Je vous ai vus discuter tous les deux. Après son grand numéro de larmes.

— Tu es injuste, Miranda.

— Tu n'es pas d'accord ?

— Il a beaucoup de chagrin, mais il ne veut pas le montrer devant tout le monde. Il doit être fort pour la famille.

— C'est ce qu'il t'a dit ?

— Oui.

— Oh, et puis zut, quelle importance ?

— C'est important pour lui, insista Laura. Je sais ce que tu éprouves pour lui, mais il prend les choses très à cœur. Après tout, vous êtes sa seule famille. Il considérait Troy comme son petit frère.

— Toi aussi ! m'exclamai-je, trop fatiguée pour discuter.

— Moi aussi quoi ?

— Il t'a mise dans sa poche.

— La question n'est pas là.

— C'est aussi ce qu'il prétend, mais il ment. Il est d'un côté et moi de l'autre. Et maintenant, plus que jamais. Tu ne peux pas être des deux côtés à la fois, et tu ne peux pas jouer au médiateur des Nations Unies. Tu dois choisir ton camp.

Il y eut un silence.

— Tu t'es laissé séduire, hein ?

J'avais l'élocution empâtée, l'esprit embrumé par le whisky et la tristesse.

— Miranda, ne dis pas ça, tu es ma meilleure amie.

— Excuse-moi.

Mais je ne pouvais pas m'arrêter.

— Tu le trouves sympa, hein ?

— J'avais de la peine pour lui.

Elle versa l'eau bouillante sur le café soluble et remua. J'allais chercher la bouteille de whisky sur l'étagère.

— Regarde, dis-je. Comment ai-je pu boire tout ça en deux jours ?

J'étais presque fière de moi. C'était une sorte d'exploit. Je me versai une généreuse rasade, fermai les yeux et bus une gorgée.

— Tu vas avoir une gueule de bois carabinée, demain, prévint Laura.

— Quitte à se sentir mal...

— Tu veux que je reste ici cette nuit ?

— Non, tu en as déjà assez fait.

— Tu travailles demain ?

— C'est pas dimanche !

— Je t'appellerai demain soir, alors.

— Pas besoin.

— Je sais, mais je te téléphonerai quand même.

— Ah, qu'est-ce que je deviendrais sans toi !

Je terminai la bouteille. Quand je fermais les yeux, la pièce tournoyait, et si je les laissais entrouverts, la lumière me transperçait le crâne. Je gagnai ma chambre en titubant et m'assis sur le lit. Celui-là même dans lequel Troy avait couché. J'avais bien changé les draps, mais il restait encore quelques affaires à lui – sa montre sur la table de chevet, sa veste pendue au crochet de la porte, ses chaussures en vrac. Je sentais encore son odeur dans la pièce. Je ramassai un livre sur le pain qu'il devait lire et le serrai contre ma poitrine.

— Oh, mon chéri ! m'écriai-je, la langue pâteuse. Oh, Troy chéri, que vais-je devenir ?

Plus tard, vers deux heures du matin, je dus foncer aux toilettes. Je régurgitai tripes et boyaux dans la cuvette. Les yeux me piquaient, j'avais mal à la gorge et une affreuse migraine, mais vomir m'avait fait du bien. Je bus trois verres d'eau et retournai me coucher. Je ne m'endormis pas tout de suite. Les pensées tourbillonnaient dans ma tête. J'entendais la voix de Troy, ses derniers mots : « Alors, je te vois tout à l'heure ! » Il ne devait jamais me voir. Moi si. Et je le reverrais toute ma vie.

23

J'avais été malade au cours de la nuit, mais c'était encore pire au réveil. J'étais sûre que j'allais mourir et que l'on m'exposerait dans un grand bocal avec une étiquette indiquant que j'étais la première personne à décéder d'une gueule de bois. J'avais trop mal au crâne pour penser... ou pour faire quoi que ce soit.

Vers neuf heures et demie, je tentai de me lever, mais y renonçai aussitôt. Je n'avais jamais eu une gueule de bois aussi atroce, avec ses symptômes classiques, mais d'une intensité inouïe : la langue parcheminée, la sensation que des petits rongeurs me dévoraient le crâne de l'intérieur, l'impression d'être empoisonnée, et la chair de poule. J'avais mal jusqu'à la racine des cheveux. Ce qui était nouveau, c'est que j'étais encore soûle, mais c'était une ivresse négative, une parodie du bien-être de la veille, si tant était qu'on pût parler de bien-être. Le sol oscillait toujours, la pièce tournoyait, ce qui m'obligeait à rester couchée, mais même allongée j'avais l'impression d'être sur un matelas d'eau. On ne meurt pas de gueule de bois, mais on peut mourir d'intoxication alcoolique. Etait-ce cela qui m'arrivait ? Je me souvins que j'avais un dictionnaire médical. Mais il y avait un hic. Je n'avais personne pour me l'apporter. Or je le rangeais parmi les recettes de cuisine. Et lorsque je voulus aller le chercher en vacillant, l'estomac au bord des lèvres, je tombai sur des images de nourriture. Je m'efforçai de fixer mon esprit sur autre chose, mais la vision d'un énorme diplomate s'imposa à moi et je ne pus la chasser qu'en imaginant l'odeur d'un chou trop cuit, puis je pensai à Troy, ce qui était encore pire. Pire que tout.

Je trouvai néanmoins le dictionnaire et retournai me coucher. Il n'y avait pas d'entrée pour intoxication alcoolique, mais il y en avait une pour la gueule de bois. Le livre recommandait de boire beaucoup d'eau, de se forcer à courir un peu. Si on avait la nausée, ce qui était le cas, on conseillait de prendre du trisilicate de magnésium. J'optai pour une attitude positive. Plutôt que de me pelotonner dans mon lit en attendant la mort, comme un animal blessé qui se terre dans son trou, j'adopterais la méthode opposée. J'affronterais le problème en face. Non seulement j'achèterais le médicament, mais j'irais en courant. Et avant de sortir, je boirais un grand verre d'eau.

Tout alla de travers. Ma bouche était trop sèche, j'avais l'impression que l'eau glissait dessus sans être absorbée. Je pouvais à peine lever la jambe pour enfiler mon short. Mettre mon T-shirt était presque au-dessus de mes forces. Ça me faisait mal à la tête, aux bras. Je nouai mes lacets avec une lenteur désespérante, comme si j'avais encore six ans. J'empoignai un billet de cinq livres et sortis. La lumière crue, l'air froid qui me piquait la peau et me brûlait les poumons, me suffoquèrent. Je ne sais pas si cela me faisait du bien, mais je ressentais comme une nouvelle clarté. D'une certaine manière, c'était agréable d'avoir mal, et je me demandai si ce n'était pas la suite salutaire de la veille. Mieux valait peut-être l'ivresse, la douleur, la confusion, le malaise, que de regarder la réalité en face : Troy s'était suicidé dans mon appartement.

La pharmacie n'était qu'à deux cents mètres. Le pharmacien, un sikh immense, me remit le magnésium. Le cachet avait un goût écœurant de menthe, mais je le suçai avec avidité en rentrant chez moi au pas de course. Je pris une douche, mis des vêtements propres et m'allongeai sur mon lit pour réfléchir. J'avais un goût métallique dans la bouche et quand je déglutissais, une boule dure dans la gorge m'empêchait d'avaler. J'avais la peau moite, la nausée, mais je me promis de ne pas vomir.

Aucun doute, cela allait un peu moins mal. La journée pouvait enfin commencer. Quelle heure était-il ? Je pris la montre sur la table de chevet, celle de Troy. Dix heures et quart. Encore autre chose. Je savais pourquoi la montre se trouvait là. Une partie du problème de Troy provenait du fait qu'il n'y avait aucune mesure, aucun compromis dans sa vie ; pour lui, même un comportement normal était une sorte de défi. Il était tour à tour tendu, débridé, enthousiaste, somnolent, ralenti, détaché, ou bien souvent profondément endormi. Même dans ses bonnes périodes, il faisait de grosses siestes l'après-midi, à l'exemple d'un enfant ou d'un chat. Il ne piquait pas simplement du nez dans un fauteuil. Il tirait les rideaux, se dévêtait et se couchait. Il faisait une nuit supplémentaire. Quand il prenait des médicaments, il était presque dans le coma. Il s'était déshabillé, avait posé sa montre sur ma table de chevet, dormi dans mon lit. Pour se pendre, il avait remis ses vêtements, mais en oubliant sa montre. Il se sentait peut-être déprimé, après tout.

Il y avait autre chose. Je fermai les yeux pour me représenter mon cher Troy pendu à la poutre. La corde! Je m'en souvenais parfaitement, un vert brillant, synthétique. Je me rappelais les brins que j'avais cisaillés avec le couteau. Pour la première fois je pensais au suicide comme à une activité ayant besoin d'un semblant d'organisation. Il fallait le préparer, réunir le matériel.

J'avais enfin la tête claire. Je me levai, combattis la nausée et les vertiges, qui passèrent vite. Je ne pouvais me permettre le luxe d'être malade. J'avais des choses à faire. L'appartement était si petit qu'il était facile à fouiller. Je ne me rappelais pas avoir vu la corde auparavant, mais je devais m'en assurer. Sous l'évier, il y avait un seau, des chiffons, des produits d'entretien ; dans le placard, un aspirateur, un balai, une serpillière, une couverture roulée, un carton à chaussures dans lequel je rangeais des tournevis, un marteau, des clous, et quelques prises électriques. Je regardai sur les étagères, derrière le canapé, sous le lit, partout. Pas de corde. Peut-être en avait-il trouvé un bout juste suffisant pour se pendre. Ou acheté la longueur nécessaire. Ou...

Je téléphonai à ma mère. J'avais du mal à parler à ma famille sans commencer par leur demander comment ils allaient. Nous passerions notre vie à nous poser la question et à chercher la réponse. Je l'évitai et demandai simplement si je pouvais passer. Bien sûr, acquiesça-t-elle. J'étais la bienvenue.

En chemin, un souvenir me revint. Quelques mois plus tôt, j'avais été coincée dans une rame de métro pendant plus d'une heure. Le conducteur avait annoncé par haut-parleur qu'un accident était survenu à la station suivante. Un euphémisme pour dire que la personne s'était jetée sous la rame. Ayant eu tout le temps pour méditer, je me rappelle m'être demandé si on pensait aux autres avant de se suicider. Quand on se jette sous une rame, le conducteur n'est qu'à dix centimètres et voit tout, entend tout, les chocs, les raclements, que sais-je ? Il prend souvent une retraite anticipée après un suicide. Et que dire des passagers qui poireautent pendant une heure ? Est-ce que les rendez-vous ratés chez le dentiste, les enfants qui attendent, impatients, leurs parents devant l'école, les rôtis brûlés, nuisent au karma du défunt ?

Une pensée que j'avais soigneusement refoulée jusqu'à présent s'insinua dans mon esprit. Troy s'était suicidé chez moi ! Il s'était pendu en sachant que c'était peut-être moi qui découvrirais son corps. Chez moi ! Dans l'appartement où j'avais dormi, mangé, vécu ! Comment avait-il pu m'infliger une scène pareille ? J'aurais aimé croire que Troy n'avait pas fait ça. Je l'adorais. Et lui, même quand il était au fond du trou, il m'aimait certainement. M'aurait-il imposé son suicide ? Un acte horrible que je ne pourrais jamais oublier ? J'essayai de me convaincre que, lorsqu'on en arrive à une telle extrémité, on est loin de penser aux autres, sinon pour se dire qu'ils seront enfin débarrassés de vous. Mais il restait l'autre éventualité, la plus atroce. Se pouvait-il que Troy ait justement choisi de se suicider de cette manière, et chez moi, pour me dire quelque chose comme : « Tu vois, Miranda, tu croyais me comprendre, tu croyais pouvoir m'aider. Eh bien voilà ce que j'ai été obligé de faire. Essaie donc de m'aider, maintenant ! »

Je m'attendais à ce que ma mère fonde en larmes en me voyant, mais elle paraissait ailleurs. Quand elle m'ouvrit, elle regarda pardessus mon épaule, comme si elle croyait que j'étais venue accompagnée.

— Je suis contente que tu sois là, Miranda, dit-elle, comme si elle récitait un texte écrit par un autre. Ton père est sorti.

— Où ?

Où pouvait-il aller dans un moment pareil ?

— Où ? répéta ma mère d'un air absent.

— Et Kerry et Brendan ?

— Ils sont dehors. Tu veux du thé ?

— Avec plaisir. Je monte juste un instant.

Ce qu'il y a de bien avec la maison familiale, c'est qu'on s'y sent toujours chez soi, même après en être parti. On peut aller où on veut, fouiller partout. Je m'apprêtais à faire un truc ignoble. Je ne savais pas trop pourquoi, mais c'était plus fort que moi. Comme si je trifouillais un abcès dentaire de la pointe de mon canif, m'infligeant une douleur encore plus insupportable afin qu'il disparaisse, ou que je disparaisse. Ma mère était allée dans la cuisine ; je montai vivement dans la chambre où dormaient Brendan et Kerry. J'étais comme électrisée, mes oreilles bourdonnaient, je sentais mon pouls battre et le sang courir dans mes veines.

Ils avaient à peine déballé leurs affaires. La robe de chambre de Kerry et sa chemise de nuit étaient étalées sur le lit. Une valise était à moitié ouverte, le couvercle adossé au mur, ses vêtements pliés avec soin. Des flacons s'alignaient sur la console, shampooing, crème hydratante, parfum, le nécessaire de toilette de Kerry. Je parcourus la pièce du regard. On avait l'impression que Kerry vivait seule. Je ne vis aucun objet, aucun vêtement de Brendan. Une valise fermée se dressait à côté du lit. Je la posai à plat pour l'ouvrir. Elle contenait les affaires de Brendan. Je n'en avais que pour une minute. J'enlevai les chemises une à une, les pantalons, les slips, et les retournai afin de les remettre par la suite exactement à leur place. La valise était presque vide quand je crus entendre des pas dans l'escalier. Je n'eus même pas le temps de me relever ; la porte s'ouvrit et Brendan surgit. Pendant une fraction de seconde, je me dis, bof, quelle importance ! Mais à son expression, je compris que ça allait mal tourner. Il parut d'abord surpris, ce qui n'avait rien d'étonnant ; après tout, j'avais déballé sa valise.

— Miranda ? Qu'est-ce que... ?

J'essayai de trouver une explication, mais j'avais de la bouillie à la place du cerveau.

— J'ai oublié quelque chose, articulai-je à tout hasard. Je veux dire, je croyais que tu avais emporté quelque chose par erreur.

Je lus de la colère sur son visage.

— Bordel ! rugit-il.

Et Kerry arriva.

— Brendan ? fit-elle. Qu'est-ce que... ?

Elle m'aperçut.

— La corde, bredouillai-je. J'ai cru que tu avais emporté la corde par erreur.

24

— Quoi ? fit Kerry, furibarde. Quelle corde ?

— Seigneur ! s'exclama Brendan. Regarde-toi !

— Quelle corde ? répéta Kerry.

Elle s'avança d'un pas, de sorte qu'elle me toisait de toute sa hauteur, écarlate, les mains sur les hanches. On aurait dit que sa réserve naturelle, son angoisse et sa timidité avaient été balayées par le chagrin et la colère. Je la sentais presque bouillir. Je me relevai et restai plantée au milieu des vêtements de Brendan.

— Je ne sais pas, bafouillai-je. Je pensais que...

— Tu fouillais les affaires de Brendan ! Bon Dieu, qu'est-ce qui t'a pris ?

— Je rangeais chez moi..., commençai-je.

— Et ?

— Si j'ai bien compris, dit Brendan, tu fouillais mes affaires...

Il donna un coup de pied dans les vêtements qui s'éparpillèrent par terre.

— ... pour trouver une corde, c'est ça ?

— J'étais juste désorientée, répondis-je dans un murmure.

— Désorientée ? s'esclaffa Kerry. Tu te rends compte que notre frère a été enterré hier ? Et tu débarques ici, tu fais le trajet exprès pour fouiller dans la valise de Brendan...

— Je ferais mieux de partir, avançai-je.

Brendan me barra le chemin.

— Non, Mirrie, pas tout de suite.

— Laisse-moi passer.

— Tu n'iras nulle part tant que nous n'aurons pas tiré les choses au clair.

— On est tous à bout de nerfs.

— A bout de nerfs ! glapit Kerry.

Pour quelqu'un d'aussi menu, elle avait un cri retentissant.

— A bout de nerfs, mon œil !

— Que se passe-t-il ? lança mon père depuis le seuil.

— Rien, assurai-je vainement.

— Je vais te dire ce qui se passe, intervint Kerry. Elle – en pointant un doigt vers moi – fouillait dans la valise de Brendan.

— Miranda ? fit mon père.

— Elle cherchait une corde, précisa Brendan.

— Une corde ?

— Oui, c'est ce qu'elle dit.

Brendan s'accroupit pour remettre ses vêtements dans la valise.

— Je ferais mieux de partir, suggérai-je.

— Tu ferais mieux de t'expliquer, oui ! rugit mon père avec une pointe de dégoût.

Il se frotta la figure et chercha un endroit où s'asseoir.

— J'essayais juste de mettre de l'ordre, commençai-je avant de m'arrêter net.

— La corde, insista Brendan. Tu fouillais mes affaires en douce pour chercher une corde ?

Je ne savais pas quoi répondre.

— Quelle corde? demanda ma mère en entrant dans la chambre à son tour.

Je me laissai tomber sur le lit et enfouis la tête dans mes mains, à l'image d'un enfant s'efforçant d'empêcher la réalité du monde extérieur de l'atteindre. A grand renfort de cris outragés, Kerry expliqua à ma mère ce qu'elle m'avait surprise en train de faire ; je fixai la moquette et les pieds de la commode entre mes doigts écartés, essayant d'assourdir les mots.

— Je ne te comprends plus, soupira ma mère d'un ton morne lorsque Kerry en eut terminé.

— Je t'en prie, suppliai-je. J'ai de la peine. On a tous de la peine.

— J'aimerais bien savoir de quelle corde il s'agit, renchérit Brendan. Quand tu parles de corde, on est forcés de penser à une corde bien précise. Hein ?

Un horrible silence s'abattit sur la pièce.

— C'est celle-là que tu veux dire ? Hein ? Le reste de cette corde-là ? Hein ?

— Je ne veux rien dire.

— Et pourtant, tu as fait tout ce chemin pour la chercher.

— Tais-toi ! m'exclamai-je en relevant la tête. Tais-toi, tais-toi, tais-toi ! J'ai l'impression d'être au tribunal, et tout ce que je peux dire se retourne contre moi. Ne me regardez pas comme ça !

— Pourquoi croyais-tu la trouver ici ? Hein ? Dans mes affaires ? Tu essaies de nous dire quelque chose ?

— Non, répondis-je dans un souffle.

— C'est évident, intervint Kerry. Elle est obsédée par Brendan. Elle l'a toujours été. Je refusais de le voir, j'essayais de me dire que ça n'avait pas d'importance. Je voulais être généreuse. Je croyais que ça lui passerait. Elle revenait sans cesse sur leur liaison, elle ne voulait pas se conduire correctement avec lui, elle était toujours amère, odieuse, ou au contraire trop amicale, mais je ne disais rien. Elle s'est même déshabillée devant lui dans la salle de bains, vous imaginez ! Et j'étais là, dans le salon, j'essayais d'être gentille avec elle !

— Ne parle pas de moi à la troisième personne ! m'énervai-je. Je suis là !

Kerry couvrit ma voix de ses cris. Tout ce qu'elle avait refoulé resurgit avec haine.

— Quand on pense qu'elle a même inondé la salle de bains et qu'elle a accusé Brendan de l'avoir fait ! Et qu'elle est allée relancer des amis à lui, sale espionne ! Et moi, bonne poire, je croyais que ça s'arrangerait. Tu parles ! Et ne crois pas qu'on ne comprend pas. Ce n'est pas seulement Brendan, c'est parce que c'est moi, sa sœur aînée. Elle a toujours été jalouse de moi. Elle a toujours voulu tout détruire, comme avec Mike. Et maintenant, regardez-la ! Regardez !

Elle me montra de nouveau du doigt.

— Troy est mort. Il s'est suicidé. Notre frère chéri s'est pendu chez elle. On l'a enterré hier. Vous croyez que ça l'arrête ? Non. Non, même pas ! Le lendemain, le lendemain matin, elle débarque ici pour fureter, semer la merde. Même la mort de Troy ne l'arrête pas !

Elle fondit en larmes. Son corps fut secoué de sanglots. Brendan vint la prendre par la taille.

— Ce n'est pas toi, Kerry, la rassura-t-il d'une voix douce. Tu ne vois donc pas ? Quand tu parles d'obsession, tu as sans doute raison. J'ai bien réfléchi et je m'en veux de n'avoir rien fait. C'est du harcèlement. Si elle n'était pas de la famille, je porterais plainte, je demanderais la protection de la police. J'ai lu des trucs sur le sujet, je crois même que ça porte un nom, je ne sais plus lequel. Je suis sûr que c'est plus fort qu'elle, elle ne peut pas s'en empêcher.

— Non ! protestai-je. Ne dis pas ça !

— Miranda, déclara ma mère de sa voix morne. Il faut qu'on parle de certaines choses qu'on s'efforçait d'éviter. Je ne voulais pas me l'avouer, mais maintenant que Troy est mort, il est temps d'aller au fond des choses. Tu devrais consulter un psy.

— Tu ne comprends pas, répondis-je. Personne ne comprend.

Je me tournai vers mon père.

— Toi aussi, tu crois que je suis obsédée ?

— Je ne sais plus quoi penser, avoua-t-il. Mais je sais une chose.

— Laquelle ?

— Tu vas commencer par présenter tes excuses à Brendan. Ce n'est pas parce qu'on vient de connaître un drame que tu as le droit de manquer de correction.

— Mais je...

— Je ne veux pas le savoir ! Excuse-toi. Tu m'entends ? Excuse-toi tout de suite, c'est la moindre des choses.

Il semblait accablé. Ma mère avait les yeux vides. Je portai mon regard vers Brendan. Il me fixait, attendant. Je serrai les poings et enfonçai mes ongles dans mes paumes.

— Je m'excuse, marmonnai-je.

Il inclina légèrement la tête.

— Je suis désolé pour toi, Mirrie. Tu me fais pitié.

— Puis-je m'en aller, maintenant ? demandai-je.

Nous descendîmes tous en silence. Kerry sanglotait encore. Je m'arrêtai à la porte d'entrée.

— J'ai laissé mon sac là-haut, expliquai-je. Je monte le chercher et je m'en vais aussitôt.

Je grimpai les marches quatre à quatre malgré les coups de couteau qui me labouraient le crâne, j'entrai dans la chambre de Kerry et de Brendan, m'agenouillai devant la commode et passai la main en dessous, à l'endroit que j'avais observé tout à l'heure depuis le lit. J'en tirai un rouleau de corde verte.

25

L'inspecteur Rob Pryor était un homme normal, sympathique, comme on en rencontre dans la vraie vie. Il avait des cheveux blonds bouclés et une décontraction toute désinvolte. Il m'apporta du café et me présenta ses collègues. Vicky Reeder, la fliquette qui s'était occupée de moi, vint me saluer. Puis Rob – il exigea que je l'appelle Rob, en échange je lui demandai de m'appeler Miranda – me conduisit dans son bureau et referma la porte. Il me montra la vue depuis sa fenêtre. On ne voyait que des arbres dépasser d'un haut mur, mais il connaissait leur nom et semblait fier de la vue. Mais peut-être cherchait-il simplement à me mettre à l'aise, car il me demanda aussitôt comment j'allais. Je répondis que j'étais accablée, que nous l'étions tous, et il m'assura qu'il comprenait.

— C'est une situation difficile à gérer, dit-il.

— C'est marrant, j'avais cru que vous seriez surpris de me voir et je craignais que vous ne refusiez de m'écouter. Mais on dirait que vous m'attendiez.

Il me gratifia d'un sourire aimable.

— Non, avoua-t-il, pas tout à fait, mais je ne suis pas surpris pour autant. Quand un drame comme ça arrive, les gens ressassent toujours les mêmes reproches. Ils se demandent ce qu'ils auraient pu faire pour l'empêcher, ça les obsède. Ils ont besoin d'en parler. Parfois, ils viennent sans savoir exactement ce qu'ils attendent de nous. Ils ont le sentiment qu'il s'agit d'un crime et n'arrivent pas à accepter que ça n'en soit pas un.

— Vous croyez que je recherche une sorte de thérapie ?

Il but une gorgée de café avant de répondre.

— C'est vous qui avez trouvé votre frère, c'est normal que vous soyez la plus touchée.

— Ce n'est pas ça, objectai-je, j'ai des choses à vous dire.

Il se cala dans son fauteuil et me dévisagea avec méfiance.

— Quelles choses ?

Je lui fis part de mes soupçons. J'avais même apporté la corde. Je la sortis de mon sac et la posai sur son bureau. Lorsque j'eus terminé, il hocha la tête d'un air compréhensif.

— C'est ce que je disais, c'est dur à accepter.

— Ma parole, vous n'écoutez pas !

— Qu'est-ce que je dois comprendre, Miranda ?

— Je connaissais Troy, je le connaissais mieux que personne. Il n'avait pas la tête au suicide.

— Il souffrait d'une grave dépression, remarqua l'inspecteur.

— Oui, mais il était dans une bonne période.

— La dépression est difficile à apprécier de l'extérieur, vous savez. Des fois, le suicide en est le premier symptôme visible.

— Ce n'est pas seulement une impression personnelle, il y a les détails que j'ai mentionnés, il y a la montre.

Il me regarda d'un air interrogateur.

— Vous ne parlez pas sérieusement ? Il a oublié de remettre sa montre après la sieste, la belle affaire ! Ça m'arrive tout le temps, et lui, il était déprimé.

— Vous oubliez la corde.

— Comment ça, la corde ?

— Il n'y en avait pas chez moi. Elle a été achetée exprès. Brendan prétendait ne pas être au courant, mais je l'ai retrouvée dans sa chambre. C'était ça que je cherchais quand il m'a surprise en train de fouiller dans sa valise, je vous l'ai dit.

— Je suis d'accord avec votre sœur sur ce point, Miranda. On ne fouille pas dans les affaires des autres sans leur autorisation. On risque de s'attirer des ennuis.

— J'ai des ennuis ! Ils sont tous furieux contre moi.

— Que voulez-vous que je vous dise ?

— Ça m'est égal. Ce qui compte, c'est de démêler cette affaire.

— Je ne vous suis pas. Que croyez-vous réellement ?

Je repris mon calme avant de répondre.

— Je crois que, au mieux, Brendan a encouragé mon frère à se suicider. Au pire, il... euh...

Je n'arrivai pas à prononcer les mots.

— Il l'a tué ? fit Rob d'un ton dur, sarcastique. C'est ça que vous essayez de me dire ?

— Oui, c'est à ça que je pense. Je crois que ça vaut la peine d'investiguer.

Il y eut un long silence. Rob s'absorba dans la contemplation de la vue, comme si quelque chose avait accaparé son attention. Quand il se retourna vers moi, un mur s'était dressé entre nous.

— Troy avalait des trucs pour dormir, l'informai-je. Il souffrait d'insomnies. Quand il avait pris ses médicaments, il était K.-O.

Rob s'empara du dossier sur son bureau.

— Votre frère avait des traces de barbituriques dans son sang.

— Justement.

Il rejeta le dossier.

— Il prenait des somnifères, c'est tout. Allons, Miranda ! Que feriez-vous à ma place ?

— J'enquêterais sur Brendan.

— Ouvrir une enquête, juste comme ça ?

— Voir ce que vous pouvez trouver.

Rob leva les bras au ciel, exaspéré.

— Qu'est-ce qu'il a, ce Brendan ? Vous avez un problème avec lui ?

— C'est une longue histoire.

Il était sur ses gardes, maintenant. Il jeta un coup d'œil sur sa montre.

— Miranda, je suis très occupé...

— J'en ai pour une minute.

Je lui résumai l'histoire entre Brendan et moi

tandis que le ciel noircissait derrière lui. C'était une de ces tristes journées de décembre. Lorsque j'eus terminé, il faisait trop sombre pour que je déchiffre son expression.

— Alors ? interrogeai-je.

— Vous avez traversé une sale période, Miranda. La rupture avec votre petit ami...

— Ce n'était pas vraiment mon petit ami.

— Le suicide de votre frère. Je suis navré, Miranda, mais il n'y a rien que je puisse faire.

— Et cette crapule ? Vous ne trouvez pas qu'il est dangereux ?

— Je ne sais pas, dit Rob. Je ne m'occupe jamais des disputes personnelles.

— Vous attendez qu'un crime soit commis.

— Exactement. Je suis policier, c'est mon métier.

— Il vous faut d'autres preuves, c'est ça ?

— Non, non, non ! Surtout pas. Vous en avez assez fait.

Il se leva, fit le tour de son bureau et me posa une main sur l'épaule.

— Laissez faire le temps, Miranda. Dans quelques semaines, ou dans quelques mois, vous verrez les choses différemment. Je vous l'assure.

— Donc, vous n'allez rien faire ?

Il tapota la pile de dossiers sur son bureau.

— Au contraire, j'ai des tas de choses à faire.

Laura était superbe. Elle sortait d'un salon de coiffure à Clerkenwell où il fallait quasiment contracter un emprunt pour régler la note, mais j'avoue que cela en valait la peine. Elle s'était fait faire des mèches et ébouriffer les cheveux qui brillaient comme un phare dans le jour grisâtre. Elle illuminait le bar. De plus, elle était habillée avec élégance, vêtue d'un tailleur avec un chemisier blanc orné d'un jabot. Je cherchais machinalement une glace pour m'examiner. J'avais la désagréable impression de ne pas être à mon avantage, n'ayant plus le temps de m'occuper de moi depuis quelques jours, avec toujours un truc urgent à faire. J'étais venue à pied de Camden Town en repassant dans ma tête les choses que je voulais lui dire, m'efforçant de les ordonner. En me croisant, deux écolières s'étaient mises à glousser. Je m'étais aperçue que je parlais tout haut, à l'image des cinglés qu'on évite en changeant de trottoir.

Quand je me négligeais, quand je travaillais trop, par exemple, sans avoir le temps de bien m'habiller, j'essayais de me convaincre que j'avais l'air d'un joli garçon manqué. Je me demandai si ça n'avait pas empiré, si je n'avais pas l'air de sortir de l'HP.

J'apportai la bouteille de vin à table. Encore un problème ! J'allais bientôt commencer à surveiller ma consommation. Je ne croyais pas boire de manière excessive, mais il était peut-être temps d'y penser. Mais pas maintenant. J'avais plus urgent à faire. En me voyant me servir, Laura esquissa un petit sourire et sortit un paquet de Marlboro légères et un briquet de son sac.

— Tu as recommencé ?

— J'aimais trop fumer, avoua-t-elle en pinçant une cigarette entre ses lèvres rouges luisantes. Alors, je me suis dit, pourquoi pas ? J'arrêterai quand je serai vieille. Tu en veux une ?

Elle alluma son briquet, l'approcha de sa cigarette, aspira la flamme et recracha un épais nuage de fumée. C'était tentant. L'odeur me ramena aux nuits embrumées par l'alcool et la nicotine, aux discussions interminables, aux éclats de rire, à la profonde amitié qui nous unissait. Toutefois, je refusai. Les choses allaient assez mal comme ça, je me devais de faire un pas, aussi faible fût-il, vers une vie plus saine. C'était difficile. Laura tétait goulûment sa cigarette et quand elle exhalait, elle rayonnait de plaisir. Je bus une gorgée de vin pour m'arracher à la tentation.

— Je pensais qu'on irait marcher un peu, dis-je.

Laura regarda par la vitrine avec une moue de dégoût.

— Par ce temps ?

— J'ai besoin d'air frais pour m'éclaircir l'esprit.

— Vas-y sans moi, répondit Laura. Je ne suis pas assez couverte.

J'avais préparé ce que j'allais lui dire pour être la plus cohérente et la plus sensée possible, mais tout sortit de travers. Je parlai de Troy et de Brendan, lui racontai ma visite au commissariat dans une série d'associations libres et chaotiques, sautant d'un sujet à l'autre à mesure que les idées me venaient. Quand j'en eus terminé, Laura en était à sa troisième cigarette.

— Ça ne te ressemble pas, Miranda.

Je respirai à fond pour ne pas me mettre en colère.

— Je ne te demande pas ton avis sur mon état psychologique, rétorquai-je. Pas tout de suite, en tout cas. Tu ne trouves pas que tout s'enchaîne ?

— Ce que j'ai toujours admiré chez toi, Miranda, c'est ta clarté d'esprit. Quand j'avais des embrouilles dans ma vie, je m'adressais à toi et tu avais le don de me donner des conseils toujours judicieux.

— Et aujourd'hui, c'est la situation inverse.

— Ecoute-toi, Miranda ! Je suis vraiment navrée pour Troy. Nous le sommes tous. Mais écoute-toi, tu ne te rends pas compte ! Je sais ce que c'est de se faire larguer. Quand Saul a rompu avec moi, tu te rappelles dans quel état j'étais ? Je ne pensais qu'à ça. Je me demandais s'il m'aimerait encore si j'avais fait telle ou telle chose autrement. Ça me gêne de te le dire, mais tu me rappelles la fois où j'échafaudais tout un tas de plans pour le récupérer. Tu t'en souviens ?

— Bien sûr que je m'en souviens, ma chérie.

— Forcément, je t'avais tout confié, je me reposais sur toi. Et qu'est-ce que tu m'avais dit ?

— C'est complètement différent !

— Tu m'avais dit de ne rien faire que je risquais de regretter, de laisser le temps apaiser les blessures et tu m'avais promis qu'avec le recul, je verrais les choses sous un autre jour. Je t'aurais giflée, et pourtant tu avais raison.

— Il ne s'agit pas seulement d'une rupture, et d'ailleurs, comme tu le sais, c'est moi qui ai plaqué Brendan, mais je ne veux pas entrer dans les détails...

— Bon Dieu, Miranda ! J'ai parlé à Brendan. Il est tout aussi ahuri que moi.

— Quoi ? Tu as parlé de moi avec Brendan ?

— Miranda...

— Tu es passée de son côté ! C'est ça ! Il t'a séduite. Tu le trouves charmant. Tu crois que c'est un mec vachement sympa. Comment as-tu osé parler de moi avec lui ? Qu'est-ce que tu lui as raconté ? Tu lui as dit ce que je pensais de lui ? Tu lui as révélé nos secrets ?

— Miranda, ça suffit, c'est moi, ta meilleure amie !

Je m'arrêtai pour la dévisager. Elle était belle et légèrement fuyante. Elle tira sur sa cigarette, évita mon regard.

— Il te plaît, hein ?

Elle haussa les épaules.

— C'est un mec sympa, sans plus. Il s'inquiète pour toi.

— Nous y voilà !

Je fouillai dans mon sac et, avec l'impression d'avoir déjà fait ce geste, dans un rêve, je sortis un billet de dix livres que je jetai sur la table.

— On se reverra. Désolée. Je ne peux rien dire de plus. Il faut que je me taille. Je ne supporte pas ça.

Je plaquai Laura là ! Dehors, je restai un instant pétrifiée par mon geste. Et maintenant, que faire ? Le froid humide me fouetta. Je marchai, marchai, marchai sans savoir où j'allais.

26

Il restait seize jours avant Noël et quatre avant le mariage de Kerry et de Brendan qui devait avoir lieu à la mairie à un kilomètre de chez mes parents. Du jour au lendemain, le temps changea. Il faisait toujours froid, mais la grisaille, l'humidité et le brouillard dominaient. A mon réveil, il faisait noir dehors, la pluie martelait les carreaux et je n'arrivais pas à me décider à me lever. La bouillotte de la veille était glacée, je la repoussai des pieds. En songeant au givre qu'il me faudrait racler sur le pare-brise de ma camionnette, aux clous à enfoncer, les mains nues, dans le plancher de la maison sans chauffage de Tottenham, je me pelotonnai sous mon duvet.

J'entendis le facteur glisser le courrier dans ma boîte aux lettres, ses bruits de pas s'éloigner. Dans douze jours, ce serait la nuit la plus longue de l'année – puis les jours rallongeraient. J'essayai de me rappeler qu'il y aurait un printemps après les mois de tristesse.

Le jour gris perçait à travers les rideaux. Je me forçai à sortir du lit, glissai mes pieds dans mes chaussons, enfilai ma robe de chambre et allai chercher mon courrier. Je me préparai une grande cafetière, deux toasts de pain complet, allumai la radio pour avoir de la compagnie. Je tartinai du miel sur un toast et de la marmelade sur l'autre, réchauffai du lait dans le micro-ondes, et me versai un bol de café.

Assise à la table, j'ouvris mon courrier. Il y avait neuf cartes de Noël, dont l'une de quelqu'un que je ne me rappelais pas avoir rencontré. Il espérait me voir pour le réveillon du Jour de l'An. Il y avait aussi une carte de Callum, le type que j'avais connu lors de la soirée avec Tony et Laura. J'avais l'impression que cela faisait une éternité. Je croyais à l'époque que les choses allaient si mal qu'elles ne pouvaient que s'améliorer. Quelle erreur ! Je mis de côté la carte de Callum, avec une invitation à une soirée. Je n'étais pas d'humeur à envoyer des cartes de

Noël cette année, ni à aller dans des fêtes. Il y avait deux appels au profit d'œuvres caritatives, un relevé bancaire, trois catalogues et une enveloppe écrite de la main de Kerry.

Je finis mon bol et m'en versai un autre. Je grignotai un quart de toast au miel, puis ouvris la lettre de ma sœur. « Chère Miranda, disait-elle, Brendan et moi aimerions que tu sois notre témoin vendredi. Dis-moi le plus vite possible si tu es d'accord. Kerry. » C'était tout.

Je grimaçai et une douleur fulgurante me vrilla l'œil droit. Me forcer à me tenir près du couple heureux et apposer ma signature sous la leur, c'était l'œuvre de Brendan. Poser pour la photo, sourire à Brendan, mon beau-frère, un membre de ma famille ! La nausée m'empêcha de terminer mon toast. Je réussis à boire une dernière goutte de café tiédasse.

Je devrais peut-être décliner l'offre. Jamais je ne serai ton témoin ! Je refuse d'entrer dans ton jeu. Plus jamais ça, c'est fini et bien fini. Je ferais peut-être mieux de ne pas me mêler au mariage. Du reste, ils seront plus heureux sans moi. Mais, bien sûr, je devais y assister parce que mon absence serait interprétée comme la confirmation de ma haine, de mon obsession vis-à-vis de Brendan, de mon chagrin d'amour, de ma folie. Miranda, le fantôme de la noce. Je devais y assister parce que j'étais la sœur de Kerry et qu'elle n'avait plus que moi.

Je me levai en soupirant, resserrai la ceinture de ma robe de chambre, traversai le salon, décrochai le téléphone et composai le numéro.

— Allô ?

— C'est moi, maman.

— Miranda, fit-elle avec le ton morne qu'elle avait adopté depuis la mort de Troy.

— Désolée d'appeler si tôt. Je voulais juste parler à Kerry. A propos du mariage.

— Elle m'a dit qu'elle t'avait demandé d'être son témoin.

Il y eut un silence.

— Je trouve ça très généreux de sa part.

— Oui. Tu peux me la passer ?

— Je vais l'appeler. Mais avant... Nous avons pensé, ton père et moi, que nous devrions donner une petite fête pour eux avant vendredi. Il n'y aura pas de noce, ça ne serait pas convenable. De toute façon, ils partiront pour une semaine sitôt après la cérémonie. Juste une réunion familiale, tu comprends, pour leur souhaiter plein de bonnes choses. Nous pensons que c'est important pour eux. Bill et Judy seront là, c'est sûr. Es-tu libre, demain ?

Ce n'était pas une question.

— Oui, répondis-je.

— Vers sept heures. Je vais te chercher Kerry.

Je lui donnai mon accord pour être son témoin ; elle me dit qu'elle était heureuse d'une voix polie et froide. Et comme nous devions nous voir le lendemain, elle se contenta d'un « parfait » impersonnel. Un souvenir me revint soudain, rayon de soleil dans la grisaille, Kerry et moi jouant dans les vagues en Cornouailles, toutes deux juchées sur des pneus, balayées par le flux et le reflux, insistant jusqu'à être transies de fatigue et de froid, la peau picotée par le sable. Nous devions avoir huit et dix ans. Je me rappelle nos rires, nos cris de joie et de peur. Elle portait des tresses et affichait un sourire timide et pincé qui creusait une fossette dans sa joue. Comme aujourd'hui, d'ailleurs.

— Je pensais à toi, dis-je dans un élan, prête à tomber à genoux et à hurler.

Il y eut un silence.

— Kerry ?

— Merci, répondit-elle... Miranda ?

— Oui ?

— Non, rien. A demain.

Et elle raccrocha.

Je roulai dans le brouillard. Les maisons et les voitures émergeaient de la purée de pois. Les piétons défilaient telles des ombres. Les arbres n'étaient que des spectres lugubres le long des rues. C'était une de ces journées où le ciel ne s'éclaircit jamais, où l'humidité s'accroche comme une seconde peau glaciale.

A Tottenham, la maison était calme et froide. Mes pas résonnaient sur le parquet et les coups de marteau retentissaient. J'avais bu trop de café soluble, juste pour le plaisir de sentir la chaleur de la tasse entre mes mains, une des tasses ébréchées et tachées que les propriétaires nous avaient laissées. Je préférais travailler, sinon qu'aurais-je fait ? Certainement pas les courses de Noël. Je ne me voyais pas non plus dans la cuisine avec ma mère pendant qu'elle remplirait les moules de pâte et les garnirait de viande hachée. Ni en train de bavarder avec Laura. Troy n'était plus là pour me faire rire avec ses remarques surréalistes. Je travaillai à m'en écorcher les mains, puis rentrai chez moi et m'assis dans le salon sous la poutre. Ah, la poutre ! J'aurais voulu que le plafond s'effondre sur moi.

Je restai ainsi une bonne heure, écoutant la pluie dégouliner des branches nues. Puis je décrochai mon téléphone parce que j'avais besoin de parler à quelqu'un. Je composai le numéro de Laura, mais raccrochai aussitôt. Je ne pouvais pas lui parler. Que lui aurais-je dit ? Au secours ! Je t'en supplie, aide-moi, j'ai l'impression de devenir folle. En repensant à notre dernière entrevue, je me sentis mal. Envisager l'avenir me donnait le vertige – comme de regarder dans un puits noir à mes pieds sans en voir le fond.

J'allai me coucher à huit heures parce que je ne savais pas quoi faire de moi. Je restai étendue, serrant une vieille chemise de Troy contre ma figure, attendant le matin. Je dus m'endormir car lorsque j'ouvris les yeux, une aube grisâtre pointait par la fenêtre, de la neige fondue tombait dans la lueur des réverbères.

Le lendemain soir à sept heures précises, je frappai à la porte de mes parents. Kerry m'ouvrit. Elle portait un chemisier vaporeux rose et un collier de perles qui lui donnait mauvaise mine. Je déposai un baiser sur sa joue froide et entrai.

Les travaux étaient interrompus. Dans la cuisine, le trou béant avait été grossièrement bouché et le vent gonflait la toile de plastique qui fermait la fenêtre. Les casseroles et les poêles qu'on avait vidées des placards s'empilaient sur le linoléum. Le four à micro-ondes était posé sur la table. Dans le salon, on avait enlevé la moquette et une table sur tréteaux encombrée d'outils se dressait à la place de l'ancienne bibliothèque. Les travaux avaient cessé le jour où on avait retrouvé Troy pendu à ma poutre.

Bill et Judy étaient déjà là, assis avec mes parents autour du feu que papa avait allumé. Mais Brendan n'était pas encore arrivé.

— Il voit quelqu'un pour un projet, dit Kerry sans préciser.

En regardant ma famille réunie, je remarquai que tout le monde avait maigri sauf Brendan. Quand il arriva quelques minutes plus tard, je m'aperçus qu'il affichait quelques kilos supplémentaires. Il était plus joufflu, son ventre tendait sa chemise lilas, ses cheveux semblaient plus bruns et ses lèvres plus rouges. Il croisa mon regard, s'inclina et sourit d'un air... de quoi ? De victoire, peut-être.

Il était moins mielleux, maintenant, plus distant, et ce fut avec dureté qu'il dit à Kerry qu'il avait besoin d'un remontant. Quand il se moqua du feu plutôt raté que mon père avait fait, je surpris une pointe de mépris dans sa voix. Bill la nota lui aussi et il le regarda d'un air réprobateur. Mais il ne dit rien.

Dans d'autres circonstances, nous aurions sabré le champagne, mais papa n'avait servi que du vin rouge, et du whisky pour Brendan.

— Qu'est-ce que tu vas porter, demain ? demandai-je à Kerry après un long silence.

— Oh ! fit-elle en rougissant.

Elle partit interroger Brendan du regard.

— J'avais l'intention de mettre la robe rouge que j'ai achetée.

— Bonne idée.

— Mais je ne suis pas sûre qu'elle m'aille.

Elle jeta de nouveau un regard inquiet vers Brendan qui se reversa un verre de whisky.

— Je ne sais pas si je pourrais la porter.

— Tu peux porter tout ce que tu veux, la rassurai-je. C'est ton mariage. Montre-la-moi.

Je posai mon verre de vin et nous montâmes dans sa chambre. La dernière fois que j'y étais venue, c'était le jour où j'avais trouvé la corde verte cachée sous la commode ; je chassai ce souvenir et m'intéressai à Kerry. Elle sortit la robe d'un grand sac. J'étais mal à l'aise. J'avais envie de pleurer. Tout me semblait faux.

— Elle a l'air superbe. Essaie-la.

Je ne ressentais plus la moindre colère contre Kerry, j'étais au contraire incroyablement attendrie.

Elle se glissa hors de son pantalon en se tortillant, ôta son chemisier rose, dégrafa son soutien-gorge. Elle était si maigre et si pâle ! Ses côtes et ses omoplates saillaient.

— Tiens, dis-je en lui tendant la robe.

Au moment où elle l'attrapait, Brendan parut sur le seuil. Aucun de nous ne pipa mot. Kerry enfila la robe par le haut et sa tête disparut un instant sous les plis rouges, ne laissant voir que son corps maigrichon, luisant de blancheur comme celui d'un ascète. La scène avait un étrange côté pervers. Je me détournai vivement et fit semblant de contempler la nuit par la fenêtre.

— Voilà, conclut Kerry. Bien sûr, ça va avec des talons hauts, les cheveux relevés, et du maquillage.

— Tu es magnifique, assurai-je.

Hélas, la robe ne lui allait pas du tout, le rouge vif donnait à sa peau une pâleur maladive.

— C'est vrai ?

— Je te jure.

— Hum ! fit Brendan.

Il l'examina sans complaisance, et un petit sourire moqueur se dessina sur son visage.

— Bof ! Allez, descendons, ils nous attendent.

— J'arrive, répondit Kerry.

— Vous êtes de nouveau amies ? s'amusa Brendan.

Il réussit à réveiller en moi une rage furieuse.

— C'est ma sœur ! répliquai-je.

Nous nous regardâmes. Je refusai de baisser les yeux. Il n'y avait plus en moi qu'une immense haine dévorante.

Le vendredi matin, je me levai de bonne heure, pris un bain, me lavai les cheveux, puis contemplai ma garde-robe, perplexe. Que porte-t-on pour le mariage de sa sœur avec l'homme que l'on déteste, et qui a lieu quelques jours seulement après le suicide de son frère ? Rien de flamboyant, rien de sexy, rien de somptueux, rien de guilleret. Cependant, on ne vient pas en noir à un mariage. Je repensai au visage blême de Kerry dans sa robe de velours rouge. Une image me vint d'un autre visage dans un cercueil doublé de satin. Je finis par sortir une robe lavande que j'examinai à la lumière. Elle avait un haut en tricot et un chemisier bouffant en mousseline qui convenait sans doute mieux pour l'été, mais en mettant ma jolie chemise en soie écrue pardessus, cela irait. Un peu de maquillage, un coup de séchoir, des boucles d'oreilles, une paire de bas. J'enfilai ma robe avec précaution et me contemplai dans la glace, grimaçant en voyant mon teint petit-lait et mes yeux caves.

Je mis mon long manteau noir, ramassai le cadeau que j'avais acheté et sortis. Comme nous devions nous rendre à pied à la mairie, je me garai en dessous de chez mes parents.

Je couvris les derniers mètres au petit trot sous le crachin, soulevant ma robe pour éviter les flaques d'eau et à peine avais-je empoigné le heurtoir que la porte s'ouvrit.

— Miranda ! s'exclama mon père.

Je ne comprenais pas. Il était vêtu de sa robe de chambre écossaise et ne s'était pas encore rasé. M'étais-je trompée d'heure ?

— Il faut qu'on y aille, rétorquai-je.

— Non. Entre.

Ma mère était assise sur les marches. Elle portait un grand caleçon et un vieux pull à col roulé que je ne lui avais pas vu depuis des années. Elle leva la tête à mon arrivée. Son visage n'était que plis et rides.

— Tu lui as dit ? interrogea-t-elle mon père.

— Quoi ? m'inquiétai-je. Qu'est-ce qu'il aurait dû me dire ? Qu'est-ce qui se passe ?

— Il a annulé.

— Comment ça ?

— Il n'était pas là quand Kerry s'est réveillée, il lui a téléphoné à huit heures. Il a dit...

Sa voix morne se brisa. Elle secoua la tête comme pour l'éclaircir et reprit :

— Il a dit qu'il avait tout fait pour nous aider, mais que ça ne servait à rien. Il a ajouté qu'il était fatigué de nous soutenir tous, qu'il n'en pouvait plus.

Je m'écroulai sur les marches à côté de ma mère.

— Oh, pauvre Kerry !

— Il a dit qu'il avait trouvé le bonheur avec une autre et qu'il était sûr que nous comprendrions qu'il ne pouvait laisser passer l'occasion. Il devait penser à lui pour une fois.

— Une autre ? demandai-je, comme si je venais de recevoir un coup sur la tête.

Ma mère me regarda d'un air soupçonneux.

— Tu ne savais pas ?

Je ne répondis pas. Je me contentai de la dévisager, abasourdie.

— C'est ton amie, après tout.

— Non ! m'écriai-je. Oh, non !

— Et voilà où nous en sommes, conclut ma mère.

— Laura ! soufflai-je.

Je montai dans la chambre de Kerry. La pièce était plongée dans l'obscurité. Kerry se tenait assise sur le lit, bien droite, encore en pyjama. Je m'assis à côté d'elle et lui tapotai les cheveux. Elle tourna vers moi son regard vitreux.

— Quelle imbécile ! dit-elle d'une voix crispée. Je croyais qu'il m'aimait.

— Kerry...

— Idiote, idiote, idiote !

— Ecoute...

— C'est toi qu'il aimait.

— Non.

— Et maintenant, ton amie.

— Kerry. C'est un sale mec. Un salaud. Quelque chose ne tourne pas rond chez lui. Ce n'est pas l'homme qu'il te fallait, je suis sûre que tu trouveras...

— Ne me dis pas que je trouverai quelqu'un de mieux ! riposta-t-elle, les yeux pleins de larmes.

— D'accord.

— Tout est foutu ! soupira-t-elle à voix basse. C'était déjà foutu quand Troy s'est suicidé. Brendan n'a fait que donner le coup de grâce. Tout s'est écroulé.

Je pensai à Brendan piétinant ma famille, s'essuyant les bottes sur nos espoirs. J'enlaçai ma sœur aînée, étreignis son corps osseux qui sentait la sueur, le talc et les fleurs. La robe de velours rouge était suspendue dans un coin de la pièce. Je la serrai contre moi, l'embrassai sur le haut de la tête. Je sentis ses cils me chatouiller, des larmes sur mes joues, mais je ne savais pas si c'étaient les siennes ou les miennes.

Parfois, avec le recul, on croit avoir rêvé. Cependant, ce n'était pas un rêve, même si par la suite je devais m'en souvenir comme d'un moment hors du temps qui me hanterait toute la vie.

A mon réveil, bien que l'aube se levât à peine, une douce lumière emplissait la pièce. Je sautai hors du lit, ouvris les rideaux et découvris une ville sous la neige. De gros flocons tombaient encore en tourbillonnant.

J'enfilai vivement des vêtements chauds et sortis. Une épaisse couche de neige recouvrait les voitures, les couvercles des poubelles, les murets, et sa blancheur virginale était souillée ici et là par des empreintes de pattes de chat ou de griffes d'oiseau. Son poids courbait les branches, et, comme je passais sous les arbres, quelques paquets tombèrent à mes pieds avec un bruit mat ; des flocons s'accrochèrent à mes cils et fondirent sur mes joues. La ville, monochrome comme une vieille photographie, semblait rétrécie. La neige masquait l'horizon. Il n'y avait aucun bruit hormis le léger crissement de mes chaussures sur le sol. Tout était étouffé, mystérieux, magnifique. J'avais l'impression d'être seule au monde.

Il ne faisait pas tout à fait jour et il n'y avait personne sur le Heath. Pas de traces de pas, et les miennes étaient aussitôt recouvertes. La glace des étangs gelés disparaissait sous la neige, on ne discernait les sentiers que parce qu'ils étaient d'un blanc plus lisse.

Je montai sur la colline. A quoi pensais-je ? Je l'ignore. Je m'emmitouflai dans mon manteau, remontai mon col et regardai les flocons tomber. Bientôt, il y aurait foule – des marcheurs, des batailles de boules de neige, on élèverait des bonshommes de neige, des gamins feraient du toboggan dans la descente en poussant des cris de joie. Mais pour l'instant, il n'y avait que moi. Je tirai la langue, laissai un flocon s'y déposer. Je renversai la tête en arrière et la neige m'aveugla.

Comme je redescendais, des gens gravissaient la

colline, semblables à des taches verticales sur une toile blanche. Puis je vis une silhouette, marchant lentement sur le sentier qui croisait le mien. En approchant, je m'aperçus que c'était une femme. Elle portait un gros manteau, un grand chapeau sur les yeux, une écharpe lui mangeait le bas du visage. Je crus néanmoins la reconnaître. Je m'arrêtai, un pincement au cœur. Peut-être sentit-elle mon regard car elle s'immobilisa à son tour et tourna la tête vers moi, puis ôta son chapeau et mit sa main en visière. Ses cheveux bruns s'emaillèrent de flocons blancs. L'espace d'un instant, nous ne bougeâmes ni l'une ni l'autre.

J'aurais voulu l'appeler : « Laura ! Laura ! » J'aurais voulu raccourcir la distance pour mieux voir son visage. Elle semblait elle aussi attirée vers moi. Elle fit un pas hésitant, son chapeau toujours à la main. Mais elle stoppa.

Puis elle recoiffa son chapeau et partit dans la direction opposée. Je la regardai s'éloigner jusqu'à ce qu'elle ne soit plus qu'un fantôme solitaire qui se fondit bientôt dans la blancheur environnante.

Les jours passèrent. Puis les semaines. Quoi qu'on fasse, le temps s'écoule toujours. Il se produisit alors quelque chose.

Je rêvais que je tombais dans le ciel et je me réveillai en sursaut, le cœur battant. Le téléphone sonnait. Je cherchai l'appareil à tâtons, encore engourdie de sommeil, et m'aperçus qu'il faisait nuit.

Je marmonnai quelque chose et une voix se mit à chanter à l'autre bout du fil. Je crus qu'il s'agissait d'un rêve, un rêve à l'intérieur d'un autre rêve, puis je commençai à distinguer les paroles.

— Joyeux anniversaire, joyeux anniversaire...

Je m'assis et ma main se crispa sur le téléphone. Derrière le refrain guilleret, je perçus des bruits de voix, de la musique et des rires.

— Joyeux anniversaire, Miranda chérie...

— Non, bredouillai-je.

— Joyeux anniversaire !

Je jetai un coup d'œil vers le réveil dont les chiffres lumineux indiquaient 00.01.

— Je voulais être le premier à te souhaiter ton anniversaire. Tu ne crois tout de même pas que j'aurais oublié ? Je n'oublierai jamais.

— Je ne veux pas...

— Le huit mars. Tu savais que c'était la journée internationale de la femme ?

— Je vais raccrocher, Brendan.

— Je pense toujours à toi. Il ne se passe pas une heure sans que je ne pense à toi. Et j'occupe toujours tes pensées, j'en suis sûr !

— Tu es ivre.

— Juste un peu gai. Et je suis tout seul.

— Laura...

— Je suis seul et je pense à toi. Rien qu'à toi.

— Fous-moi la paix !

Je raccrochai, mais pas assez vite pour ne pas l'entendre susurrer :

— Dors bien, Miranda. Fais de beaux rêves.

27

C'est impardonnable, j'arrivai en retard à l'église. Oh, j'avais des tas d'excuses. Je ne savais pas quoi me mettre, d'ailleurs était-ce si important ? et je m'aperçus que j'étais assise sur mon lit depuis trois quarts d'heure, les yeux dans le vide, sans savoir à quoi j'avais bien pu penser. L'église était à New Malden, où les parents de Laura vivaient, or c'était plus loin que je n'avais cru, avec plusieurs correspondances. En outre, j'étais prise d'une telle panique qu'en sortant en courant du métro j'avais suivi la mauvaise direction et m'étais retrouvée le long d'un parcours de golf, je vous demande un peu ! au milieu d'hommes en pulls aux couleurs vives tirant leurs sacs de cuir remplis de clubs.

L'église avait deux portes, toutes deux fermées. J'entendais un hymne familier à l'intérieur, l'un de ceux que l'on chante à l'école chaque matin. Je ne savais quelle entrée choisir. J'optai pour la plus petite, sur le côté. J'avais peur d'être au centre de tous les regards en débarquant par l'entrée principale. Après avoir poussé la porte avec difficulté, je m'aperçus que la petite église était si remplie que des gens me bouchaient le chemin. Un barbu en trench-coat s'effaça pour me laisser entrer. J'avais l'impression d'être de nouveau dans le métro bondé que j'avais emprunté pour venir.

Je me retrouvai au milieu de la nef, coincée contre le mur, derrière un pilier, avec une vue bigrement restreinte sur la cérémonie. L'hymne terminé, un homme que je ne voyais pas prit la parole. Je cherchai des visages familiers, mais il n'y avait que des inconnus et l'espace d'un instant je me demandai si je ne m'étais pas tout simplement trompée d'église. C'est alors que je vis une camarade de lycée. Elle croisa mon regard. Je n'arrivais pas à me souvenir de son nom ! Celle-là, il faudrait que je l'évite à la sortie. J'aperçus Tony dans le fond, les traits tirés, grimaçant de douleur, étrangement mal à l'aise, lui aussi, comme un resquilleur. Je n'avais pas encore prêté attention au discours, mais je me forçai à l'écouter. J'eus d'abord du mal à suivre, ne grappillant qu'une phrase par-ci, par-là : « jeune femme heureuse », « dans sa prime jeunesse », « au printemps de sa vie ». Cela n'avait aucun sens. A son ton affecté, j'en déduisis que le pasteur ne connaissait pas réellement Laura. « Parfois, nous avons envie d'apostropher le Seigneur, disait la voix. Nous voulons lui demander pourquoi de bons chrétiens subissent d'injustes calvaires. Pourquoi des enfants innocents souffrent-ils ? Et, aujourd'hui, pourquoi cette ravissante jeune femme devait-elle mourir, d'une mort aussi cruelle, regrettable, inutile ? Ce genre d'accident est toujours affreux, mais pour une jeune femme comme Laura, qui venait juste de se marier, c'est presque insupportable. »

L'esprit embrumé de douleur et de confusion, je ressentis comme un coup de poignard. « Qui venait juste de se marier ». Je l'ignorais. Ainsi, ils s'étaient mariés ! Laura l'avait épousé !

« Nos prières ne doivent pas seulement accompagner les parents de Laura, continua le pasteur, mais aussi Brendan, son époux. »

Je le vis. En me penchant, je distinguai les premiers rangs. A côté d'un couple aux cheveux gris, Brendan était assis bien droit. Je n'apercevais que sa nuque, mais je devinais son expression. Il devait être le plus malheureux de tous, le plus inconsolable, le veuf éploré. Lorsque le pasteur prononça son nom, il avait dû lui jeter un coup d'œil, faire la moue et opiner légèrement de la tête. Je le vis se tourner vers la mère de Laura. Bien sûr ! Malgré son malheur, sa souffrance, il ne pensait qu'à aider les autres ! La star des funérailles !

Il y eut un autre hymne, un oncle lut un poème, puis le pasteur annonça que la famille suivrait le cercueil et que les autres se réuniraient chez les parents de la défunte. C'était un court trajet. Il y avait un plan sur le faire-part, mais je ne l'avais pas apporté. Avec les hymnes et la recommandation de sortir dans un ordre précis, on se serait cru dans une réunion scolaire. Lorsque le cercueil passa devant moi, je n'imaginai pas Laura dedans. Je pensais seulement qu'il devait être bien lourd et me demandais comment on avait choisi les porteurs. Etaient-ce des parents, des amis, ou les employés des pompes funèbres ? Laura était ma meilleure amie, mais je n'avais jamais rencontré ses parents. Elle s'était fâchée avec eux au cours de sa dernière année de lycée à propos d'un petit ami. C'était donc la première fois que je les voyais. Sa mère, le visage rond et joufflu, ne lui ressemblait pas du tout. Laura tenait de son père. Il était bel homme, le visage émacié, les pommettes saillantes, et avait l'air mal à l'aise dans son costume foncé, sans doute loué ou emprunté.

Derrière eux suivait Brendan. Je manquai défaillir tellement il était élégant. Tout en lui était parfait. Les mains jointes, légèrement crispées, comme s'il s'efforçait de dominer sa détresse, le costume impeccablement brossé, sans le moindre cheveu ou grain de poussière, une chemise blanche et une merveilleuse cravate écarlate avec un gros nœud. Ses cheveux étaient ébouriffés, ce qui jurait avec ses habits immaculés mais soulignait son chagrin, son élégance vaincue par la douleur. Le visage très pâle, les yeux bruns fixés droit devant lui, il ne me vit donc pas.

Le cercueil franchit la porte. Il y eut des murmures et des piétinements pendant que nous attendions le passage de la procession. Dernière arrivée, je fus la première à sortir. Aveuglée par le soleil éclatant, je m'aperçus que je pleurais. Dans l'église tout avait été d'une grande intensité, et une fois dehors, la vue du champ de tombes me frappa. L'idée qu'elles contenaient des gens qui avaient autrefois été bien vivants et que mon amie Laura s'apprêtait à les rejoindre, m'arracha des larmes de douleur. Les pleurs devenaient une habitude chez moi. Je sentis une main sur mon épaule.

— Miranda ?

En me retournant, je me trouvai nez à nez avec la fille dont j'avais oublié le nom. Laura avait partagé une maison avec elle dans ses premières années de fac. Lucy, Sally, Paula ?

— Bonjour, répondis-je.

Elle m'étreignit avec chaleur. Kate, Susan ? Un nom commun, j'en étais sûre. Tina, Jackie, Jane ?

— Ça fait du bien de rencontrer un visage ami, dit-elle. Je n'avais pas vu Laura depuis longtemps. Je croyais que je ne connaîtrais personne.

Lizzie, Frances, Cathy, Jean, Alice ? Non.

Je réussis à peine à répondre à son étreinte.

— C'est d'une tristesse incroyable, observa-t-elle. Je n'arrive pas à m'y faire.

— Je sais, fis-je.

J'aurais dû lui demander son nom tout de suite et m'excuser. Maintenant, il était trop tard. Julia, Sarah, Jan ? J'espérais qu'une tierce personne interviendrait et l'appellerait par son nom. Du moment que je n'avais pas à la présenter à quelqu'un...

— Tu vas chez les parents ? me demanda-t-elle.

— Je ne sais pas.

— Si, viens ! Juste quelques instants. Il faut que je te parle.

— Entendu, acquiesçai-je.

Nous nous mîmes en route. Elle avait un faire-part avec les instructions. J'eus une inspiration. Je lui demandai de jeter un coup d'œil sur les consignes. Elle me tendit la carte, je la retournai et vis son nom écrit au stylo en haut à gauche : « Sian ». Mais oui, bien sûr ! Comment avais-je pu oublier ? Quel soulagement !

— C'est marrant, soupira-t-elle, c'est la première fois que je vais à l'enterrement de quelqu'un de mon âge.

— Oui, c'est étrange, Sian, admis-je, juste pour lui montrer que je connaissais son prénom.

Je ne parlai pas de Troy. Sa mort me semblait trop précieuse pour l'immiscer dans une conversation avec une fille que je connaissais à peine et que je ne reverrais sans doute jamais. Sian parla de Laura qu'elle n'avait pas vue depuis un an et dont elle avait appris le mariage par des amis communs. Ils s'étaient unis à la mairie sans prévenir.

— Elle a épousé quelqu'un dont je n'ai jamais entendu parler, m'informa Sian. Ça a dû se faire très vite.

Je n'avais pas envie de m'étendre là-dessus, avec néanmoins la certitude que si je ne disais rien, quelqu'un viendrait parler de Brendan et de moi, et j'aurais une fois de plus l'air ridicule.

— Je le connaissais, répondis-je. Oui, ça a été plutôt soudain.

— C'est sans doute le type qui marchait derrière le cercueil.

— Oui, c'est lui.

— Il est drôlement séduisant. Je comprends qu'elle soit tombée amoureuse.

— Je te présenterai, proposai-je.

Sian parut gênée.

— Je ne voulais pas dire..., commença-t-elle, avant de s'arrêter net, incapable de préciser ce que, justement, elle n'avait pas voulu dire.

La maison grouillait de monde. C'était une grande réception, mais Tony, la seule personne que j'avais envie de voir et de consoler, était invisible. On avait dressé une table avec des sandwiches, des œufs durs, des sauces froides, des légumes, des chips. Il y avait du thé, du café et des jus de fruits. J'imaginai la mère de Laura en train de superviser les préparatifs. Elle n'avait pas été invitée au mariage, mais quelques semaines plus tard, c'était elle qui organisait les funérailles. Je cherchai un visage connu parmi la foule. Toujours aucun signe de Tony. Il avait dû s'esquiver après la cérémonie. Les parents de Laura conduisirent une très vieille dame dans un coin du salon et l'aidèrent à s'asseoir dans un fauteuil. Je songeai à leur présenter mes condoléances, puis m'aperçus que je serais obligée d'entrer dans d'épouvantables explications, faillis y renoncer, mais crus bon d'aller leur parler quand même. J'hésitais encore lorsque je pris conscience d'un homme à mes côtés. Sa présence était si inattendue que je mis du temps à le reconnaître. C'était l'inspecteur Rob Pryor.

— Que diable faites-vous ici ? m'étonnai-je.

Pour toute réponse, il se contenta de me tendre une tasse de thé.

— J'aurais préféré quelque chose de plus corsé, fis-je.

— Il n'y en a pas.

— Tant pis, ça ira.

— Je sais ce que vous allez dire, avança-t-il.

Je bus une gorgée de thé. Il était bouillant et je me brûlai la langue et le palais.

— Que vais-je dire ?

— Je savais que vous seriez là, m'annonça Rob. Je tenais à vous empêcher de délirer.

— Je ne sais pas de quoi vous parlez.

— J'ai mené ma petite enquête. La mort de Laura est terriblement affligeante. Mais c'est tout.

— Oh, Rob ! Je vous en prie, ne vous moquez pas de moi !

— Oui, je sais ce que vous voulez dire. Dès que j'ai appris sa mort, j'ai pensé à vous. J'ai passé quelques coups de fil, j'ai discuté avec l'inspecteur chargé de l'enquête.

— Laissez tomber tout ça. Réfléchissez un peu. Quand je suis venue vous voir pour vous faire part de mes soupçons à propos de la mort de Troy, vous les avez rejetés. Très bien. Ensuite, Brendan plaque ma sœur pour se marier avec ma meilleure amie. Quelques mois plus tard, elle meurt à son tour. Vous ne voyez pas les coïncidences ?

Rob soupira.

— Désolé, dit-il, je ne m'intéresse pas aux coïncidences. Juste aux faits. La mort de Laura était un accident.

— Vous connaissez beaucoup de jeunes femmes de vingt-cinq ans qui se noient dans leur baignoire ?

— Elle rentrait d'une fête. Elle était ivre. Elle s'était disputée avec M. Block. Elle était partie de bonne heure, seule. Elle s'est fait couler un bain, a glissé et s'est cogné la tête pendant que l'eau continuait de couler. A minuit vingt, exactement, Thomas Croft, le voisin du dessous, s'est aperçu que l'eau dégoulinait du plafond. Il est monté, la porte n'était pas fermée à clé, il est entré et a trouvé Mme Block morte.

Je ne supportais pas qu'il appelle Laura « Mme Block ». C'était la preuve que Brendan avait mis ses sales pattes sur une autre victime. Je m'assurai que personne ne pouvait nous entendre.

— C'est ce qu'il a fait quand il habitait chez moi avec Kerry.

— C'est-à-dire ?

— Il a laissé le bain couler exprès. C'est un message.

— Un message ?

— Qui m'est destiné.

Rob Pryor me regarda avec une sorte de pitié.

— La mort de Mme Block est un message qui vous est destiné ? Vous êtes devenue folle ?

— C'est facile d'assommer quelqu'un, remarquai-je. De lui tenir la tête sous l'eau.

— C'est exact, acquiesça Rob.

— De plus, ce n'était pas un simple dîner, n'est-ce pas ? Il devait y avoir beaucoup de monde. Dans la maison. Dans le jardin. Brendan pouvait très bien s'éclipser sans qu'on s'en aperçoive.

Rob fit une moue impatiente.

— Il faut vingt minutes pour aller de la fête à Seldon Avenue jusqu'à son appartement. Peut-être vingt-cinq. Brendan aurait dû s'absenter pendant une heure.

— Il aurait pu prendre un taxi.

— Je croyais que votre théorie dépendait de la discrétion. Votre assassin appelle un taxi, lequel arrive à la soirée sans que personne ne le remarque. Et ensuite ? Demande-t-il au chauffeur de l'attendre pendant qu'il commet son meurtre ?

— Il aurait pu la suivre sans qu'on s'en rende compte.

— Oh, oubliez tout ça ! s'exaspéra Rob.

Au même moment, je sentis une main sur mon épaule. Je me retournai et reçus un baiser sur chaque joue. C'était Brendan !

— Oh, Miranda, Miranda, Miranda ! murmura-t-il à mon oreille. Comme c'est affreux ! Je suis content que tu sois venue. C'est important pour moi. Laura aussi aurait apprécié.

Il porta son regard vers Rob Pryor.

— Rob s'est conduit avec beaucoup de tact avec moi depuis la mort de Troy.

Il reporta son attention sur moi.

— Je suis tellement navré, Miranda. J'ai l'impression d'attirer les coups durs. J'ai la poisse.

Je ne répondis pas, j'étais estomaquée.

— Il faut que je te parle, Mirrie, fit-il en plongeant son regard dans le mien.

Il était comme toujours trop collant, trop près de moi, je sentais son haleine sur ma joue.

— Tu es la seule à me comprendre. Il y a quelque chose de bizarre. Rob te l'a dit ?

Il interrogea du regard l'inspecteur qui secoua la tête.

— Au moment où... c'est arrivé, tu sais... pour Laura. Devine ce que je faisais.

— Comment le saurais-je ?

— Si, tu sais. Je te téléphonais.

Troy Chéri,

Un souvenir me revient toujours. Quand tu avais neuf ans, tu insistais pour me réveiller à quatre heures du matin pour écouter les chants de l'aube. Encore endormie, je sortais dans le jardin en titubant, emmitouflée dans ma robe de chambre, alors qu'il faisait un froid glacial et que l'herbe était trempée. Je pensais rester quelques minutes avec toi pour te faire plaisir, et retourner aussitôt dans mon lit bien chaud. Mais tu étais tout habillé – jean, grosses chaussures et veste chaude –, et tu avais pris les jumelles de papa. Nous attendions au bout du jardin et tout à coup..., comme si on avait actionné un interrupteur..., les oiseaux se mettaient à chanter. Il y en avait partout. Comme tu étais fou de joie, j'en oubliais le froid. Tu me montrais les oiseaux sur les branches et je pouvais attribuer un chant à chaque bec ouvert, à chaque gorge déployée. Nous restions des heures, puis nous allions dans la cuisine et je faisais du chocolat chaud et des œufs brouillés. Tu me disais, la bouche pleine : « Ah, si ça pouvait être comme ça tout le temps ! »

Naturellement, tu ne liras pas ces mots, mais c'est pour toi que je les écris car tu es la seule personne à qui j'ai envie de parler. Je te parle tout le temps. J'ai peur qu'un jour je ne cesse de te parler, parce que, ce jour-là, tu seras vraiment mort.

28

— Je ne sais pas pourquoi je suis là, dis-je.

En face, la femme ne répondit pas. Elle me regarda jusqu'à ce que je baisse les yeux sur mes mains crispées. Sur la table, entre nous, se trouvait une boîte de Kleenex. Par la fenêtre, je pouvais voir les jonquilles inondées de soleil, dont le jaune me paraissait un peu trop criard. J'avais la tête vide et j'étais tendue, mal à l'aise. Au moins n'étais-je pas allongée sur le divan.

— Par quoi dois-je commencer ?

Heureusement, elle ne me répondit pas de commencer par le début. Katherine Dowling approchait de la cinquantaine, elle avait un beau visage, quelques rides et pas de maquillage. On remarquait également ses fortes pommettes, sa mâchoire énergique et des yeux marron qui ne vacillaient jamais. Ses cheveux étaient parsemés de gris et elle portait des vêtements confortables – une jupe en dessous du genou, de vieilles chaussures en daim, un cardigan gris clair trop grand pour elle. Elle me fixait, s'efforçant de lire en moi, et je n'étais pas sûre que cela me plaise. Je m'agitais sur mon siège, décroisais les mains, me grattais la joue, toussotais sans raison. Je jetai un coup d'œil sur ma montre – celle de Troy. Il me restait encore quarante-trois minutes.

— Dites-moi ce qui vous a amenée à consulter.

— Je n'ai personne à qui parler, bredouillai-je d'une voix tremblante.

J'aurais voulu que le chagrin me submerge, qu'il éclate, comme lorsqu'il me réveillait en pleine nuit et que mon oreiller était trempé de larmes.

— Ceux à qui je pouvais parler ne sont plus là.

— Plus là ?

— Ils sont morts.

J'avais la gorge serrée, le sang battait à mes tempes.

— Mon jeune frère et ma meilleure amie sont morts.

Je me forçai à dire leur nom à haute voix.

— Troy et Laura. Mon frère s'est suicidé, en tout cas c'est ce qu'on prétend, mais je crois que... je crois que... Oh, peu importe ce que je crois... Je l'ai trouvé pendu chez moi. C'était encore un enfant, en réalité. Il n'avait pas achevé sa croissance. Quand je ferme les yeux, je revois son visage. Sauf que des fois, je n'arrive pas à me souvenir de lui. Laura est morte il y a juste quelques semaines. Dans sa baignoire. Elle était ivre, elle s'est cognée la tête et elle s'est noyée. Vous ne trouvez pas que c'est une mort stupide ? Elle avait mon âge. La dernière fois que nous nous étions vues, nous ne nous étions pas adressé la parole. Je n'arrête pas de penser que si je lui avais parlé, ça ne serait pas arrivé. Je me doute que vous trouvez ça idiot, mais c'est plus fort que moi, je n'arrive pas à m'ôter ça de la tête.

Katherine Dowling se pencha légèrement vers moi. Une mèche de cheveux tomba sur son front, elle la repoussa derrière son oreille sans me quitter des yeux.

— Je ne peux me faire à l'idée que je ne les reverrai jamais, poursuivis-je en prenant un mouchoir dans la boîte. Naturellement, je sais qu'ils ne sont plus là, mais je n'arrive pas à y croire. Je n'y arrive pas, répétai-je, désespérée. Ça me semble impossible.

J'attrapai un autre Kleenex et m'essuyai les yeux.

— Le deuil est quelque chose de difficile à...

— C'est sa montre, coupai-je en montrant mon poignet. Il l'avait laissée sur ma table de chevet et je ne la quitte plus. Chaque fois que je regarde l'heure, je me dis que ce sont des minutes qu'il ne connaîtra jamais. Les heures, les minutes, les secondes défilent. J'avais toujours cru que nous vieillirions ensemble. Je pensais pouvoir l'aider. J'aurais dû l'aider. Ah, mon petit frère chéri !

Je pleurais maintenant à chaudes larmes.

— Désolée, dis-je en hoquetant. Je suis désolée, mais je trouve ça tellement injuste.

— Injuste pour vous ?

— Non, non ! Ce n'est pas moi qui suis morte. Moi, j'ai eu de la chance. C'est injuste pour eux.

Je me mis à tout déballer, les mots sortirent en désordre, mélange de souvenirs et de sentiments. Troy, Brendan, Laura, Kerry, mes parents, Nick ; un corps pendu à une poutre, un coup de fil en pleine nuit, des mots susurrés à mon oreille tel un poison s'insinuant en moi, un mariage annulé, des funérailles, celles de Troy, puis celles de Laura... je m'arrêtais de temps en temps pour me moucher ou sangloter. J'avais les joues brûlantes, le nez qui coulait et mal aux yeux.

— J'ai l'impression d'être comme Typhoid Mary[1]. Ou comme les soldats espagnols qui ont apporté la peste aux Indiens. Je suis comme...

La voix calme de Katherine Dowling interrompit ma tirade.

— Que voulez-vous dire, Miranda ?

— J'ai la poisse ! m'écriai-je en séchant mes larmes. Vous ne comprenez pas ? Ils allaient plus ou moins bien. Je l'ai introduit dans mon univers, c'est mon problème et je dois y faire face. Mais je l'ai aussi introduit dans leur univers, il les a infectés, il les a détruits, il a brisé leur vie. Moi, je vais bien. Regardez, je suis chez une thérapeute en train d'essayer de guérir de mes problèmes. Vous voyez, c'est ça qui me mine.

— Ecoutez-moi bien, Miranda.

— Non, attendez. Il faut que je débrouille cette affaire, autant pour moi que pour les autres. Voilà : il se passe des choses affreuses dans le monde, d'accord ? Ça me déprime. Votre travail de thérapeute est de soigner ma déprime. Mais je

1. De son vrai nom Mary Mallon. Née en 1869 en Irlande, elle émigre à quinze ans aux Etats-Unis et travaille comme cuisinière chez des particuliers. Accusée d'avoir transmis la typhoïde à ses employeurs, elle est maintenue en quarantaine de 1907 à 1910 sur l'île de North Brother. Reconnue porteuse saine, elle est libérée en 1910, puis de nouveau incarcérée en 1915 à l'hôpital de North Brother Island où elle meurt en 1936. Malgré l'hystérie de l'époque, il est maintenant médicalement reconnu qu'elle n'a contaminé que trente-trois personnes, dont deux sont mortes de typhoïde. *(N.d.T.)*

ferais peut-être mieux d'accepter qu'il se passe des choses affreuses dans le monde.

— Non !

— C'est peut-être un peu narcissique de ma part. Si les gens viennent vous voir parce qu'ils sont déprimés à cause de la pauvreté dans le monde, des souffrances et des injustices, et que vous ayez un médicament pour les empêcher de s'inquiéter, vous le leur prescririez ? Donneriez-vous ce traitement miracle qui rend les gens indifférents à ce qui ne tourne pas rond sur cette terre, plutôt que de les pousser à réformer ce qui ne va pas ?

Il y eut un long silence. Katherine Dowling devait certainement regretter de m'avoir reçue. Je me mouchai, puis me redressai. Par la fenêtre, on voyait que le ciel était d'un bleu pâle merveilleux.

— On appelle cela le chagrin, dit-elle en pointant un doigt vers moi. Vous m'entendez ?

— Il a même réussi à faire de moi son alibi, maugréai-je. Seigneur, comme il a dû se marrer !

— Ecoutez ! lança-t-elle, et je m'affaissai de nouveau. Mon métier consiste à trouver un fil conducteur, à élaborer un récit cohérent, afin que mes patients trouvent un sens à leur vie. Mais avec vous, je vais faire exactement le contraire. Vous trouvez un sens là où il n'y en a pas. Vous essayez de trouver des explications, des liens, des responsabilités. Ces derniers mois, vous avez perdu deux êtres chers, et connu un épisode douloureux et dérangeant avec un homme. Brendan. Parce que tout cela s'est passé en même temps, vous essayez de relier des faits sans aucun rapport entre eux, comme s'il y avait une relation de cause à effet. Vous me comprenez ?

— Il y a un lien ! maintins-je.

— Bon, nous pouvons évoquer ce qui s'est passé avec Brendan ; d'ailleurs, je crois que ça serait fort utile. Nous pouvons parler de votre deuil, de votre sentiment de culpabilité. Mais pour cela, nous devrons creuser, analyser ce qui se passe en vous depuis ces traumas. Nous ne chercherons pas à savoir pourquoi votre frère et votre amie ont disparu l'un après l'autre. Ils sont morts. Maintenant, l'heure est au deuil.

Sa voix se fit plus douce.

— Pleurez leur perte, Miranda. Ne cherchez pas d'explications...

— Mais si...

— Ça prend du temps. Il n'y a pas de moyen facile d'en sortir.

Je méditai ce qu'elle venait de me dire.

— J'ai parfois l'impression de devenir folle, avouai-je enfin.

Je me sentais comme une poupée de chiffon bringuebalée sur le siège.

— J'avais une vie ordonnée, équilibrée. Je pouvais réfléchir, faire des projets. J'ai l'impression d'avoir perdu le contrôle. Maintenant, il peut arriver n'importe quoi. Tout me paraît hostile, déphasé. C'est comme un cauchemar, sauf que je n'arrive pas à me réveiller. Ça continue inlassablement.

— Eh bien, nous pouvons en parler, suggéra Katherine Dowling. Mieux, il faut en parler. Voulez-vous revenir, Miranda ?

— Oui, je crois que oui.

— Parfait. La semaine prochaine à la même heure. Maintenant, comme la montre de votre frère vous l'indiquera, la séance est terminée.

Avant d'avoir le temps de me trouver des excuses, j'enfilai ma tenue de jogging et ressortis aussitôt. Je me dirigeai vers le Heath. Je gravis la colline où j'avais vu Laura pour la dernière fois, mais je ne m'arrêtai pas. Je courus à en avoir mal aux mollets, les poumons en feu, avec en prime un point de côté.

De retour dans mon appartement, je pris une douche et me cuisinai des pâtes avec de l'huile d'olive, des oignons hachés et du parmesan. Je mangeai tout en regardant autour de moi. L'appartement était morne et négligé. Je ne rentrais chez moi que pour m'asseoir et fixer la fenêtre d'un œil vide. Je me couchais à neuf heures et je dormais dix ou onze heures d'affilée, parfois davantage. Je me réveillai, l'œil vitreux, dans un brouillard monotone, encore percluse de fatigue.

Je repensai à Katherine Dowling pointant un doigt vers moi. « C'est le chagrin ». Je m'étais laissé abrutir par le chagrin.

Je me levai, posai mon bol de pâtes dans l'évier, puis remplis un seau d'eau chaude savonneuse et me mis à laver les carreaux pour laisser entrer la lumière.

29

Le lendemain matin, je me réveillai de bonne heure et je sus, avant même d'ouvrir les yeux, que la journée allait être belle. La bande de ciel entre les rideaux était bleue. Il régnait une douce chaleur dans la chambre. Et, pour la première fois depuis une éternité, je ne me sentais pas à bout de fatigue, mais au contraire alerte, prête à l'action. Même si c'était samedi et que je n'avais pas besoin d'aller travailler. Je me levai sans traîner.

Je défis mon lit, fourrai les draps dans la machine à laver, puis enfilai ma tenue de jogging. Je retournai encore sur le Heath, mais cette fois je courus dans la partie la plus sauvage, où les arbres sont les plus touffus et où on oublierait presque qu'on est dans une ville de plusieurs millions d'habitants. Le soleil, bien qu'encore bas et pâle, brillait avec ardeur. Il y avait des primevères et des tulipes parmi les fourrés, de nouvelles pousses sur les branches. Je courus le plus vite possible, à m'en faire mal aux jambes, et lorsque je m'arrêtai enfin, la sueur ruisselait sur mon front. J'avais l'impression de me nettoyer de l'intérieur, mon cœur battait plus fort, mon sang coulait plus vite dans mes veines, les pores de ma peau se dilataient.

En arrivant près de chez moi, je fis une halte chez le boulanger pour acheter un pain complet encore chaud. Je pris une douche rapide, me lavai vigoureusement les cheveux, me séchai puis m'habillai, jean et chemise blanche. Je mis la montre de Troy, mais pour une fois sa vue ne m'arracha pas de larmes. Je me fis une tasse de thé à la menthe et mordis à même le pain, mastiquant lentement pour profiter pleinement de la texture particulière du son. Je passai l'aspirateur sur la moquette, retapai les coussins du canapé, entassai les vieux journaux et magazines dans un carton et ouvrit les fenêtres en grand pour laisser entrer le printemps.

Avant d'avoir le temps de changer d'avis, j'enfilai une veste et sortis prendre le métro.

Lorsque j'entrai dans l'agence, Kerry était déjà à son bureau. Occupée avec une cliente, elle ne me vit pas tout de suite, et quand elle s'aperçut de ma présence, diverses émotions défilèrent sur son visage : la surprise, le malaise, la douleur et la bienvenue. Elle reprit son expression polie en reportant son attention sur la cliente.

Je la regardai se pencher au-dessus du bureau, pointer telle ou telle photo d'un ongle au rose délicat. Elle avait bien meilleure mine que je ne l'avais prévu. J'étais habituée à ses traits tirés et à son teint marbré. Or, maintenant, elle avait le teint rose et le visage épanoui. Elle se laissait de nouveau pousser les cheveux, qui encadraient sa figure lisse de boucles blondes.

— Un café, ça te dit ? demandai-je après le départ de la cliente.

Je ramassai une pile de brochures et m'installai en face d'elle.

Son parfum était subtil et doux, sa peau satinée, ses lèvres luisantes, et je remarquai deux petits clous en or aux oreilles. Tout en elle semblait réfléchi, délicat, soigné. Je baissai les yeux sur mes mains aux ongles sales et rongés. Les manchettes de ma chemise s'effilochaient.

Kerry hésita, jeta un coup d'œil à sa montre.

— Je ne suis pas sûre de pouvoir.

— Vas-y, lança la femme du bureau d'à côté. Il va bientôt y avoir du monde et tu n'auras plus le temps.

— Je prends mon manteau, répondit Kerry.

Nous nous rendîmes sans un mot au café, en bas de la rue. Nous nous installâmes à l'entresol où il y avait un canapé et des fauteuils, et nous nous observâmes par-dessus nos tasses d'un air incertain. Je dis quelque chose à propos de l'appartement qu'elle venait de louer, et elle fit un commentaire sur son emploi du temps surchargé. Un silence pesant s'ensuivit.

— J'aurais dû prendre de tes nouvelles plus tôt, déclarai-je enfin.

— Tu avais trop de travail.

Je chassai l'objection d'un geste.

— Ce n'est pas pour ça.

— Non, t'as raison.

— Je ne savais pas par où commencer.

— Miranda...

— Tu m'avais dit quelque chose... Tu sais, le jour où Brendan est parti. Tu disais que c'était déjà foutu avant, qu'il avait juste donné le coup de grâce et que tout s'était écroulé. Quelque chose comme ça.

— Je ne m'en souviens pas.

— Naturellement. Je ne sais pas pourquoi ça m'a frappée, peut-être à cause de mon métier – l'image de Brendan ne laissant que des ruines derrière lui, sans doute. C'est ce qu'il nous a fait.

— Ne pense plus à lui, Miranda. Oublie-le.

— Quoi ? m'exclamai-je.

— C'est ce que j'ai fait. Il m'est sorti de la tête. Je ne veux plus jamais penser à lui.

J'étais abasourdie.

— Mais tout ce qui s'est passé..., bégayai-je. Entre toi et moi, la famille, Troy...

— Ça n'a rien à voir.

— Et Laura.

— Tu crois que je n'en ai pas souffert ?

— Si, bien sûr.

— Tu penses que ça m'a réjouie d'apprendre sa mort ? Que j'ai pris ça comme une sorte de revanche ?

— Non, bien sûr.

— Et pourtant. Je la détestais tellement, je souhaitais qu'il lui arrive un malheur, et quand elle a eu son accident, après un instant de triomphe je me suis sentie coupable, comme si c'était de ma faute.

Elle eut un regard farouche, puis la tristesse reprit le dessus.

— Après, je me suis dit : Bof, qu'est-ce que ça a à voir avec moi ? J'ai décidé de tout oublier.

— Tu ne veux pas en parler ?

— Je veux aller de l'avant.

— Tu ne veux pas y penser ? Comprendre ce qui s'est passé ?

— Comprendre ? fit-elle, incrédule. Notre frère s'est suicidé, mon fiancé m'a larguée...

— Mais...

— Je ne suis pas en train de te dire que ça ne m'a rien fait. Mais c'était une affaire banale, après tout. Je ne vois pas à quoi ça m'avancerait d'en parler.

J'en restai coite. La tempête d'émotions, de haine, de désespoir qui avait secoué notre famille s'était calmée. Il ne restait plus qu'une mare d'eau morte.

— Et nous ? demandai-je enfin.

— Quoi, nous ?

— Nous, toi et moi, les deux sœurs.

— Eh bien ?

— Tu me détestais.

— C'est faux, assura-t-elle.

— Tu me tenais pour responsable.

— Un peu, c'est vrai.

Elle vida sa tasse.

— C'est du passé, Miranda. Comment vas-tu ? Tu as l'air un peu...

Elle n'osa pas terminer.

— Ça n'a pas été fort ces derniers temps.

— C'est normal.

Je ne pouvais pas en rester là.

— Oh, Kerry... J'aimerais tant qu'on se raccommode.

Je m'aperçus que je parlais comme une gamine qui quémande un baiser.

— Je pensais qu'il y avait des choses à tirer au clair.

— Tout est clair pour moi.

— J'espère que tu as compris maintenant que je n'ai jamais été amoureuse de Brendan. Jamais ! Je l'ai quitté et...

— Je t'en prie, Miranda, coupa-t-elle, dégoûtée. Oublions ça.

— Non, écoute, je veux juste que tu comprennes que je n'ai jamais essayé de briser votre liaison. Je voulais que tu sois heureuse. Je te jure. C'est lui qui était...

M'apercevant que je m'embourbais, je laissai la phrase en suspens.

— T'as raison, ça n'a plus d'importance, maintenant. C'est du passé. Il est sorti de nos vies. En réalité, je voulais juste savoir si tu allais bien. Si nous étions réconciliées. Ça serait injuste si nous le laissions nous séparer.

— Je sais, admit Kerry d'une petite voix.

Elle se pencha vers moi et pour la première fois son visage perdit son aspect lisse.

— Il y a quelque chose que je devrais te dire.

— Quoi ? m'étonnai-je.

— Je suis un peu mal à l'aise. Après Troy et..., tu sais bien, je croyais que je ne serais plus jamais heureuse. Et c'est arrivé si vite.

Elle rougit.

— J'ai rencontré quelqu'un.

— Tu veux dire que...

— Un type bien. Un peu plus âgé que moi, et je crois qu'il tient beaucoup à moi.

Je posai mes mains sur les siennes.

— Je suis vraiment très contente, Kerry, fis-je avec chaleur. Je ne le connais pas, j'espère ?

Mon ironie stupide tomba à plat.

— Non. Il est directeur adjoint d'un hôpital. Il s'appelle Laurence. Il faudra que tu le rencontres.

— Super !

— Il est au courant de tout...

— Bien sûr.

— Et il est très différent de..., tu sais...

— Tant mieux. Génial.

— Papa et maman le trouvent sympathique.

— Parfait. Je suis sincèrement contente pour toi.

— Merci.

J'achetai un gros bouquet de tulipes, de jonquilles et d'iris, et sautai dans un bus qui s'arrêtait à quelques centaines de mètres de chez mes parents. Les échafaudages avaient enfin disparu et la porte d'entrée avait été repeinte en bleu foncé laqué. Je frappai et attendis en tendant l'oreille : je savais qu'ils étaient là. Ils ne bougeaient plus depuis quelque temps. Ils travaillaient, puis ma mère regardait la télévision tandis que mon père passait des heures dans le jardin à arracher les mauvaises herbes ou à clouer des nids aux arbres fruitiers pour les oiseaux.

Pas de réponse. Je fis le tour de la maison, et plaquai mon nez contre la fenêtre de la cuisine. A l'intérieur, tout était neuf : surfaces en acier inoxydable, murs blancs, spots au plafond. La tasse préférée de papa traînait sur la table, à côté d'une assiette avec des pelures d'orange et d'un journal plié. Je l'imaginais en train de la peler, de la diviser en tranches qu'il mangeait ensuite lentement, une par une, entre deux gorgées de café, tout en jetant des coups d'œil sur le journal. Rien n'avait changé et tout était différent.

Comme j'avais encore la clé, j'ouvris la porte de derrière. Dans la cuisine, je trouvai un vase que je remplis d'eau afin d'y tremper les fleurs. Il restait deux quartiers d'orange sur la table, que je mangeai sans réfléchir en contemplant le jardin qui servait encore de décharge quelques mois plus tôt, mais désormais bien entretenu. J'entendis des pas dans l'escalier.

— Qui est là ?

C'était la voix de ma mère.

— Qui est là ? répéta-t-elle depuis le couloir. Qui est-ce ?

— Maman ? C'est moi.

— Miranda ?

Ma mère était en robe de chambre, les cheveux gras, le visage bouffi de sommeil.

— Tu es malade ? m'inquiétai-je.

— Malade ?

Elle se frotta la figure.

— Non. Juste un peu fatiguée. Derek est sorti acheter de la ficelle pour le jardin, et j'ai fait une petite sieste avant le déjeuner.

— Je te réveille ? Désolée.

— Ce n'est pas grave.

— Je t'ai apporté des fleurs.

— Merci.

Elle jeta un coup d'œil machinal sur le vase.

— Tu veux que je prépare du café, ou du thé ?

— Bonne idée.

Elle s'assit sur le bord d'une chaise.

— Qu'est-ce que tu préfères ?

— Quoi ?

— Du café ou du thé ?

— Comme tu voudras, ça m'est égal.

— Ça sera du café, alors. Après, on ira se promener.

— Je ne peux pas, Miranda. J'ai... euh... des choses à faire.

— Maman...

— J'ai trop de peine. Il n'y a qu'en dormant que je peux oublier.

Je lui pris la main et la portai à mon visage.

— Je ferais n'importe quoi, dis-je, n'importe quoi pour que ça aille mieux.

Elle haussa les épaules. Derrière nous, la bouilloire siffla.

— C'est trop tard, soupira-t-elle.

— Je l'aimais, soupira Tony.

Il en était à sa troisième bière et sa voix s'empâtait. Tout en lui avait sombré – ses joues étaient flasques et mal rasées, ses cheveux gras tombaient sur son col, sa chemise avait des taches de café sur le devant et ses ongles étaient trop longs.

— Je l'aimais, répéta-t-il.

— Je sais.

— Qu'est-ce que j'ai fait de mal ?

— Ne regarde pas les choses sous cet angle, conseillai-je faiblement.

— Je n'arrivais pas à le lui dire, mais elle savait que je l'aimais.

— Je crois..., commençai-je.

— Et après...

Il vida sa troisième bière.

— Et après, quand elle est partie sans prévenir, en laissant juste un mot sur la table, j'ai souhaité sa mort, et c'est arrivé.

— Ça n'a rien à voir, sauf dans ta tête.

— Ton fumier de Brendan. Il l'a séduite, il lui a promis des tas de choses.

— Il lui a promis quoi ?

— Tu sais bien... L'amour fou, le mariage, les enfants. Tout ce pourquoi on se disputait ces derniers mois.

— Ah ! fis-je.

— J'aurais fini par accepter. Elle aurait dû le savoir.

Je bus mon vin sans répondre. Je pensais à Laura, à son rire, sa tête renversée, sa bouche ouverte, ses dents étincelantes, et ses yeux noirs pétillants de vie.

— Maintenant, elle est morte.

— Oui.

Le dimanche, j'allai de nouveau courir. Dix kilomètres dans la brume et le crachin. Je pris un café avec Carla, qui avait connu Laura et elle passa une heure à déclamer avec un plaisir trouble qu'elle était horrifiée par sa mort.

Je travaillai sur les comptes de la société. Je ne tenais pas en place, je ne savais pas quoi faire de mon temps. Je ne souhaitais voir personne, mais je ne voulais pas rester seule non plus. Je triai les vieux courriers, jetai des vêtements que je ne portais plus depuis un an, épluchai mes courriels et en effaçai une bonne partie.

Je finis par téléphoner à Bill pour lui dire que j'aimerais lui parler. Il ne me demanda pas si ça ne pouvait pas attendre le lendemain, rétorqua juste qu'il était à Twickenham et qu'il serait de retour à six heures. Nous prîmes rendez-vous dans un bar près de King's Cross, autrefois un véritable bouge devenu un café branché qui servait des cocktails, du thé glacé et du café au lait.

Je pris un bain, échangeai le pantalon négligé que j'attachais avec une ficelle pour un jean, enfilai une chemise blanche. J'étais en avance d'un quart d'heure. Quand il arriva, il déposa un baiser sur ma tête et s'assit face à moi. Il commanda un jus de tomate avec du Tabasco et moi un bloody mary pour me donner du courage. Nous trinquâmes. Je commençai par lui demander comment s'était passé sa semaine, mais il m'arrêta d'un geste.

— Qu'est-ce que tu voulais me dire, Miranda ?

— Je ne veux plus travailler pour toi.

Il parut réfléchir, but une gorgée de jus de tomate et reposa son verre.

— Ça me semble une excellente idée, répondit-il enfin.

— Quoi ?

Il me regarda avec une telle tendresse que j'eus du mal à refréner mes larmes.

— Je rassemblais tout mon courage pour te

l'annoncer et tout ce que tu trouves à dire, c'est que c'est une excellente idée !

— Je le pense.

— Tu ne me supplies pas de rester ?

— Tu as besoin d'un nouveau départ.

— C'est aussi mon avis.

— De te détacher de la famille.

— Tu n'es pas ma famille.

— Merci.

— Non, je disais ça comme un compliment.

— Je sais.

— J'ai l'impression que ma vie est dans une pagaille épouvantable, j'ai besoin de m'en arracher.

— Que comptes-tu faire ?

— Trouver un job dans une société de décoration d'intérieur, un truc comme ça. J'ai assez de contacts, maintenant. Tu veux que je te donne un préavis de trois mois ? Et tu accepteras de me donner des références ?

— Je connais Miranda depuis sa naissance... Quelque chose comme ça ?

— Si tu veux.

Mal à l'aise, je jouai avec le verre.

— Ne me fais pas la grande scène d'adieu, Miranda. On se reverra. C'est pas comme si tu quittais Londres.

— J'y ai pensé.

— Quoi ? Pour aller où ?

— Je ne sais pas.

— Oh ! fit-il en levant son verre. Bonne chance. J'ai toujours été partisan de couper les ponts.

— Je sais. Bill ?

— Oui.

— Je n'étais pas amoureuse de Brendan. Ce n'est pas ce qu'on croit.

— Il ne m'a jamais plu, déclara Bill en haussant les épaules. Ah, sa façon de me serrer le bras quand il me parlait et de répéter mon nom tous les trois mots !

— Alors, tu me crois ?

— Dans l'ensemble, dit-il avec un demi-sourire, plus ou moins.

— Merci.

J'avais de nouveau les larmes aux yeux. Je débordais de gratitude.

— Je crois que je vais prendre un autre bloody mary.

— Bon, je rentre. Bois tant que tu veux, mais n'oublie pas que nous commençons les travaux dans une nouvelle maison à huit heures demain matin.

— J'y serai. A huit heures pile.

Il se leva, déposa de nouveau un baiser sur ma tête.

— Prends bien soin de toi, Miranda.

30

Je l'ai fait ! Je me suis forcée et j'ai réussi ! J'ai mis mon appartement sur le marché en effectuant les démarches comme une somnambule, sans réfléchir. En réalité je m'en fichais, alors c'est passé comme une lettre à la poste. Un jeune homme avec un bloc-notes s'est pointé, a fureté à droite et à gauche, s'exclamant qu'il le vendrait sans problème. Il exigeait une commission de trois pour cent. J'en proposai deux et il accepta après une brève hésitation. Le lendemain même, une femme vint visiter mon appartement. Elle me fit penser à moi, en plus riche et en plus adulte. Elle exerçait un vrai métier, elle était médecin. Je vis mon appartement à travers ses yeux. Je m'étais débarrassée de tant de choses que l'ensemble avait un aspect minimaliste qui éclairait et agrandissait l'espace.

Elle trouva l'appartement sympathique. Elle me confia en souriant qu'il devait avoir un bon feng shui. Je retins mon souffle en pensant à Troy pendu à la poutre. Une demi-heure après son départ, l'agent immobilier me téléphona pour m'annoncer que Rebecca Hanes avait offert dix mille livres de moins que le prix demandé. Je refusai. Il assura que le marché était un peu trop calme en ce moment, mais je tins bon. Il rappela dix minutes plus tard pour m'apprendre que Rebecca avait accepté mon prix, mais qu'elle voulait emménager tout de suite. Je lui répondis que je ne voulais pas être bousculée. Je libérerai l'appartement dans un mois. Il fit valoir que cela poserait un problème, mais il rappela presque aussitôt pour me dire que l'affaire était réglée. En raccrochant, je me regardai dans la glace en me demandant : est-ce là le secret des affaires ? Le secret de la vie ? Plus on se fiche du résultat, meilleur il est. Etait-ce la nouvelle Miranda ?

J'avais largué une bonne partie de mon passé, mais je n'avais encore rien fait pour mon avenir. Je pris mon vieil atlas scolaire sur l'étagère et l'ouvris à « Angleterre et Galles du Sud ». Je pris soudain conscience que j'étais libre de toutes attaches. Je n'avais pas de famille en dehors de Londres, pas de limites et aucune envie particulière. Devais-je tracer un cercle d'un rayon de trois centimètres autour de Londres ? Cinq ? Dix ? Aimerais-je vivre au bord de la mer ? Si oui, laquelle ? Dans un village ou dans une ville ? En pleine campagne ? Sur une île ? Dans une chaumière ou sur un bateau ? Une tour Martello[1] ? Un phare désaffecté ? L'étendue infinie de ma liberté me donnait le vertige. C'en était presque

1. Une des soixante-dix tours bâties par les Anglais sur le littoral pour se protéger d'une invasion des armées de Napoléon, et copie d'une tour génoise de la Corse sise à Martello. *(N.d.T.)*

effrayant. Mais je devais penser autrement. J'avais besoin de travailler. Mon premier objectif était donc de trouver un ou plusieurs jobs. Il me fallait passer quelques coups de fil, mais rien ne pressait. J'avais gagné un mois en me montrant impitoyable envers une femme sympathique.

Je pris la résolution de contacter chaque jour deux personnes susceptibles de m'aider à trouver du travail. Sur une feuille de papier et au bout de cinq minutes j'avais dressé une courte liste avec un seul nom, celui d'un certain Eamonn Olshin, qui venait juste de terminer ses études d'architecture. Je lui téléphonai pour prendre rendez-vous afin de le tanner pour un job. Eamonn se montra étrangement amical – presque à la limite du ridicule. Le monde me paraissait hostile depuis si longtemps que j'étais surprise de tomber sur quelqu'un qui semblait ravi de discuter avec moi. Il me dit que c'était marrant que je lui téléphone, parce qu'il voulait prendre contact avec moi depuis des années et savoir ce que je devenais. Je me bornai à répondre de façon énigmatique. Pendant que j'y pense, me dit-il, j'ai des amis à dîner ce soir, pourquoi ne pas te joindre à nous ? Mon réflexe fut de refuser parce que je voulais passer le restant de mes jours terrée à l'écart du monde, et parce que je ne voulais pas paraître avide de compagnie. Pourtant, je l'étais ! Peut-être pas en manque, mais pas loin. Une pensée me frappa. A qui me serais-je adressée dans un moment pareil ? A Laura ! Je donnai donc mon accord pour le dîner en m'efforçant d'avoir l'air désinvolte.

Eamonn habitait à Brixton. Je tenais à arriver en retard juste ce qu'il fallait, afin de ne pas montrer mon impatience, mais je me perdis et débarquai affreusement tard. J'avais aussi prévu d'être la plus décontractée possible. Je dus demander mon chemin à cinq personnes différentes, et finis par traverser des rues secondaires au pas de course. L'appartement étant au dernier étage, je soufflais comme un phoque, j'étais en sueur et échevelée lorsque je me pointai enfin juste avant neuf heures. Il y avait huit convives autour de la table, dont deux ou trois m'étaient vaguement familiers. Eamonn me présenta ainsi qu'à Philippa, sa petite amie. J'en ressentis un vif soulagement, parce que cela signifiait qu'il m'avait invitée pour me voir, rien de plus. Je fus si longue à reprendre mes esprits que je ne parvins pas à retenir tous les noms.

Ils en étaient au milieu du repas ; pour les rattraper, je ne me servis qu'une petite portion de lasagnes. Assise à côté d'Eamonn, je lui parlai brièvement de mes projets. Ses réponses me parurent encourageantes ; il croyait que je cherchais du travail à Londres, je lui dis que je comptais plutôt m'en éloigner, peut-être même vivre à la campagne. Il prit un air abasourdi.

— Où ça ? Pourquoi ?

— J'ai besoin de prendre du recul, expliquai-je.

— Très bien. Pars un week-end. Il y a plein d'endroits. Mais n'y reste pas. C'est à Londres que tout se passe. Partout ailleurs en Angleterre, c'est bon pour...

Il parut hésiter, comme s'il ne se souvenait pas à quoi c'était bon.

— Je ne sais pas, pour une balade, un transit entre deux avions.

— Non, je suis sérieuse, répondis-je.

— Moi aussi. On ne veut pas te perdre. Ecoute, des gens du monde entier arrivent en contrebande, dans des cales de navires, dans des containers, planqués sous un camion, juste pour vivre à Londres. Et toi, tu pars ! Quelle erreur !

Philippa regarda son petit ami d'un air de reproche.

— Elle t'a dit qu'elle parlait sérieusement.

Peut-être croyait-elle qu'Eamonn s'intéressait trop à moi. Il commença par bouder, puis déclara qu'il parlerait à son patron pour voir s'il connaissait des gens qui « n'étaient pas assez doués pour réussir à Londres ». Nous bavardâmes quelque temps, puis la conversation dériva et je sentis qu'on me poussait du coude. C'était mon voisin de table. L'un de ceux que j'avais cru reconnaître. Evidemment, je n'avais pas retenu son nom. Et bien sûr, il se souvenait du mien.

— Enchanté de te revoir, Miranda, dit-il.

— David ? Mince alors !

Il s'était fait couper les cheveux court et avait maintenant une petite moustache.

Il pointa vers moi un doigt malicieux.

— Tu te souviens de la dernière fois qu'on s'est rencontrés ?

— Je l'ai sur le bout de la langue...

— Tu t'étais cassé la figure sur la patinoire d'Alexandra Palace.

Une vague de nausée me saisit. Il faisait partie du groupe d'amis le jour où j'avais rencontré Brendan. Que se passait-il ? Dieu me punissait-il ? N'aurait-il pas pu me laisser souffler une seule soirée ?

— C'est ça, acquiesçai-je.

David s'esclaffa.

— Sacrée journée, reprit-il. On devrait faire ça plus souvent. Ça valsait, hein ?

— Je n'étais pas assez sûre de moi, je...

Il rétrécit les yeux dans un effort de concentration. Il essayait visiblement de se rappeler quelque chose. Je suppliai le bon Dieu... non !

— Tu n'as pas... ? On m'a dit que tu avais eu une aventure avec un des mecs.

Je jetai un rapide regard autour de moi. Heureusement, une conversation animée sur les mérites de la vie à la campagne absorbait l'attention des autres invités.

— C'est juste. Mais ça n'a pas duré.

— Comment s'appelait-il déjà ?

Pourquoi ne se taisait-il pas ?

— Brendan. Brendan Block.

— C'est ça. Drôle de type. Je l'ai juste croisé une fois ou deux. C'était l'ami d'un ami, mais...

David éclata de rire.

— Il est bizarre. On en entend de belles sur son compte. Incroyable !

Il y eut un silence. Je savais très bien que j'aurais dû parler d'autre chose. Lui demander où il vivait, quel métier il exerçait, s'il était célibataire, où il passait ses vacances, n'importe quoi sauf ce que je m'apprêtais à dire.

— Quoi, par exemple ?

— Oh, je ne sais pas, des trucs bizarres. Il faisait des choses que les autres ne font pas.

— Tu veux dire des trucs téméraires ?

— Non, des farces, des canulars.

— Je ne te suis pas.

David parut mal à l'aise.

— Vous n'êtes plus ensemble, si ?

— Je te l'ai dit, ça n'a pas duré.

— Je tiens ça d'un type qui était à la fac avec lui.

— A Cambridge, non ?

— Plus tard, peut-être. Ce que je vais te raconter se passait dans les Midlands. Il n'en foutait pas une. Apparemment, son idée des études consistait à photocopier les devoirs des autres. Un de ses profs en a eu tellement marre qu'il l'a recalé à son exam. Brendan connaissait son adresse ; il s'est rendu chez lui, a vu sa voiture garée devant la maison. Le prof avait laissé une vitre entrouverte de quelques centimètres. Brendan a enfilé des gants – tu sais, des gants en caoutchouc pour faire la vaisselle – et il a passé la nuit à ramasser des crottes de chien et à les glisser par l'entrebâillement de la vitre.

— C'est dégoûtant !

— Oui, mais c'est étonnant, dit David. On dirait une pub à la télé. Tu t'imagines un matin ouvrir ta portière et un million de crottes de chien s'échappent de la voiture ? Ensuite, il te faut tout nettoyer. Te débarrasser de l'odeur !

— Ce n'est même pas drôle. C'est juste répugnant !

— Ce n'est pas moi qu'il faut critiquer ! s'offusqua David. Après tout, c'était ton ami. Il y a une autre anecdote avec un chien. Je ne suis pas sûr des détails. Voilà, ils louaient une maison et ils avaient des problèmes avec un voisin, un vieux bonhomme qui avait une espèce de chien galeux qui aboyait tout le temps, à vous rendre marteau. Brendan avait un don avec les animaux. Mon ami disait que le rottweiler le plus féroce lui mangeait dans la main. Un jour, donc, Brendan a pris le chien et l'a enfermé à l'arrière d'un camion sur le point de démarrer. Ses amis croyaient qu'il plaisantait, qu'il allait relâcher l'animal, mais il n'en a rien fait et le camion a emporté le clébard. C'est dément !

— Le voisin a perdu son chien ?

— Brendan a prétendu qu'il voulait vérifier les histoires qu'on lit dans les journaux sur les chiens qui retrouvent leur maître, même s'ils sont égarés à des centaines de kilomètres. Il disait qu'il n'y croyait pas lui-même.

A table, le silence s'était installé, tout le monde écoutait.

— C'est cruel, déclara une femme.

— J'avoue que l'histoire paraît moins drôle que je ne l'aurais cru. On parlait de Brendan comme d'un joyeux farceur, mais vaut mieux éviter de faire les frais de ses plaisanteries.

Il regarda autour de lui d'un air méfiant.

— Elles ne valent peut-être même pas la peine qu'on les raconte, ajouta-t-il, penaud.

Les autres invités reprirent leur conversation. David se pencha vers moi pour me murmurer à l'oreille :

— Il vaut mieux ne pas être le dindon de la farce, ou alors faut bien fermer ses vitres, si tu vois ce que je veux dire.

— Je ne comprends pas comment tu peux être ami avec un salaud pareil.

— Je te l'ai dit, rétorqua David, confus. Je le connaissais à peine.

— C'est un comportement de psychotique.

— Certaines histoires semblent un peu corsées, c'est vrai, mais il avait l'air normal quand je l'ai rencontré. Je ne connaissais pas les gens sur qui il s'acharnait. D'ailleurs, tu le connais mieux que moi. Tu... euh, tu es sortie avec lui.

Tu as baisé avec lui, voilà ce qu'il sous-entendait. Je m'efforçai de rester calme, mais je ne pouvais plus m'arrêter. J'étais furieuse, sans trop savoir à qui j'en voulais. J'essayai de répondre avec sérénité.

— J'aurais aimé entendre ces histoires soi-disant drôles avant de sortir avec lui.

— Ça t'aurait refroidie ?

— Evidemment que ça m'aurait refroidie !

— Tu es adulte, rétorqua David. C'est à toi de décider avec qui tu sors.

— Je n'avais pas les informations. Je croyais être avec des amis. Je me sens comme celle à qui on a vendu une voiture avec des freins foutus.

— Ça n'a rien à voir. Je me souviens que tu lui avais parlé, mais je n'ai su que plus tard que vous étiez ensemble.

— Tu trouvais qu'on faisait un couple bien assorti ?

— A ta place, ce n'est pas lui que j'aurais choisi, Miranda. Quelqu'un aurait peut-être dû te prévenir, mais quelle importance ? Tu disais que tu n'étais plus avec lui.

— Bien sûr que c'est important. Tu sais à quoi je pense ? A des gens que je croyais mes amis et qui me regardent nouer une relation avec un type qui a rempli une voiture de crottes de chien uniquement parce qu'il avait été recalé à un examen !

— Désolé, regretta David. Je n'avais pas pensé à ça sur le moment.

— C'était l'ami de qui ?

— Comment ?

— Tu disais que c'était l'ami d'un ami. Qui était-ce ?

— Pourquoi cette question ?

— Pour savoir, c'est tout.

David réfléchit.

— Jeff, dit-il enfin. Jeff Locke.

— Tu as son téléphone ?

— Tu veux le revoir ? demanda David avec un petit sourire.

Je le fusillai du regard. Son sourire s'évanouit. Il chercha l'adresse dans son carnet.

31

Je me réveillai d'un rêve en nage et le cœur battant. Le songe s'effilochait, mais je m'efforçai d'en retenir quelques bribes. Il s'agissait d'une noyade... dans une substance plus visqueuse que l'eau. Ballottée, je portais mon regard vers la rive où des gens se parlaient et riaient. Il y avait ma mère, une camarade de classe dont j'avais oublié le nom, et je me voyais aussi avec elles. Allongée dans mon lit, les nerfs à fleur de peau, j'essayai d'arracher cette vision à l'oubli. Il était question de Troy. Je revis son visage blême, ses lèvres qui articulaient des mots, alors qu'aucun son ne sortait de sa bouche.

Je m'assis, ramenai le duvet sur mes épaules. Il était un peu plus de quatre heures, la lumière orangée des réverbères et le clair de lune filtraient par les rideaux entrouverts. J'attendis que mon angoisse se calme. Ce n'était qu'un rêve, après tout. Cela ne signifiait rien : des images défilant au hasard dans mon sommeil. Je craignais de me rendormir parce que j'avais peur de voir Troy m'appeler à l'aide dans mon rêve.

Je m'extirpai du lit, enfilai mon peignoir et me rendis dans la salle de bains. Je vis dans la glace mon front luisant de sueur, mes cheveux mouillés, alors même que je tremblais de froid. Je m'essuyai le visage, puis allai dans la cuisine me préparer un bol de chocolat chaud, que je rapportai dans ma chambre avec un plan de Londres. Je l'ouvris à la page qui m'intéressait et étudiai le trajet. Lorsque j'eus trouvé ce que je redoutais, je reposai le plan sur mon oreiller et m'allongeai. Je fermai les yeux. Il ferait bientôt jour, les oiseaux chanteraient et la ville se réveillerait peu à peu.

Comme je devais être à Bloomsbury à huit heures trente, je me levai à six heures et demie, enfilai mon short et mon débardeur, et passai un sweat-shirt. Je bus deux verres d'eau et sortis. Je montai dans ma camionnette ; la circulation étant encore fluide, je ne mis qu'un quart d'heure pour arriver à Seldon Avenue, dans l'est de Londres. C'était une large avenue, bordée d'un côté par des immeubles et de l'autre par des pavillons. Je me garai en face du numéro 19, étudiai de nouveau le plan afin de bien retenir le trajet, puis ôtai mon sweat-shirt et descendis de la camionnette. Il faisait encore frais et une légère brume adoucissait l'horizon. Je courus sur place pour me réchauffer et me dérouiller les jambes, puis je fis deux allers-retours rapides pour me mettre en condition.

Je vérifiai l'heure sur ma montre : 7 h 04. Je repris mon souffle et m'élançai dans l'avenue. Je tournai à droite, de nouveau à droite dans une ruelle, puis montai un chemin pentu flanqué de fourrés d'un côté et de maisons de l'autre, et qui menait à un lotissement. Je me faufilai entre les grilles, traversai le parking et débouchai dans une petite rue avec des box et un pont de chemin de fer. Je pris à gauche dans un cul-de-sac, empruntai un étroit raccourci conduisant à un pont pour piétons qui enjambait la voie ferrée. Je savais maintenant exactement où je me trouvais. J'étais venue des dizaines de fois. Des centaines, même. Je sprintai, tournai à droite et m'arrêtai, pour reprendre mon souffle. Kirkcaldy Road. La rue de Laura. La maison de Laura. Je regardai par la fenêtre. Les rideaux n'étaient pas fermés, mais il n'y avait pas de lumière. Je consultai ma montre 7 h 11. Sept minutes.

J'attendis un peu avant de revenir sur mes pas. Cette fois, je dépassai juste les six minutes. En prenant par les rues, on était obligé de faire des détours et le trajet se faisait en à peu près vingt minutes. Mais par la voie directe, celle qu'une patrouille de police ne pouvait pas voir, en coupant à travers le lotissement et en empruntant le sentier piétonnier, on raccourcissait la distance des trois quarts. On ne pouvait pas mettre vingt minutes.

J'arrivai à huit heures à l'appartement de Bloomsbury dont on m'avait remis les clés. Je devais poncer le parquet. Un travail que je détestais : c'était bruyant et ça soulevait des nuages de sciure. Je recouvris les étagères de draps, mis mes oreillettes et mon masque, et manœuvrai pendant trois heures pleines la ponceuse sur le bois foncé de crasse du vaste salon afin de lui redonner son grain et sa couleur de miel.

Lorsque j'eus enfin terminé, je m'accroupis et passai un doigt sur le bois, dont on voyait maintenant les dessins et les nœuds. Une fois verni, le sol serait superbe. Je me relevai, ôtai mon masque et mes oreillettes, et me secouai comme un chien sortant de l'eau. J'ouvris les grandes fenêtres pour laisser entrer l'air printanier et le bourdonnement de la circulation. Je balayai la sciure et passai l'aspirateur. Puis, je retirai les draps, passai le suceur entre les livres, et m'assurai qu'il ne restait plus un grain de poussière sur le haut des tranches.

Le propriétaire possédait une étrange bibliothèque. La première étagère comportait des livres de matière générale – deux gros atlas, plusieurs dictionnaires et encyclopédies, un ouvrage sur les oiseaux de proie, un autre sur les arbres rares. Mais en passant le suceur sur la deuxième étagère, je vis des titres tels que *La personnalité des sujets dépendants, L'ambivalence maternelle, Les états psychotiques chez l'enfant, Optique médico-légale de l'obsession sexuelle,* et un gros livre vert intitulé *Manuel de psychopharmacologie clinique.* J'éteignis l'aspirateur et pris un livre intitulé *Erotomanie et l'érotisation de la torture,* et l'ouvris au hasard. « Dans la structure de la destruction, on doit établir une différence fondamentale entre la complexité de cet assemblage... » Je me frottai les yeux. Que diable cela voulait-il dire ? Cela demandait un tel effort que ma tête était prête à éclater. Je m'assis par terre pour feuilleter le livre. Karl Marx était cité : « Il n'y a qu'un antidote à la souffrance mentale, la souffrance physique. » Etait-ce vrai ?

J'entendis bouger derrière moi. Je fus saisie de surprise. J'avais présumé que le propriétaire était absent. Non seulement il n'était pas parti travailler, mais il portait un pyjama rayé en flanelle que je n'avais plus revu depuis mes visites chez mon grand-père quand j'étais enfant. Comment avait-il pu dormir avec le boucan de la ponceuse ? Il paraissait se réveiller de plusieurs mois d'hibernation. Il avait de longs cheveux bruns bouclés et le terme « échevelé » décrivait mal leur état. Il se passa une main dessus, ce qui ne fit que les ébouriffer davantage.

— Je venais chercher une cigarette, déclara-t-il.

Je pris le paquet qui se trouvait sur une étagère.

— Et des allumettes.

Il y en avait une boîte sur le haut-parleur. Il alluma sa cigarette, tira deux profondes bouffées et promena son regard autour du salon.

— J'espère que vous n'allez pas me dire que je me suis trompée d'appartement, dis-je.

— Vous n'êtes pas Bill.

— Non, il a sous-traité le job.

Je consultai ma montre.

— Je vous ai réveillé ? J'ignorais que vous étiez là.

Il sembla dérouté. Il n'avait pas l'air de savoir où il était lui-même.

— Je me suis couché tard, expliqua-t-il. J'ai rendez-vous à midi.

Je regardai de nouveau ma montre.

— Espérons que ce n'est pas trop loin. Il ne vous reste que trente-cinq minutes.

— C'est juste à côté.

— Vous risquez quand même d'être en retard.

— Il ne faut surtout pas, m'informa-t-il. On m'attend. Je dois parler en public.

— Vous donnez une conférence ?

Il tira une bouffée, grimaça et fit un signe d'assentiment.

— Ce livre vous intéresse ? demanda-t-il.

— Je voulais juste...

Je remis l'ouvrage à sa place sur l'étagère.

— Du café ? s'enquit-il.

— Non, merci.

— Non, je voulais que vous m'en fassiez un. Pendant que je m'habille.

Je fus tentée de lui dire que je n'étais pas sa domestique, mais il s'agissait manifestement d'une urgence pour lui.

Il grimaça lorsqu'il but sa première gorgée de café.

— Il vous reste vingt-cinq minutes, annonçai-je.

— C'est juste de l'autre côté de la place.

Il avait maintenant les yeux grands ouverts.

— Vous avez fait du bon travail, remarqua-t-il en examinant le parquet. Evidemment, je suis mal placé pour juger, je n'y connais rien.

— C'est la ponceuse qui fait tout le boulot. Je suis désolée d'avoir feuilleté vos livres.

— Ils sont là pour ça.

— Vous êtes médecin ?

— En quelque sorte.

— Intéressant, dis-je sottement.

Je repensai à Brendan en train de truffer la voiture de son prof de crottes de chien. Puis à mon rêve dont certains fragments me revenaient à l'esprit.

— Je m'appelle Don.

— Je sais. Moi, c'est Miranda.

Je bus une goutte de café. Il avait un goût chocolaté.

— Vous vous occupez de maladie mentale ?

— C'est exact.

— Je sais que vous devez en avoir marre qu'on vous pose des questions stupides, mais puis-je vous en poser une ?

— Laquelle ?

— C'est à propos d'un type dont on m'a parlé. L'ami d'une amie à moi.

Je croquai dans un sablé.

— Allez-y, proposa-t-il avec un petit sourire.

— Je ne sais pas grand-chose de lui, en réalité.

C'était vrai. Je lui parlai de Brendan. Je commençai avec les crottes de chien, puis, arrivée à l'inondation de la salle de bains, je déclarai :

— Et quand elle est rentrée chez elle et qu'elle a vu l'inondation, alors qu'elle était sûre d'avoir...

— Attendez, m'arrêta Don d'un geste.

Il alluma une autre cigarette.

— Cette jeune femme, c'est vous, n'est-ce pas ?

— Euh... oui, vous avez deviné.

— Je préfère ça.

— Ah bon ?

— Je craignais que vous ne soyez la personne qui jetait les crottes de chien dans la voiture.

— C'était un homme.

— Vous auriez pu changer le sexe. Pour mieux tromper l'ennemi.

— C'est pathétique, je sais.

— Continuez votre histoire.

Je m'exécutai. Bien que son temps fût compté, je lui racontai tout. Je lui confiai même la réflexion répugnante que Brendan m'avait susurrée à l'oreille le jour de l'annonce de ses fiançailles avec Kerry. A la fin, je lui parlai de Laura et de Troy, mais très vite, afin de ne pas pleurer. Lorsque j'eus terminé, je finis mon café qui avait refroidi.

— Qu'est-ce que vous en pensez ? demandai-je.

Je ne sais pourquoi, mais j'attendais sa réponse, le cœur battant.

— Merde ! fit-il.

— C'est votre verdict mûrement réfléchi ?

— Vous avez bien fait de vous débarrasser de lui.

— Je n'ai pas eu besoin de vos conseils pour ça, grognai-je. Je voulais savoir si c'était un psychopathe. S'il avait le profil d'un assassin.

Il leva les mains en signe de protestation.

— Il est trop tôt pour le dire.

— Au contraire, et vous allez être en retard.

— Je ne veux pas être pompeux en vous disant que je devrais conduire ma propre investigation avant de décider. Et je ne veux pas vous abrutir de termes cliniques. Mais en réalité, ce n'est pas comme ça que ça se passe. Je suis incapable de vous dire si sa façon de se conduire signifie qu'il est un assassin...

— Un assassin potentiel, rectifiai-je.

— Prenons les choses par l'autre bout. Si quelqu'un a été reconnu coupable d'agression avec violence, je ne serais pas surpris qu'on trouve dans son passé un comportement semblable à celui que vous avez décrit.

— Donc, nous y voilà.

— Non. La majorité des meurtriers montrent des signes précoces de troubles du comportement. Mais les personnes qui présentent ces troubles sont fort nombreuses, et la majorité d'entre elles ne franchissent pas la ligne jaune.

— Mais s'il a franchi cette ligne jaune, ce que je crois, même si personne ne m'approuve, est-ce terminé ? Ou recommencera-t-il ? Est-il encore dangereux ?

Don sirota son café.

— Ça fait beaucoup de suppositions, remarqua-t-il.

— Nous ne sommes pas au tribunal, j'ai le droit de faire toutes les suppositions que je veux. J'aimerais savoir s'il est rassasié ou s'il peut recommencer.

— Je suis navré, répondit Don en hochant la tête. On ne peut savoir que rétrospectivement. Lorsqu'une personne a agi, qu'elle a commis un crime pour lequel elle a été arrêtée et emprisonnée, alors les experts psychiatres peuvent l'examiner et établir un diagnostic avec certitude. Et même là, vous trouverez des experts prêts à ferrailler pour ou contre tel ou tel point de vue.

— Merci, fis-je d'un air sombre.

Je m'aperçus qu'il avait un visage mince, des cheveux auburn et qu'il me regardait avec bienveillance.

— Méfiez-vous de lui, conseilla-t-il.

— Entendu.

— Ça va ?

— Je ne sais pas.

Je refermai vivement la fenêtre et la pièce devint aussitôt plus calme. Je regardai ma montre.

— Il vous reste quatre minutes.

— Je ferais bien d'y aller, alors. Vous n'avez pas l'air heureuse.

— Ça ne changerait rien si c'était un étranger. On ne peut regarder les autres se noyer sans intervenir.

Don sembla être sur le point de dire quelque chose, mais il se ravisa.

— Quel sujet allez-vous aborder ? le questionnai-je.

Il fit la moue.

— Un syndrome psychologique très rare. Très, très rare. Seules quatre personnes en ont entendu parler.

— A quoi bon une conférence, dans ce cas ?

— Si je commence à me poser ce genre de questions, où irais-je ?

Je retournai voir Katherine Dowling. Je restai longuement silencieuse, indécise. Allais-je parler du monde extérieur ou de ce qui se passait dans ma tête ? Je consultai ma montre. J'étais là depuis plus de dix minutes. Je racontai mon rêve.

— Que signifie-t-il à votre avis ? demanda-t-elle.

— J'aimerais continuer mon travail avec vous, mais plus tard. Dans quelques semaines... ou quelques mois.

— Pourquoi ?

— J'ai des problèmes à résoudre.

— Je croyais que c'était pour ça que vous veniez.

— Je ne peux pas les régler ici.

Je partis au bout d'une demi-heure mais elle me fit payer la séance au même prix.

Tu ne t'es pas suicidé, hein ? Non, bien sûr. Je n'aurais jamais dû en douter une seule seconde. Tu ne t'es pas suicidé et Laura ne s'est pas cogné la tête sur le rebord de sa baignoire. Je l'ai toujours su. La question est : que faire maintenant, Troy ? Je ne peux pas ne rien faire, tu ne crois pas ?

Non, bien sûr.

Ce qui est drôle, c'est que je devrais avoir peur, or je n'ai pas peur. Pas du tout. En réalité, je m'en fous. Oh, je ne me fous pas de ma sécurité ! J'ai plutôt l'impression d'être au bord d'un précipice, fouettée par des bourrasques de vent, mais je me moque de tomber. J'ai même parfois le sentiment de le souhaiter.

J'espère que ça s'est vite passé. J'espère que tu n'as pas su ce qui t'arrivait. Sinon, je ne le supporterais pas.

32

Je ne pouvais pas renoncer. J'étais comme une abeille bourdonnant autour d'un pot de miel. Non, le miel est bon pour l'abeille. J'étais comme un pot de miel qui savait qu'une abeille bourdonnait quelque part. J'étais comme un papillon de nuit attiré par... Non, je ne dirai pas ça parce que c'est faux. J'ai eu autrefois une aventure avec un type qui étudiait les insectes. Lors de notre toute première rencontre, il m'avait expliqué que les papillons de nuit n'étaient pas attirés par les flammes. C'était un mythe, assurait-il. Nous assistions à une réunion syndicale d'étudiants et il était beurré. Naturellement, notre liaison était condamnée dès le départ. Comment aurais-je pu rester avec un type qui draguait une fille en lui parlant d'insectes ? La seule chose dont je me souviens maintenant, c'est qu'il s'appelait Marc et qu'il m'avait raconté des détails intéressants sur les insectes qui m'avaient fait tomber amoureuse de lui sur-le-champ. C'était réellement captivant.

J'avais protesté. Je lui avais dit que je campais un jour avec mes parents et que des nuées de papillons et de moustiques s'étaient agglutinés autour de la lampe que mon père avait attachée au piquet de tente. Marc avait tenu bon. C'est une illusion, prétendait-il. Ils essaient juste de s'aligner sur la lune, ce qui signifie qu'ils gardent les rayons de la lune à un angle constant. Or, la seule façon de le faire lorsqu'il y a une lampe, c'est de tourner en rond autour d'elle. En pratique, ils se déplacent en spirale, de plus en plus près. Ils ne sont pas attirés. C'est juste une erreur de navigation. Je me souviens avoir longuement réfléchi. J'étais sans doute un peu ivre moi-même. De toute façon, avais-je rétorqué, ils finissent quand même par se brûler. On se fout des papillons de nuit à la con, avait grogné Marc. Encore un mauvais signe. Il était cruel avec les animaux.

Bref, les papillons de nuit ne sont pas attirés par les flammes. Les chansons et les poèmes ont tort. Reste qu'ils s'y brûlent tout de même les ailes. Dieu sait que j'avais des tas de choses à faire, travailler, faire la tournée des agences immobilières, prendre des décisions capitales pour mon avenir, celles qu'on ne peut prendre rationnellement, plutôt en jouant à pile ou face. Et pourtant, je fouillai dans les poches de mes vestes accrochées dans la penderie et trouvai le numéro de téléphone que David avait gribouillé sur un bout de journal : celui du type de la patinoire qui connaissait Brendan. Jeff Locke.

— Brendan Block ? Le mec qui commandait des pizzas au goût inhabituel ?

— Tu ne l'as jamais trouvé bizarre ?

— Si.

— Tu aurais dû me prévenir.

— Je ne suis pas flic. D'ailleurs, il s'est marié, non ?

— Sa femme est morte.

— Quoi ? Tu es sûre ?

— C'était ma meilleure amie.

— Je suis désolé.

— Ce n'est pas grave. Comment l'as-tu connu ?

Il dut réfléchir.

— Par un dénommé Léon, un vieil ami de Brendan, je crois. Je n'ai pas ses coordonnées, mais je sais où il travaille.

— Léon Hardy ?

— C'est moi.

— Je suis à la recherche de Brendan Block.

— Ah, lui ! Je le connaissais à peine. Mais je crois que Craig le connaît bien.

— Craig ?

— Craig McGreevy. Il travaille pour *Idiosyncratic Film Distribution Company,* à Islington.

— Bonjour, désolée de vous déranger. Je m'appelle Miranda Cotton et je suis une amie de Brendan Block. Il faut absolument que je le joigne. Savez-vous où il est ?

— Je l'ignore. Je ne l'ai pas vu depuis des lustres. J'ai bien un numéro de téléphone.

Je ne pus m'empêcher de sourire lorsqu'il me donna mon propre numéro.

— J'ai essayé celui-là, mentis-je. Il n'y est plus. Quelqu'un d'autre pourrait peut-être me renseigner. Comment avez-vous connu Brendan ?

Il réfléchit. Je commençais à être habituée. Etait-ce toujours la même chose avec les amis, ou Brendan était-il un cas à part ? Moi, je savais où j'avais rencontré mes amis. A l'école ou au collège, ou parce qu'ils étaient des camarades de classe d'une amie, ou les cousins d'untel ou untel. Mais, concernant Brendan, tout le monde restait vague. Il semblait avoir débarqué dans leur vie sans qu'ils s'en soient aperçus. Craig McGreevy me donna deux noms et deux numéros de téléphone. Le premier ne répondit pas, mais l'autre m'indiqua les coordonnées d'un certain Tom Lanham, qui, dès que je mentionnai le nom de Brendan, me demanda :

— Vous téléphonez au sujet de ses affaires ?

— Quelles affaires ?

— Quand il a déménagé, il m'a laissé des caisses. Il devait revenir les chercher, il y a un an de ça.

— Il habitait avec vous ?

— Oui, quelque temps, puis il est parti et je ne l'ai pas revu depuis. Vous êtes une amie ?

— Oui. J'essaie de le joindre. Je pourrais peut-être vous aider pour ses affaires et les lui rapporter.

— Vous êtes sûre ? Ça serait génial ! Je les ai entassées dans un coin de ma chambre. Je ne sais pas quoi en faire.

— Puis-je passer ?

— Quand vous voulez. Ce soir ?

— Où habitez-vous ?

— A Islington, près d'Essex Road. Je vais vous indiquer la route.

Je notai les renseignements et trois heures plus tard, je sonnai à sa porte. Tom rentrait visiblement de son travail. Il était encore en costume, la cravate défaite, les cheveux peignés avec soin. Il devait travailler dans la City. Je portais une salopette. Le contraste entre nos tenues le fit sourire.

— Désolé, dit-il. Je n'ai pas eu le temps de me changer.

Il me conduisit au salon et m'offrit à boire. J'optai pour un café. Il se lança dans une manœuvre aussi prétentieuse que ridicule, consistant à placer un filtre en papier au-dessus d'une tasse. Le café était délicieux mais très fort. Il se versa un grand verre de vin.

— Savez-vous où je peux trouver Brendan ? demandai-je.

— Pourquoi le cherchez-vous ?

— Je m'inquiète à son sujet.

Tom sourit.

— Je croyais qu'il vous devait de l'argent.

— Pourquoi ?

— Parce qu'il m'en doit.

— Beaucoup ?

— Oh, non ! Il devait contribuer aux dépenses, les mensualités du crédit, le chauffage, le téléphone, mais il n'y arrivait pas. Il est parti travailler sur un film et je n'ai plus jamais entendu parler de lui.

— Un film ?

— Il prétendait faire les repérages.

— C'était quand ?

Tom sirota son vin. Je ne ressentais aucune compassion pour lui, il semblait loin d'être à court d'argent.

— Il y a environ un an, précisa-t-il. Vous avez bien promis de prendre ses affaires ?

— Oui, je les lui remettrai.

— Ah, tant mieux ! J'étais prêt à les jeter. Un colocataire a repris sa chambre et j'ai dû les ranger dans des caisses de vin. Il n'y a rien de grande valeur.

— Je vais vous en débarrasser.

— Pourquoi faites-vous ça ? s'étonna-t-il.

— C'est comme vous pour l'argent. Ce n'est pas très important.

Tom me dévisagea, perplexe.

— Ça ne me regarde pas, c'est ça ?

Je m'efforçai de prendre un ton désinvolte.

— Ça ne vaut pas la peine d'en parler, assurai-je.

Il me dévisageait toujours d'un air que je trouvais déconcertant.

— Puis-je vous inviter à dîner ? proposa-t-il.

— Je suis navrée, je...

Je faillis inventer une excuse, puis je me dis : « A quoi bon ? »

— Je ne peux pas, me contentai-je de répondre.

Son invitation ne me tentait pas. Je n'aimais pas son costume. Et de toute façon, je voulais jeter un coup d'œil aux affaires que Brendan avait laissées derrière lui. Des affaires dont il n'avait pas besoin, semblait-il. Tom porta les caisses jusqu'à ma camionnette. Il me demanda mon numéro de téléphone que je lui donnai. Quelle importance ? J'allais déménager.

Sitôt rentrée chez moi, je vidai les caisses et fourrageai dans la pile. Au début, ça paraissait prometteur, mais à mesure que je triais, le découragement me saisit. C'était pour la plupart des objets impersonnels et je ne voyais pas pourquoi Tom ne les avait pas jetés. Il y avait deux journaux jaunis, une brochure pour des vacances en Grèce, deux livres de poche, un lacet marron, un plan de Londres, une montre avec un bracelet en plastique, et des cassettes vierges. Je trouvai aussi des lettres proposant des cartes de crédit ou des emprunts, presque aucune décachetée. Il y avait des stylos sans leur capuchon, des ciseaux en plastique, un sous-bock, une calculatrice bon marché, une lampe de poche sans pile, un flacon de gouttes pour les yeux. Ce n'était qu'une collection d'objets qui auraient pu appartenir à n'importe qui.

Mais je finis par trouver un mot écrit à la main sur du papier quadrillé sûrement arraché à un carnet. C'était une écriture d'enfant et ce mot disait : « Nan est à St Cecilia », suivi d'une adresse à Chelmsford et d'un numéro de chambre.

J'examinai le mot, et regrettai aussitôt de l'avoir vu. Si j'avais été avec une amie – Laura, par exemple –, elle m'aurait demandé ce que je faisais. J'aurais répondu que je ne savais pas, et elle aurait dit : « Il est parti, laisse tomber. En quoi ça te concerne ? » J'aurais peut-être rétorqué : « Je suis dans un zoo et j'ai ouvert par mégarde la cage d'un animal féroce. Devrais-je repartir comme si de rien n'était, ou bien me sentir responsable de ce qui risque d'arriver ? » Mon amie aurait dit : « Ce n'est pas toi qui as ouvert la cage. Tu es tombée sur lui par hasard. C'est juste de la malchance. Il t'a fait souffrir et il a disparu. Que cherches-tu ? Tu vas aller à Chelmsford pour voir quelqu'un que tu ne connais pas, pour une raison qui t'échappe ? »

Là, j'aurais longuement réfléchi pour répondre :

« Si Tom avait jeté ces saloperies, ça serait terminé. Mais je repense aux amis de la patinoire. Ils savaient que Brendan était tordu, et s'ils ne le savaient pas, ils auraient dû, merde ! Ils l'ont vu me draguer. Parmi eux, il y avait des amis, ils auraient dû m'avertir. »

Laura m'aurait dit : « Tu t'inquiètes pour des gens que tu ne connais pas, que tu ne verras jamais.

— T'as raison, aurais-je acquiescé. Je suis stupide, hein ? »

On aurait cru que Dieu en personne essayait de me décourager. Il plut durant tout le trajet jusqu'à la A12 et je ratai la sortie parce que je consultais mon plan. J'eus ensuite du mal à trouver St Cecilia, un bâtiment carré recouvert d'un crépi granité au bout d'une rangée de maisons, et comme je dus me garer une rue plus loin, j'arrivais trempée. St Cecilia était une maison de retraite. Dès que j'ouvris la porte, l'odeur de détergent ainsi que celles qu'il était censé masquer me sautèrent au visage. Il n'y avait personne à la réception. Je cherchai autour de moi. Une porte s'ouvrait sur un couloir. Une obèse en peignoir de nylon bleu lavait le sol. Lorsqu'elle plongea sa serpillière dans le seau, elle la cogna contre la paroi métallique, comme si elle ne voyait pas bien ce qu'elle faisait. Je toussotai pour attirer son attention.

— Bonjour, la saluai-je. Avez-vous une Mme Block ici ?

C'était un coup de dés. Je supposais que Nan était une parente.

— Non, me répondit la femme.

— Elle se prénomme Nan.

— Y a pas de Nan ici, affirma-t-elle, et elle reprit sa corvée.

Je sortis le papier de ma poche.

— Elle occupe la chambre 3, aile Leppard.

— Ah ! fit la femme. C'est Mme Rees. Suivez le couloir, premier étage, après la salle de télévision. Jetez-y un coup d'œil, elle s'y trouve peut-être.

Je gravis l'escalier. Trois femmes et un vieillard suivaient un programme culinaire. A côté, une autre vieille femme se désintéressait de l'émission.

— Mme Rees ? demandai-je.

Ils levèrent les yeux, agacés d'être dérangés.

— Elle est dans sa chambre, lança une des femmes. Elle ne sort plus beaucoup.

Comme si quitter sa chambre équivalait à une vraie promenade.

Dans la chambre 3, je notai un lit, une chaise et une table, un évier, une corbeille à papier, une fenêtre au carreau cassé qui donnait sur le terrain de jeux. Mme Rees était assise sur la chaise, dos à la porte. J'entrai. Elle était en robe de chambre, le visage tourné vers la fenêtre, sans toutefois regarder dehors.

— Madame Rees ?

Je me plaçai dans son champ de vision, mais elle ne réagit pas. Je m'agenouillai près d'elle et posai ma main sur son bras. Elle regarda ma main.

— Je suis venue pour Brendan, commençai-je. Brendan Block. Le connaissez-vous ?

— Le thé, répondit-elle. C'est le thé.

— Non, déclarai-je en élevant la voix. Brendan Block. Vous le connaissez ?

— C'est le thé.
— Vous voulez du thé ?
— C'est le thé.
Un désastre. Je ne savais même pas si elle s'appelait Mme Rees. J'ignorais si c'était bien Mme Rees dont il était question sur le mot. Etait-elle la nouvelle occupante ? La femme mentionnée dans le mot était-elle une parente de Brendan ? Et même si elle l'était, que pouvais-je attendre d'elle ? Peu importait, d'ailleurs, cette femme était manifestement incapable de m'apprendre quoi que ce soit. Frustrée, je fis le tour de la pièce, remarquant des assiettes et des couverts en plastique, rien de coupant, rien qui risquait de se casser en tombant. Au-dessus de la table, deux photographies étaient scotchées au mur. La première représentait un homme en uniforme avec une moustache et un air pas commode. Il portait une casquette inclinée sur l'oreille. Sans doute son mari. Sur l'autre, une femme tenait un garçon et une fille par la main. Je l'examinai de près et reconnus Mme Rees, des années plus tôt, quand ses cheveux étaient encore gris. Le garçon, d'une dizaine d'années, élégant, blazer de l'école, souriant à l'objectif, était Brendan. Je décrochai la photo et la montrai à la femme.
— Madame Rees, dis-je en la lui mettant sous le nez. C'est Brendan.
— C'est Simon.
— Simon ?
— Simon et Susan.

Je lui posai d'autres questions, mais elle recommença à me parler du thé. Je voulus recoller la photo à sa place, mais le scotch était trop vieux. Je l'appuyai contre le mur, sortis sur la pointe des pieds et dévalai l'escalier en courant. La femme de ménage n'était plus dans le couloir mais dans une pièce derrière le bureau de l'accueil. Elle versait l'eau d'une bouilloire dans un bol.

— J'ai parlé à Mme Rees, l'informai-je.

— Oui ?

— Il faut que je voie sa fille, Susan.

— Sa petite-fille.

— Oui, bien sûr. J'ai quelque chose d'important à lui dire. Pouvez-vous me donner son adresse ?

La femme me dévisagea bouche bée. Je crus qu'elle n'avait pas entendu, mais elle fouilla de ses doigts gercés un carton rempli de cartes d'admission.

33

Susan Lyle résidait au 33 Primrose Crescent, à l'est de Chelmsford, près d'un cimetière. La rue était peuplée de pavillons gris et beige. Au numéro 33, les rideaux étaient fermés, la peinture rouge de la porte s'écaillait et lorsque je sonnai, les premières notes de *Combien pour ce chien dans la vitrine* s'égrenèrent.

Parce que je n'avais pas pris le temps de réfléchir et que je me disais que Susan Lyle n'était probablement pas chez elle, je fus surprise de voir la porte s'ouvrir sitôt après mon coup de sonnette et une femme paraître devant moi, bouchant l'entrée. Sa corpulence me laissa coite. Son énorme ventre semblait difforme dans ses leggings bleues ; son T-shirt blanc sur lequel était inscrit en gros caractères roses : « Do Not Touch ! » cachait une poitrine volumineuse ; son cou épais supportait une collection de doubles mentons et ses mains grassouillettes étaient creusées de fossettes. Je me sentis rougir et m'efforçai de me concentrer sur ses yeux, tout petits sur sa grosse bouille blanche. Sur la photographie, j'avais vu une maigrichonne aux genoux cagneux. Qu'est-ce que la vie lui avait réservé pour la rendre aussi monstrueuse ?

— Oui ?

— Susan Lyle ?

— Moi-même.

Les gémissements d'un enfant me parvinrent de l'intérieur.

— Désolée de vous déranger, j'aimerais vous dire deux mots.

— De quoi s'agit-il ? Vous êtes de la mairie ? Ils ont déjà examiné les lieux, vous savez.

— Non, ça n'a rien à voir. Vous ne me connaissez pas... Je suis... Je m'appelle Miranda et je connais votre frère.

— Simon ? Vous connaissez Simon ?

— Oui. Si je pouvais juste...

Je fis un pas en avant, mais elle ne bougea pas. Les gémissements s'étaient amplifiés et une autre voix plus haut perchée s'y était jointe.

— Vous feriez mieux d'entrer avant qu'ils ne s'entretuent, soupira-t-elle enfin.

Je la suivis dans le couloir où un radiateur fonctionnait malgré la douceur de la journée.

Le salon était plongé dans la pénombre à cause des rideaux tirés, et je mis quelques minutes à savoir exactement combien d'enfants jouaient dans la pièce mal aérée. Un bébé était assis, placide, une poupée dans la bouche, dans un parc au milieu d'une pile de jouets. Un nourrisson en pleurs était attaché sur une chaise, le bavoir taché de prunes écrasées, un bol renversé par terre. Sur le canapé, un autre bambin serrait une sucette dans son petit poing et regardait un jeu télévisé, sans le son. Je jetai un coup d'œil dans le moïse posé à même le sol ; un bébé dormait à poings fermés malgré le vacarme. Il tendait les bras devant lui, comme s'il tenait un objet invisible et ses yeux bougeaient derrière ses paupières closes. A quoi les bébés rêvent-ils ?

— Vous avez beaucoup d'enfants, remarquai-je.

Le radiateur électrique rougeoyait derrière un pare-feu, diffusant une chaleur locale insupportable, et une odeur de couches et de désodorisant m'agressait les narines. Je ressentis une intense oppression, un poids sur la poitrine.

— Ils sont tous à vous ?

A peine avais-je posé la question que je le regrettai. C'était idiot, et mathématiquement impossible.

— Non, dit la femme en me dévisageant avec une sorte de mépris. Juste celui-là. J'en ai trois autres qui viennent après l'école trois jours par semaine, ajouta-t-elle avec fierté. Je gagne bien ma vie. Je suis déclarée.

Elle souleva avec tendresse l'enfant en pleurs de la chaise et lui essuya la bouche avec un coin du bavoir.

— Sage, maintenant, ordonna-t-elle. Chut !

Il se tut aussitôt, sa bouche amère se fendit d'un sourire et il lui posa une main sur ses cheveux bruns.

Perchant le gosse sur sa large hanche où il s'accrocha à l'instar d'un petit koala, elle questionna :

— Alors... Simon ?

Comme je n'avais rien préparé, la réponse fusa :

— Quand l'avez-vous vu pour la dernière fois ?

— Vous êtes de la police ?

— Non.

— Les services sociaux ?

— Non plus, je...

— Alors, qu'est-ce qui vous autorise à débarquer chez moi, à fureter comme si quelque chose puait quelque part et à me poser des questions ?

— Excusez-moi. Je ne voulais pas... Je m'inquiète beaucoup, et je vous serais reconnaissante de bien vouloir m'aider.

— Il vous a plaquée, c'est ça ?

— Comment ?

L'espace d'un instant, je crus que Brendan était passé voir sa sœur avant moi et lui avait livré sa version de notre brève liaison.

— Sinon, pourquoi auriez-vous besoin de mon aide ?

Elle se laissa tomber sur le canapé avec son fils, et l'autre mioche grimpa aussitôt sur ses genoux afin d'enfouir sa bouille collante dans les plis du double menton. Susan ne parut pas remarquer. Elle ramassa la télécommande et zappa.

— Pas depuis des années, répondit-elle enfin. Nos routes se sont séparées. Il mène sa vie, moi la mienne. Pourquoi ? En quoi ça vous regarde ?

— Je vous l'ai dit, je connais Simon. Je l'ai rencontré il y a un an, et je m'inquiète pour lui.

Je m'assis sur le bord du canapé.

— Je crois qu'il ne va pas très bien.

— Vous êtes médecin ?

Elle écarta la sucette que le bébé agitait devant son nez, comme elle aurait chassé une mouche.

— Non.

— Il devrait aller en voir un. Qu'est-ce que je peux y faire ? Il est majeur.

— Non, ce n'est pas ce que je voulais dire... Il... euh... il a un comportement bizarre et...

— Ah, je comprends ! Vous voulez dire qu'il est malade dans sa tête ? Mmmh ?

On aurait cru Brendan.

— Je ne sais pas trop. C'est pour ça que je voulais vous parler.

— Simon est normal !

Elle se leva avec une agilité surprenante, et les deux enfants retombèrent dans les profondeurs du canapé avec des petits cris de surprise.

— Pour qui vous prenez-vous ?

— Je ne voulais pas...

— Sortez !

— Je veux juste l'aider, mentis-je.

Soudain, sa colère se calma.

— Je fumerais bien une cigarette, lança-t-elle.

Elle ramassa une cassette vidéo sur la table basse qu'elle glissa dans le magnétoscope, sous la télé. Des dessins animés apparurent sur l'écran. Elle monta le son, puis attrapa une boîte de biscuits sur une étagère, en pêcha trois bonbons au chocolat qu'elle fourra dans les trois petites mains qui s'impatientaient.

Je la suivis dans la cuisine, où elle s'assit lourdement sur une chaise. Elle se versa un grand verre de limonade et alluma une cigarette.

— Il a des ennuis ?

— Je ne sais pas, répondis-je, prudente, préférant rester vague pour mieux faire avaler mes mensonges. C'est surtout parce que je veux éviter les ennuis, si vous voyez ce que je veux dire. Je suis donc venue parler à quelqu'un qui l'a connu avant qu'il soit pris en charge.

— Quoi ?

— Je me suis dit...

— Pris en charge ? pouffa-t-elle avec un rire proche de l'éternuement. Où vous avez pêché cette idée ?

— Quoi ? Il n'a pas été envoyé en institution ?

— Pourquoi ça aurait été le cas ? Notre mère et notre grand-mère s'occupaient de nous. On n'a jamais été placés. Faites attention à ce que vous dites.

— J'ai dû mal comprendre, fis-je d'un ton apaisant.

Elle tira sur sa cigarette et recracha une traînée de fumée bleue.

— Simon n'était pas un mauvais garçon, ajouta-t-elle.

— Et à l'école ?

— Overton. Eh bien ? Il apprenait bien ses leçons, mais il détestait qu'on lui dise ce qu'il fallait faire ou qu'on le critique. Il aurait réussi si...

Elle s'arrêta.

— Si quoi ?

— Peu importe.

— On l'avait puni ?

— Ils n'aimaient pas que les garçons comme lui réussissent.

— Il s'est fait renvoyer ?

Elle écrasa sa cigarette, avala le fond de sa limonade et se leva.

— Je ferais mieux d'aller voir ce qu'ils font, déclara-t-elle.

— Que s'est-il passé, Susan ?

— Je ne vous raccompagne pas, vous connaissez la sortie.

— Je vous en prie, Susan. Qu'a-t-il fait quand on l'a exclu ?

— Qui êtes-vous, d'abord ?

— Je vous l'ai dit, je connais Brendan.

— Brendan ? Brendan ? Ça veut dire quoi, tout ça ?

— Je voulais dire Simon.

— J'en ai marre qu'on fourre le nez dans nos affaires. Un peu de tolérance, comme je dis toujours. Vous ne voulez pas aider Simon. Vous ne faites que fouiner partout.

Elle prononça cette dernière phrase avec une telle hostilité qu'elle me fit penser à Brendan. Il avait eu beau tourner le dos à son passé, changer son nom, s'inventer un nouveau personnage, il avait gardé ses racines.

— Foutez le camp de chez moi ! Allez, du balai, avant que j'appelle la police !

Je partis donc ; l'air était frais, le ciel se dégageait, du bleu pointait à l'horizon et des nuages se formaient, remplaçant le gris uniforme. Je bus une gorgée d'eau, fourrai un bonbon à la menthe dans ma bouche et démarrai. J'empruntai le même chemin qu'à l'aller, à travers les rues luisantes de pluie, mais je m'arrêtai au bout de quelques minutes. Brendan ne lâchait jamais rien, me dis-je. Jamais.

Je baissai ma vitre et lorsqu'une femme passa à portée, je me penchai dehors et l'apostrophai.

— Excusez-moi, pouvez-vous m'indiquer où se trouve le collège d'Overton ?

Des enfants sortaient de l'école, chargés comme des mulets, de gros cartables sur le dos, portant des instruments de musique et des sacs de sport. Je les observai quelque temps, indécise. Puis je descendis de ma camionnette et m'approchai de deux femmes qui attendaient près de leur voiture en bavardant.

— Désolée de vous déranger, commençai-je.

Elles me dévisagèrent.

— J'emménage dans le quartier, et mes enfants... Je me demandais si vous me recommanderiez cette école ?

L'une d'elles haussa les épaules.

— Oh, elle est correcte.

— Et le niveau scolaire ?

— Rien d'extraordinaire, mais y a pas à se plaindre. Ton Ellie s'en tire bien, hein ? dit-elle à l'autre femme.

— Des bagarres ?

— Y a des bagarres dans toutes les écoles.

— Oh, fis-je, interdite. J'ai un ami qui est venu ici, ça fait, voyons voir, douze ou treize ans. Il m'a parlé d'un truc.

— Que voulez-vous dire ?

— Je ne me souviens plus très bien, il a juste dit qu'il s'était passé quelque chose...

— Je ne sais pas. Il s'en passe tellement.

— Ça doit être l'incendie, reprit l'autre femme. C'était avant qu'on arrive, bien sûr, mais on en parle encore.

Je me tournai vers elle, intriguée.

— Un incendie ?

— Il y en a eu un ici. Toute la classe de sixième avait brûlé, et la moitié des techniques.

Elle désigna un bâtiment en brique rouge, plus neuf que le reste de l'école.

— C'est atroce, remarquai-je, parcourue de frissons. Comment est-ce arrivé ?

— On n'a jamais attrapé les coupables. Des gosses qui faisaient des bêtises, sans doute. Ils ne savent plus quoi inventer, à présent. Ah, voilà Ellie !

Elle montra du doigt une grande perche avec des nattes qui s'approchait.

— Personne ne s'est fait prendre ?

— Bonne chance avec votre déménagement ! lança l'une d'elles par-dessus son épaule. On se reverra peut-être, si vous décidez d'inscrire vos enfants ici.

Je remontai dans ma camionnette et suçai un autre bonbon à la menthe. Je mis le contact, laissai le moteur tourner en contemplant l'école, imaginant les flammes orange lécher les murs. La vengeance de Simon Rees. Je tremblai malgré la chaleur. C'était comme un message, un graffiti sur un mur : Brendan a vécu ici !

34

Don était lui-même son pire ennemi. Il fumait trop. Il avait des horaires décalés. Il vivait dans un état de flou permanent que je commençais à trouver étrange. Je posais des joints sur le parquet lorsqu'il débarqua avec deux tasses et je dus lui faire signe de reculer avant qu'il ne déclenche un désastre. Je le rejoignis dans le couloir où il me proposa un café et se mit à penser tout haut à ce qu'il avait envie de changer dans son appartement. Le châssis des fenêtres n'était-il pas un peu défraîchi ? (Si, bien sûr.) Ne pouvait-on rien faire à propos des fissures de la porte du salon ? (Si, à condition de ne pas regarder à la dépense.) Je reniflai l'odeur du café bien noir pour me débarrasser des relents résineux de laque.

— C'est risqué de penser à ça pendant qu'on travaille, dis-je. C'est comme ça que les coûts s'envolent.

— Je sais, consentit Don en sirotant son café. Néanmoins, c'est plus facile d'y penser quand les travaux ont déjà commencé. Vous n'êtes pas d'accord ?

— On peut toujours faire plus et mieux. Il y a toujours autre chose à réparer. Mais moi, ce que j'aime, c'est finir mon boulot.

— Vous ne voulez pas travailler davantage ?

— C'est marrant, observai-je, j'ai l'impression que je ne suis pas la seule qui devrait bosser en ce moment. Vous n'avez donc rien à faire ?

Don chercha à éluder la question.

— J'ai un problème, déclara-t-il. Je souffre du syndrome de concentration déficitaire.

— C'est une vraie maladie ?

— Surtout une excuse avec un nom savant. C'est comme ça quand je travaille chez moi.

— Ça compte comme heures de travail ?

— C'est le temps de la réflexion. Je prends des notes, je fais des projets.

— Et le reste du temps ?

— J'enseigne, je vois des patients, des trucs comme ça.

— Vous semblez trop jeune pour ça.

— Vous me trouvez immature ?

— Vous devriez apprendre à accepter un compliment. Je voulais dire que j'étais impressionnée.

— J'estime que ce que vous faites nécessite davantage de qualités.

— Vous ne connaissez pas le quart de ce que je

fais. Vous vous souvenez de Brendan, le type dont je vous ai parlé ?

— Oui.

— J'ai retrouvé sa sœur. Elle vit dans un HLM à Chelmsford.

— Vous êtes allée la voir ?

— Oui.

— Pourquoi ?

Faute de réponse brève, je lui racontai la fausse identité de Brendan, l'incendie, tout.

— Vous ne trouvez pas ça inquiétant ?

— Vous avez peur ?

— Moi ? Non, ce n'est pas de moi qu'il s'agit mais des autres. Vous ne saisissez pas ?

— Difficile à dire.

— Vous avez souligné vous-même qu'il vous paraissait dangereux. Et regardez tous les signes !

— Peut-être.

— Il a foutu le feu à son école. Admettez que c'est un symptôme de dérèglement mental.

— Vous n'avez pas précisé les détails. A-t-il été condamné pour incendie criminel ? A-t-il bénéficié d'un traitement ?

Je respirai un grand coup.

— On ne l'a pas attrapé.

— C'est sa sœur qui vous a raconté ça ?

— Il suffit de lire entre les lignes, ça saute aux yeux. Vous ne voyez pas les constantes dans son comportement ? Tout colle. Est-ce vrai, oui ou non, que si un gamin met le feu quelque part, c'est le signe qu'il est psychopathe ?

J'avais fini mon café ; Don me prit la tasse des mains d'un geste affable.

— Cette conversation prend un tour que je n'avais pas prévu, observa-t-il.

— Que voulez-vous dire ?

— J'essayais de trouver un moyen de vous faire comprendre que c'était sympa de vous voir travailler chez moi, et de vous proposer de boire un verre ensemble un de ces jours. J'allais aussi dire que vous en aviez probablement assez qu'on vous fasse ce genre de proposition. Je me serais aussi excusé, parce que ça ne doit pas être marrant pour vous d'être toujours harcelée par des types comme moi.

Je ne pus m'empêcher de sourire.

— Et au lieu de ça, je me suis mise à parler du psychopathe que j'ai connu.

— Justement. Je ne voudrais pas vous vexer.

— Je ne me vexe pas facilement.

Don me dévisagea comme s'il essayait de deviner si je disais la vérité.

— Je crains que vous n'ayez mal compris ce que je vous ai dit avant.

— Pourquoi cette crainte ?

— Vous n'auriez pas dû aller voir cette femme.

— Vous croyez que c'est dangereux ?

Il but une gorgée de café et grimaça.

— Il est froid. Vous devriez y réfléchir à deux fois avant de vous immiscer dans la vie des gens.

— Je vous l'ai expliqué, déclarai-je d'un ton

plus dur. Brendan est dangereux. Vous n'êtes pas d'accord ?

— Certains de mes collègues font des évaluations pour les services sociaux à propos des enfants en danger. De temps en temps, un enfant se fait assassiner et la presse accuse les services sociaux, les psychiatres et la police d'avoir su que l'enfant était en danger et de ne pas être intervenu plus tôt. Ce que les journalistes ne disent pas, c'est que des centaines, des milliers d'enfants évoluent dans cette zone grise où ils sont vulnérables, menacés, au bord du désespoir, mais que la plupart s'en sortiront plus ou moins bien. Il n'y a pas de liste magique, Miranda. Vous n'imaginez pas le nombre de personnes que je vois et qui sont à la limite. On ne peut pas juste cocher les cases. Certains sont maltraités, persécutés, violés. Oui, certains jouent avec le feu. Je me fiche de ce que disent les profileurs, ça ne fait pas d'eux des Jack l'Eventreur. De toute façon, Brendan, c'est du passé, ce qu'il fait ne vous regarde plus.

— Ecoutez, Don, si vous aviez vendu votre voiture et appris ensuite par votre garagiste que ses freins ne fonctionnaient plus, que feriez-vous ? Vous ne croyez pas que c'est une affaire qui vous concerne ?

Don parut sincèrement troublé.

— Je ne sais pas, Miranda. Ce que vous faites est admirable. Vous êtes la bonne Samaritaine. Mieux, vous vous portez au secours de quelqu'un que vous ne connaissez même pas. J'ai juste deux choses à vous dire. La première, c'est que les êtres humains ne sont pas des voitures. La seconde : que comptez-vous réellement faire ?

— C'est très simple. Je veux savoir s'il a une autre petite amie. Parce que dans ce cas, elle court un grand danger et je veux la prévenir.

— Elle ne vous remerciera peut-être pas. Votre intervention risque d'être mal interprétée.

— Ça m'est égal. Je ne me trouble pas facilement.

— Vous risquez de courir vous-même un danger.

Son observation m'arracha un frisson. Ce n'était pas de l'appréhension, plutôt un élan d'ivresse. J'avais l'étrange impression de me dégager de tout ce qui m'étouffait.

— Je m'en moque, assurai-je.

— Restez au moins prudente.

— Je vous le promets, mentis-je.

Je n'en avais pas l'intention. Rien ne pourrait m'arrêter.

Je voulais trouver Brendan sans qu'il apprenne que je le cherchais. Ce fut plus difficile que prévu. Je téléphonai à Sally, une ancienne amie de Laura que j'avais croisée à l'enterrement. Je croyais qu'elle avait eu des nouvelles récentes de lui. Dès que je me présentai, son ton devint bizarrement contraint. Elle avait manifestement dû entendre une version des relations emmêlées entre Brendan, Laura et moi. Lui inspirais-je de la pitié ? Croyait-elle que j'étais responsable d'une manière ou d'une autre ? Je ne m'y attardai pas. Je lui annonçai que je voulais joindre Brendan. Habitait-il dans l'appartement de Laura ? Elle l'ignorait, et me conseilla de me renseigner auprès des parents de Laura.

Je leur téléphonai donc et tombai sur la mère de Laura. Elle semblait fatiguée et son élocution suggérait que je l'avais réveillée en pleine sieste. Elle marchait sans doute aux cachetons, la pauvre. Comme ma mère. Je lui dis que je m'appelais Miranda et que j'étais une vieille amie de Laura.

— Je sais, dit-elle. Je crois que Laura m'a parlé de vous.

— Je suis venue à l'enterrement. Je suis vraiment désolée. C'est atroce.

— Merci, répondit-elle, comme si je lui avais fait un compliment.

— Je cherche à joindre Brendan. Je me demandais si vous saviez où il habite.

— Non, je ne sais pas.

— Vit-il dans l'appartement de Laura ?

— Non. Il a été vendu.

— Excusez-moi de vous importuner, mais connaissez-vous son adresse ?

— Nous ne l'avons pas revu. Il a dit qu'il avait besoin de s'éloigner.

Brendan n'avait pas donné son adresse à ses beaux-parents, c'était incroyable ! Qu'adviendrait-il des biens de Laura ? En hériterait-il ? De la moitié, seulement ? Toutefois, ce n'étaient pas des questions que je voulais approfondir avec la mère de Laura, vu son état. Je ne voyais plus qu'une chose à faire, mais je ressentis une pointe d'appréhension avant de sauter le pas. J'appelai l'inspecteur Rob Pryor, et il parut, je l'avoue, loin d'être ravi de m'entendre.

— Ne vous inquiétez pas, j'ai juste une question à vous poser. Je sais que vous vous êtes lié d'amitié avec Brendan. J'ai besoin de le joindre, pouvez-vous me dire où il habite ?

— Pourquoi ?

— Comment ça, pourquoi ? Je ne demande pas grand-chose.

— Vous m'aviez dit que je devrais enquêter sur lui pour... pour quoi ?... pour un meurtre ? Et maintenant, vous voulez le voir !

— Vous êtes son secrétaire ? J'ai juste besoin d'une adresse.

Il y eut un silence.

— Bon, voilà, j'ai des affaires qu'il avait laissées derrière lui.

— Chez vous ?

— Chez quelqu'un.

— Comment les avez-vous eues ?

— Qu'est-ce que ça veut dire ? En quoi ça vous regarde ?

— Je ne sais pas ce que vous avez, Miranda, mais je crois que vous devriez tirer un trait et aller de l'avant.

— Je veux juste son adresse.
— Eh bien, je ne vous la donnerai pas.
Nouveau silence.
— Je lui dirai de vous appeler... si je lui parle.
— Merci.
— Et ne me téléphonez plus.
Je raccrochai. Ça s'était plutôt mal passé.

35

Pourquoi le téléphone se manifeste-t-il toujours quand on est dans son bain ? Il sonna avec tant d'insistance que je m'enveloppai dans une serviette trop petite et allai ouvrir la porte du salon quand il s'arrêta. Je jurai, retournai dans la salle de bains et me plongeai avec délices dans l'eau chaude et savonneuse. La sonnerie retentit de nouveau. Je sortis aussitôt de la baignoire et allai décrocher, semant de l'eau sur mon passage.

— Allô ?

Il y eut un bref silence pendant lequel je devinai avec certitude qui appelait. Je grimaçai, puis serrai plus fort la serviette trempée contre moi.

— Mirrie ?

En entendant ce simple nom, je ressentis une

vague de dégoût. C'était comme si l'air devenait soudain épais et sale, je pouvais à peine respirer. La sueur perlait sur mon front, je l'essuyai avec un coin de la serviette.

— Oui.

— C'est moi.

— Qu'est-ce que tu veux ?

— Ce que je veux ?

— Ecoute...

— C'est plutôt à toi de me dire ce que tu veux.

— Je ne...

— Ou ce que tu as pour moi.

J'étreignis le combiné, mais ne répondis pas.

— Rob vient de m'appeler. Il paraît que tu me cherches.

Je laissai échapper un grognement.

— Tu veux me voir ?

— Non.

— Tu veux me donner quelque chose que j'ai laissé derrière moi. Je me demande bien ce que c'est.

— Rien.

— Ça doit être important pour que tu aies téléphoné à Rob. Mmmh, Mirrie ?

— Un livre, murmurai-je d'une voix faible.

— Un livre ? Quel genre ?

Il attendit. Comme je ne répondais pas, il poursuivit :

— Ce ne serait pas un prétexte, par hasard ? Tu ne veux pas lâcher, hein ?

Tout se brouilla dans mon esprit.

— Arrête tes conneries, cinglai-je. Je suis toute seule, personne n'écoute. Tu sais que je sais et je sais que tu le sais. Il ne se passe pas une minute sans que je pense à ce que tu as fait à Troy, à Laura, à Kerry. Et si tu crois que...

— Chut ! fit-il d'un ton apaisant. Tu as besoin d'aide, Mirrie. Rob le pense aussi. Il s'inquiète pour toi. Il dit qu'il y a un nom pour ce que tu as. Pour ton syndrome.

— Mon syndrome ? Mon syndrome ? Je veux juste t'expédier ce livre à la con.

— Ah, le livre ! Bien sûr ! Celui dont tu ne te rappelles pas le titre.

— Donne-moi juste ton adresse.

— Certainement pas.

Je pouvais l'imaginer en train de sourire.

— Bon Dieu ! m'exclamai-je avec une pointe de colère. Ecoute...

Mais il avait déjà raccroché. Je regardai le combiné d'un air incrédule, puis le reposai d'un geste rageur.

Je retournai dans mon bain tiède, fis couler de l'eau chaude, puis, en me pinçant le nez, m'immergeai. J'écoutai les glouglous dans la tuyauterie, le battement de mon propre cœur. Folle de rage, j'étais au bord de l'explosion.

J'émergeai pour respirer avec une idée qui me fit jaillir de la baignoire et foncer, nue, glissant à moitié, jusqu'au téléphone, courant à croupetons en passant devant la fenêtre pour éviter d'être vue. Je composai le numéro de l'opérateur et attendis qu'une voix impersonnelle me donne les coordonnées du dernier appel. Comme j'avais oublié de prendre un stylo, je récitai les chiffres dans ma tête tout en fouillant dans les tiroirs à la recherche de quoi noter. Je les inscrivis sur une carte à jouer qui traînait, puis rappelai l'opérateur pour vérifier le numéro.

L'indicatif 7852 se situait sans doute quelque part dans le sud de Londres. Un code que je n'utilisais pas souvent, j'en étais sûre. Je repassai à quatre pattes sous la fenêtre, puis allai dans ma chambre, vidant la baignoire au passage. J'enfilai un pantalon de coton et un haut, et feuilletai mon carnet d'adresses, cherchant les quatre chiffres, me creusant la tête pour savoir dans quelle partie de Londres Brendan avait pu emménager. Il devait y avoir un autre moyen. J'attrapai l'annuaire et fit courir mon doigt le long des lignes. Mes yeux commençaient à me brûler quand je trouvai enfin : Brackley. Ma foi, c'était accessible.

Et maintenant ? Je ne pouvais pas errer dans Brackley en espérant le trouver. Peut-être devrais-je appeler le numéro et... et quoi ? Reparler à Brendan ? Impossible, cette seule idée me faisait trembler. Je me versai un grand verre de vin rouge et allumai mon ordinateur portable. Deux minutes plus tard, grâce à deux moteurs de recherche, je découvris que le numéro correspondait à celui d'un café nommé Crabtrees. Je trinquai à ma persévérance. Le vin avait un goût de vinaigre. Je regardai ma montre : 7 h 35.

Sachant à présent qu'il avait téléphoné d'un café, je composai le numéro. Pas de réponse. J'allais raccrocher lorsque quelqu'un prit l'appel.

— Oui ?

— Je suis bien au Crabtrees ?

— Oui. C'est une cabine. Vous voulez parler à quelqu'un ?

— Oh... euh... dites-moi juste les heures d'ouverture.

— Pardon ?

— Les heures d'ouverture du café.

— Je ne les connais pas, c'est la première fois que je viens. C'est un nouveau café, j'ai eu envie de tenter le coup... J'ai vu écrit de huit heures jusque tard sur la porte.

— Merci.

— Mais ce n'est pas un pub.

— Non.

— On n'y sert pas d'alcool, juste des cappuccinos et des infusions qui ont un goût de foin.

— Merci.

— Et des plats végétariens. Des trucs bios.

— Vous avez été très aimable...

— De la luzerne ! Je croyais que c'étaient les vaches qui bouffaient de la luzerne.

L'esprit en ébullition, je vidai le vin dans l'évier, ramassai ma veste en jean et sortis. Le métro n'allant pas à Brackley, je pris ma camionnette. C'était une douce soirée, le ciel avait des reflets dorés qui égayaient jusqu'aux rues les plus miteuses.

Le Crabtrees se situait dans la partie huppée, entre une boutique qui vendait des bougies et des carillons, et une boulangerie qui fabriquait du pain à l'ancienne, comme dans l'antiquité romaine. Je me garai à quelques minutes à pied juste au cas où Brendan serait dans les parages.

Je passai lentement devant le café, le col de ma veste relevé, avec la désagréable impression d'être trop voyante – ridicule parodie du détective privé. J'imaginai Brendan assis près de la vitre et me voyant passer. Je jetai des regards furtifs sans l'apercevoir. Je continuai mon chemin, fis demi-tour et repassai devant le café. Il était presque désert et Brendan ne semblait pas s'y trouver.

J'entrai. La salle brillamment éclairée sentait le café, la vanille et les fines herbes. Je commandai un jus de poire (avec une pointe de gingembre), une galette, et les emportai dans un coin. Comment réagirais-je s'il entrait ? J'aurais dû apporter un journal, y découper un rond pour observer à travers, ou donner l'impression d'être plongée dans un livre tout en surveillant la salle. Cependant, c'était propre, ça sentait bon et je m'autorisai un instant de détente. Je me sentais lessivée, si fatiguée que le sommeil n'y aurait rien changé. Je me pris la tête dans les mains et contemplai la rue entre mes doigts. Des piétons passaient, des hommes et des femmes à la démarche assurée. Mais pas de Brendan.

Au bout d'une demi-heure pendant laquelle j'avais picoré ma galette et siroté mon jus de poire, je réglai et demandai à la caissière à quelle heure le café fermait.

— A neuf heures.

Elle avait des cheveux blonds soyeux ramenés sur le haut de la tête, des taches de rousseur sur le nez et un joli sourire candide. Elle consulta la montre qu'elle portait à son poignet délicat.

— Encore sept minutes, ajouta-t-elle, c'est pas trop tôt !

— A quelle heure ouvrez-vous le matin ?

— A huit heures.

— Merci.

Même si la démarche me semblait ridicule, le lendemain à huit heures j'étais de retour avec un journal. Je commandai un café au lait et une brioche, et retournai à la même place que la veille, cachée derrière le portemanteau de sorte que, si Brendan entrait, il ne me vît pas. Il y avait deux femmes d'âge moyen derrière le comptoir et un homme dans la cuisine.

Je restai une heure et demie, bus deux autres cafés, puis, tremblante de caféine et de fatigue, je sortis m'asseoir dans ma camionnette. J'appelai Bill pour lui dire que je ne travaillerais pas les deux jours suivants, puis laissai un message sur le répondeur de Don, m'excusant de mon absence, mais lui promettant de revenir bientôt terminer le travail. Je ne lui donnai pas de date parce que je ne savais pas combien de temps je perdrais dans ma quête absurde. Londres est une ville immense où il semble impossible de retrouver quelqu'un qui s'y cache. Brendan était peut-être de passage lorsqu'il m'avait téléphoné, il ne retournerait probablement jamais au Crabtrees, et je me tenais assise dans un coin sombre, dissimulée derrière un journal, attendant la bouche sèche et le cœur battant un miracle qui ne se produirait jamais. Peut-être Brendan m'observait-il depuis une fenêtre de l'autre côté de la rue. Ou alors descendait-il la rue, et si je ne me dépêchais pas, il allait m'échapper. Peut-être était-ce ainsi qu'on devenait folle, tapie dans un café, planquée dans une camionnette, arpentant un quartier de Londres à des kilomètres de chez soi.

J'entrai dans la boutique de bougies et carillons, hésitai un certain temps avant d'acheter un bol en verre avec des bougies flottantes en forme de nénuphars, tout en jetant des coups d'œil dans la rue. J'allai ensuite chez le boulanger acheter une couronne de pain complet au levain qui coûtait si cher que je crus un instant que la virgule avait été déplacée. Je remontai la rue à pas lents, la redescendis, entrai dans une librairie où j'achetai un livre sur les promenades dans Londres. Je traînai ensuite dans une droguerie jusqu'à ce que le regard insistant que me jetait le caissier me fasse déguerpir. J'achetai un calepin de feuilles quadrillées et un stylo à la papeterie, avec des caramels à sucer pendant mon guet. Puis je retournai au Crabtrees, qui commençait à se remplir.

Outre deux garçons, qui avaient l'air d'étudiants, la jeune femme de la veille était à son poste. Bien que bousculée par l'heure de pointe, elle me reconnut lorsque je commandai une soupe de haricots blancs et un verre d'eau pétillante. Je m'assis dans mon coin sombre, feuilletai le livre de promenades, mangeant lentement, puis allais me chercher une tasse de thé. Lorsque la porte s'ouvrait, je me courbais en deux, comme pour rattacher mon lacet, et louchais par-dessous la table pour voir qui entrait. Peu après quatorze heures, je sortis arpenter les rues sans but, découragée par l'inanité de ma tâche. De plus, j'avais mal aux pieds ! Je me donnai jusqu'à l'heure de la fermeture.

A quatre heures et demie, la jeune femme parut légèrement surprise de me revoir. Je commandai un thé et une part de tarte au citron.

A sept heures, je retournai au Crabtrees manger des lasagnes avec une salade verte, mais je touchai à peine à mon assiette et repartis. Je grimpai dans ma camionnette, la garai près du café et attendis l'heure de la fermeture dans le jour déclinant. Je restai blottie à regarder les toits des immeubles qui se découpaient sur le ciel. Je me sentais loin de chez moi, triste et malheureuse. Sur un coup de tête, je téléphonai à Don et, quand il décrocha, avant de changer d'avis, je lui dis vivement :

— Ce verre qu'on devait prendre ensemble, vous vous rappelez ?

— Oui, fit-il sans hésitation. Quand ? Maintenant ?

— Non, demain.

— Génial !

Il avait l'air réellement content et cette lueur de bonheur me réchauffa le cœur, rayon de soleil dans un jour insipide.

J'avais dû m'assoupir car je me réveillai en sursaut ; la nuit tombait et la circulation s'était éclaircie, même si un groupe de personnes était rassemblé à la porte du pub en haut de la rue. Il était presque neuf heures. Tout ankylosée, avec les membres douloureux, je mourais de soif. Je mis le contact, allumai les phares, embrayai la marche arrière et jetai un coup d'œil dans le rétroviseur. Je me figeai aussitôt.

Ma patience se trouvait enfin récompensée. C'était bien lui ! Je coupai le moteur, éteignis les phares et me tassai sur le siège. Dans quelques secondes, il passerait à côté de la camionnette. Il n'était qu'à quelques pas. Je retins mon souffle. Il s'arrêta devant le Crabtrees où la jeune femme retournait la pancarte indiquant l'ouverture du café. Lorsqu'elle vit Brendan, son visage s'illumina et elle lui fit un signe de la main avant de lui ouvrir la porte. Je me redressai légèrement et le vis l'embrasser sur les yeux, puis sur la bouche.

Elle était très belle, la nouvelle petite amie de Brendan. Et très jeune – pas plus de vingt ou vingt-deux ans. Et elle était mordue. Je la regardai plonger ses mains dans son épaisse chevelure et l'attirer à elle. Je fermai les yeux et poussai un grognement. Malgré la mise en garde de Don et en dépit de ce que le bon sens me dictait, je ne pouvais le laisser faire – pas maintenant que j'avais vu ses taches de rousseur et ses yeux brillants.

Elle prit son manteau et ferma la porte, saluant quelqu'un à l'intérieur, puis bras dessus, bras dessous, le couple descendit la rue. Presque hors de ma vue, je sortis de la camionnette et les suivis, priant pour qu'ils ne se retournent pas. Ils s'arrêtèrent devant une maison entre un magasin de cycles et une épicerie de nuit. La fille fouilla dans sa poche et en sortit une clé. C'était donc chez elle. Logique, Brendan était un véritable coucou. Elle ouvrit et ils disparurent à l'intérieur.

La porte se referma en claquant et peu après une lumière s'alluma au premier. L'espace d'une seconde, j'aperçus Brendan à la fenêtre avant qu'il ne tire les rideaux.

36

Pour un premier rendez-vous, il était tout sauf orthodoxe. Nous errions dans une église abandonnée de Hackney qui, quelques années plus tôt, avait été reconvertie en brocante. Mais peut-être cela valait-il mieux. On est toujours un peu mal à l'aise assis face à face dans un pub, sirotant du vin bon marché, posant des questions polies, afin de prendre la température. Au lieu de cela, Don était à un bout de l'église, où l'autel se trouvait auparavant, penché au-dessus d'une baignoire en fonte équipée de pieds massifs, et moi, j'examinais les gargouilles dans l'allée. Nous étions seuls. Tout baignait dans une lumière de poussières dorées, et lorsque nous nous parlions, nos voix résonnaient.

— Pourquoi ne suis-je pas venu plus tôt ? me lança Don à travers l'église.

Il montrait d'un geste large les dalles, les vastes meubles de rangement, les éviers en porcelaine adossés aux murs, les cartons pleins de poignées et de cadenas en cuivre.

— Parce que vous ne travaillez pas dans le bâtiment.

— J'ai envie de tout. Regardez ces bancs de jardin. Cette baignoire pour oiseaux.

Son enthousiasme m'arracha un sourire ; je

ressentis à la fois une soudaine bouffée de joie inattendue, et un timide soulagement.

— Vous n'avez pas de jardin, remarquai-je.

— C'est juste. Et vous ?

— Non plus.

— Oh, bof ! Qu'acheter, alors ?

— Pourquoi pas un banc d'église ?

— Un banc ?

— Ça irait super bien dans votre chambre. Regardez.

Il me rejoignit dans l'allée, mais ne s'intéressa pas au vieux banc avec ses bras sculptés. Il me regarda. Je rougis.

— Vous a-t-on déjà dit que vous étiez superbe ? demanda-t-il en posant ses mains sur mes épaules.

— Jamais dans une église, répondis-je d'une voix enrouée.

Il m'embrassa. Nous étions appuyés sur un poêle à bois à 690 £, je glissai mes mains sous sa chemise pour sentir la chaleur de sa peau. Puis nous nous assîmes sur le banc et quand je levai les yeux sur lui, je vis qu'il me souriait.

Nous prîmes notre verre comme prévu, dans le jardin d'un pub, nous tenant les mains sous la table, puis nous dînâmes dans un restaurant indien. Je n'évoquai pas Brendan de toute la soirée. J'en avais assez qu'il s'incruste dans la moindre de mes pensées, qu'il m'impose sa présence même quand il était loin, qu'il me souffle des obscénités à l'oreille. Je le chassai de mon esprit. Comme je chassai Troy et Laura. Ils ne réaccaparèrent mes pensées qu'après avoir déposé Don devant chez lui et être rentrée chez moi. Ce n'était d'ailleurs plus chez moi – mais un endroit où j'avais vécu, avec une pancarte « Vendu » sur la façade et un désordre négligé envahissait peu à peu l'appartement.

Les fantômes reparurent, mais je me sentais moins malheureuse parce que j'avais enfin quelque chose à faire, une tâche à accomplir, un but. En plus d'un homme qui me trouvait superbe : ça aide à supporter la solitude.

Le lendemain matin à huit heures, j'étais déjà au Crabtrees, mais la serveuse n'était pas là. Un des deux garçons que j'avais déjà vu occupait sa place derrière le comptoir, servant des cafés, des chocolats chauds et de la camomille. Je me perchai sur un tabouret et commandai un café avec un petit pain à la cannelle, puis je demandai au garçon si la jeune serveuse arrivait bientôt, prétextant avoir oublié mon foulard la veille.

— Naomi ? Non.

— Quand sera-t-elle là ?

— Aucune idée. Elle ne travaille que deux jours par semaine en général. Elle suit des études de médecine. Mais elle ne m'a pas parlé de foulard. Vous voulez que je vérifie dans la réserve ?

— Ne vous donnez pas cette peine. Je repasserai.

Je me joignis aux usagers qui faisaient la queue à l'arrêt du bus, de l'autre côté de la rue, à quelques mètres de la maison où Naomi et Brendan étaient entrés. A l'étage, les rideaux étaient encore tirés. Je restai un quart d'heure, dansant d'un pied sur l'autre, tandis que les bus s'arrêtaient et repartaient. Finalement, les rideaux s'ouvrirent. En attendant un peu, je verrais bien qui sortirait. Si c'était Brendan, j'irais frapper à la porte après son départ en espérant tomber sur Naomi. Si c'était elle, je la rattraperais pour bavarder. S'ils sortaient ensemble..., il serait temps d'aviser.

Ce fut Brendan qui sortit. Il portait un pantalon noir, une veste en laine grise et un sac à dos argenté sur l'épaule. Je me plaquai contre l'arrêt de bus, au milieu de la foule, en souhaitant qu'il ne vienne pas dans cette direction. Il descendit la rue d'un pas vif tout en sifflotant.

Dès qu'il fut hors de vue, je traversai et allai à la porte. Je me passai une main nerveuse dans les cheveux, respirai un grand coup et sonnai. Naomi tarda tellement à répondre que je crus qu'elle était partie avant Brendan, mais j'entendis bientôt ses pas dans l'escalier. Elle ouvrit. Elle portait un peignoir blanc en tissu-éponge et une serviette enroulée sur sa tête. Elle paraissait encore plus jeune que la veille.

— Bonjour, dit-elle. Que puis-je...

Elle me reconnut et la surprise se lut sur son visage.

— Je vous ai vue au Crabtrees, n'est-ce pas?

— Oui. Je suis désolée de vous déranger, mais j'aimerais beaucoup vous parler.

— Je ne comprends pas. Que faites-vous ici? Comment avez-vous su où j'habitais, d'ailleurs?

— Puis-je entrer? Je vous expliquerai, j'en ai pour une minute.

— Qui êtes-vous?

— Si je pouvais juste...

— Comment vous appelez-vous?

— Miranda.

Je vis ses yeux s'agrandir et pestai.

— Vous avez peut-être entendu parler de moi?

— Oh, oui! fit-elle d'un ton hostile. Vous feriez mieux de partir. Elle voulut fermer la porte, mais je l'en empêchai.

— Je vous en prie, juste quelques mots. C'est important, sinon je ne serais pas là.

Elle hésita, me dévisagea en se mordant la lèvre.

— Je ferai vite, promis-je. Mais, il y a quelque chose que je dois absolument vous dire. S'il vous plaît.

Elle finit par hausser les épaules et s'effaça pour me laisser entrer.

— Mais, vraiment, que pourriez-vous me dire que je ne sache déjà?

Je la suivis dans l'escalier, puis dans un petit salon. Il y avait un bouquet de campanules dans un pot à confiture sur la table, à côté de livres de médecine. Une veste en cuir d'homme trônait sur le dossier d'une chaise. Elle se retourna pour me regarder, les mains sur les hanches, et ne me proposa pas de siège.

— J'ignore ce que vous avez entendu sur mon compte, commençai-je.

— Je sais que vous êtes sortie avec Ben.

Ah, c'était Ben, maintenant ?

— Et je sais que vous vous êtes accrochée quand il vous a quittée. Depuis vous le harcelez sans arrêt.

— Et Laura ? Il vous a parlé d'elle ?

— Bien sûr. C'était sa femme et son cœur s'est brisé quand elle est morte.

Des larmes montèrent à ses yeux gris candides.

— Il m'a tout raconté. Pauvre Ben !

— Et Troy ? demandai-je d'une voix dure. Il vous a aussi parlé de Troy ?

— Il en fait encore des cauchemars.

— Ecoutez, Naomi. Vous ne savez pas où vous mettez les pieds. Brendan... Ben... C'est... Il y a quelque chose qui ne va pas chez lui.

— Comment pouvez-vous dire ça, surtout vous ? Il a plus souffert dans sa vie que n'importe qui, mais ça ne l'a pas rendu amer, renfermé sur lui-même. Il se montre même tolérant à votre égard. Il comprend pourquoi vous vous conduisez comme vous le faites.

— Il invente.

— Non.

— Il ment, Naomi. Mais il y a plus grave.

J'en étais malade de rage et de tristesse.

— Je ne veux pas en entendre davantage, décréta-t-elle en se bouchant les oreilles.

J'élevai la voix.

— Vous êtes en danger.

— Vous parlez de l'homme que j'aime !

— Ecoutez-moi, écoutez-moi une seconde. Ensuite, je m'en irai. Mais je vous en prie, Naomi, écoutez.

Je posai une main sur son bras et lorsqu'elle voulut se dégager, je l'agrippai plus fort.

— Elle ne veut pas t'écouter. Plus personne ne veut t'écouter. Mmmh ? Maintenant, lâche-la.

Je me retournai.

— Brendan !

— Ben ! s'exclama Naomi. Oh, Ben !

Elle traversa la pièce et l'enlaça.

— Je me demande comment tu as fait pour me retrouver, dit Brendan. Tu as dû sacrément te démener.

Je jetai un coup d'œil vers Naomi. En voulant la protéger, je l'avais précipitée dans un danger encore plus grand.

— Je suis désolé que tu aies été entraînée là-dedans, déclara Brendan à Naomi. J'aurais voulu te protéger. Je m'en veux. Ça va ?

— Oh, tu n'as pas besoin de me protéger !

Elle le regarda avec tendresse et lui caressa la joue.

— D'ailleurs, c'est de ma faute. Je n'avais qu'à pas la laisser entrer.

— Je m'en vais, annonçai-je.

— C'est ça, file, ajouta Brendan.

Il fit quelques pas vers moi pour me toiser de tout son haut.

— Ma pauvre Mirrie, lança-t-il avec un petit sourire à peine esquissé.

37

Trois jours plus tard, je reçus un appel de Rob Pryor.

— Je croyais que vous ne deviez plus me parler, dis-je d'un ton enjoué.

— Il faut que je vous voie maintenant.

Je devins soudain inquiète.

— Il est arrivé quelque chose à Naomi ?

— Non, il ne lui est rien arrivé. Quand je pense que vous êtes allée la voir ! Vous l'avez filée !

— J'étais obligée. C'était mon devoir.

— J'aimerais que vous passiez me voir, annonça Rob.

— A quel sujet ?

— Toute cette histoire avec Brendan. Ça ne peut pas continuer.

— Je sais, j'ai l'impression d'être une pestiférée.

— Nous allons tirer ça au clair.
— Quand voulez-vous que je vienne ?
— Autre chose, Miranda. Avez-vous un avocat ?
— Comment ça ?
— Il serait bon que vous vous fassiez assister d'un avocat.
— La seule fois où j'ai eu besoin d'un homme de loi, c'est lorsque j'ai acheté mon appartement.
Ça me semblait risible, mais Pryor insista. Il me demanda si je connaissais un bon avocat. Après avoir réfléchi, je me souvins de Polly Benson. L'ennui avec Polly, c'est qu'au lycée, c'était la plus déconneuse de nous toutes, ce qui n'est pas peu dire. Pryor me conseilla de venir avec elle. Je n'étais pas sûre que l'idée fût excellente, je n'avais plus revu Polly depuis des siècles. Mais Pryor appuya. Ce qui éveilla mes soupçons.
— Il y a un problème ? demandai-je.
— Nous allons le résoudre, assura Pryor d'un ton apaisant. Mais il vaut mieux que vous soyez assistée d'un avocat. Contactez votre amie et rappelez-moi pour fixer un rendez-vous.
Je téléphonai à Polly qui sauta de joie. Elle était tout excitée, trouvait cela génial, voulait absolument qu'on se voie, qu'on prenne un verre ensemble. Quand pouvais-je ? Je l'entendis fouiller sur son bureau à la recherche de son agenda. Je lui dis que j'aimerais aussi la voir, mais que j'avais besoin de lui parler avant toute

chose. Je lui demandai si elle accepterait de venir avec moi voir un inspecteur. Volontiers, assura-t-elle, en bonne amie qu'elle était, pas de problème. Je la prévins que je lui réglerais ses honoraires, comme n'importe quelle cliente, mais elle s'esclaffa en me disant que ça n'était pas dans mes moyens. Elle voulut savoir ensuite de quoi il s'agissait. Je lui résumai rapidement mon histoire avec Brendan. Elle parut compatir.

— Quel emmerdeur ! soupira-t-elle lorsque j'eus terminé. Mais tu ne sais pas de quoi il est question exactement ?

— Brendan s'est lié d'amitié avec l'inspecteur. Il a peut-être porté plainte, ajoutai-je en riant. A moins qu'il ne veuille avouer ses meurtres.

— Il s'indigne peut-être de ce que tu répands sur lui, Miranda. Sois prudente.

— Ça m'inquiète que l'inspecteur ait tenu à ce que je sois accompagnée d'un avocat.

— Eh bien, je serai là, pas de problème.

Je n'étais pas sûre que cela réponde à ma question, mais nous trouvâmes un moment de libre le lendemain et aussi une date pour prendre un verre dans la semaine. Je rappelai Rob Pryor et le lendemain après-midi, je me retrouvai devant le commissariat avec une amie de lycée. J'avais fait un effort pour être présentable, je portais une veste sombre et un pantalon noir, mais Polly, qui sortait de son cabinet, avait un air autrement plus professionnel que moi. Elle avait revêtu un tailleur gris à fines rayures et, avec ses cheveux de jais et sa peau brune, elle était resplendissante. Nous nous embrassâmes chaudement.

— Désolée de te faire perdre ton temps, dis-je. Ça devrait être rapide.

Un agent en uniforme nous conduisit au bureau de Pryor, qui semblait plein de monde. Brendan était là, avec une femme d'âge mûr, habillée dans le même style que Polly. Pryor nous la présenta comme étant Deirdre Walsh, l'avocate de Brendan. Elle me regarda d'un air étonné, comme si j'étais la dernière personne qu'elle s'attendait à voir, ou comme si je venais de dire quelque chose qu'elle ne comprenait pas. Je présentai Polly tout en m'efforçant d'ignorer Brendan. Pryor demanda si elle connaissait la situation.

— Je l'ai mise au courant, assurai-je, sans savoir de quoi il s'agit.

Pryor, Brendan et Walsh échangèrent des regards. Il se passait quelque chose. Pryor tripotait nerveusement un dossier sur son bureau et l'ouvrit.

— A la demande de M. Block, dit-il, c'est une entrevue officieuse.

— Qu'est-ce que ça signifie ? m'enquis-je.

— Vous verrez, répondit Pryor en tirant une feuille du dossier. Nous savons tous plus ou moins ce qui s'est passé. Mais il serait peut-être préférable de revoir les faits les plus saillants.

Il fit la moue, hésita, puis reprit :

— L'année dernière, vous avez eu une brève liaison à laquelle M. Block a mis fin.

— C'est faux ! me récriai-je.

— Je vous en prie, miss Cotton, si vous me laissiez poursuivre...

— Non. Je ne peux pas laisser passer cela. C'est très simple. J'ai surpris Brendan en train de lire mon journal intime...

— Je vous en prie, Miranda, laissez-moi continuer, vous pourrez ensuite nous donner votre version.

Je serrai les dents et me tus.

— D'après M. Block, c'est lui qui a rompu. Peut-être a-t-il eu ensuite le malheur de nouer une relation avec votre sœur, puis avec une amie mutuelle...

— Ma meilleure amie !

— Une relation, poursuivit Pryor comme si je n'avais rien dit, qui a hélas connu une fin tragique.

— Pour Laura, intervins-je. Pas pour Brendan.

Deirdre Walsh poussa un soupir excédé et je m'aperçus qu'elle me regardait d'un air furieux.

— Miranda, s'il vous plaît, reprit Pryor.

Polly me posa une main sur le bras. Je lui fis un signe d'acquiescement.

— Je ne m'étendrai pas sur les divers moments de tension pendant que Brendan était fiancé à votre sœur, continua Pryor. Je mentionnerai seulement la fois où on vous a surprise en train de fouiller dans sa chambre.

Je lançai un regard vers Polly. Je ne lui en avais pas parlé. Elle semblait impassible.

— M. Block admet que la rupture avec votre sœur fut très douloureuse, mais que cela lui permit enfin de couper les liens avec votre famille. Toutefois, votre conduite irrationnelle s'intensifia. Il y eut, par exemple, les incroyables accusations que vous avez proférées contre lui en public..., y compris devant moi-même. Même lorsque je vous ai démontré que ces accusations – concernant par exemple, la mort de Laura – étaient manifestement infondées.

— Ce n'est pas exact, protestai-je. Tout dépendait du temps, et vous n'aviez pas calculé en fonction du trajet probable. J'ai vérifié, avec le raccourci à travers les logements sociaux, Brendan aurait eu largement le temps.

Il y eut un silence, que Deirdre Walsh rompit en prenant pour la première fois la parole.

— Excusez-moi, miss Cotton, je ne suis pas sûre d'avoir bien compris. Vous avez vérifié vous-même le trajet, vous l'avez chronométré ?

— Il fallait bien que quelqu'un le fasse, rétorquai-je.

— Excusez-moi, dit Polly à l'adresse des trois autres, et elle se pencha à mon oreille pour me murmurer : Il vaut mieux que tu ne répondes pas à ces assertions point par point avant que l'inspecteur ait terminé.

— Pourquoi ? demandai-je.

— S'il te plaît.

— D'accord. Continuez, inspecteur.

Pryor prit une autre feuille dans le dossier.

— Connaissez-vous Geoffrey Locke ?

Je réfléchis un instant. Le nom m'était familier.

— Ah, Jeff ? Oui, je l'ai rencontré.

— Vous lui avez téléphoné au sujet de M. Block.

— Je voulais le joindre.

— Aviez-vous essayé l'annuaire ?

— Il n'y figurait pas.

— Et Léon Hardy ? poursuivit Pryor.

— Je ne lui ai parlé qu'une fois au téléphone.

— De quoi ?

— Je voulais joindre Brendan.

— Craig McGreevy ?

— Je ne vois pas l'utilité de citer une liste de noms.

— Vous êtes allée voir Tom Lanham.

— Et alors ? Où est le problème ?

Je tournai les yeux vers Brendan. Il affichait un sourire presque imperceptible. Comme la fois où il m'avait regardée lors de notre première rencontre, quand je m'étais aperçue que je lui plaisais. Je portai alors mon regard vers Pryor. Lui ne souriait pas du tout.

— Vous n'avez pas seulement parlé à M. Lanham, vous avez emporté des affaires qui appartenaient à M. Block.

Je regardai de nouveau Polly. Elle ne soutint pas mon regard.

— C'était pour les lui rendre, me défendis-je.

Lanham voulait s'en débarrasser. Et si vous l'interrogez, vous apprendrez aussi que Brendan était parti sans payer le loyer.

Pryor consulta de nouveau le dossier.

— Victoria Rees, la grand-mère de M. Block, souffre de démence. Vous lui avez rendu visite dans sa maison de santé.

— Oui.

— Pensiez-vous qu'elle était en mesure de vous donner l'adresse de M. Block ?

— Je voulais la questionner sur l'enfance de Brendan. Pour plusieurs raisons.

— Et vous êtes allée chez sa sœur, renchérit Pryor. Vous lui avez posé des questions indiscrètes et agressives.

— Je ne dirais pas ça.

— Après les drames dont il a souffert, M. Block essaie de reconstruire sa vie. Il a une nouvelle liaison. Vous avez contacté sa nouvelle amie. Vous l'avez épiée et menacée.

— Je ne l'ai pas menacée.

— En accord avec M. Block et son avocate, je devais organiser cette réunion et m'exprimer pour lui. Mais je préfère lui laisser la parole maintenant pour qu'il vous dise ce que vous lui avez fait endurer.

Brendan toussota.

— Je suis désolé, Mirrie. J'ai de la peine pour toi, sincèrement. Mais je me suis senti...

Il marqua une pause comme si en parler lui était trop pénible.

— Violé, menacé, envahi, perturbé.

— Ha ! J'en ai mal au cœur pour toi, ricanai-je d'un ton rageur.

— Miranda ! intervint Polly.

— J'ai encore une chose à dire, déclara Pryor. Mme Walsh et M. Block m'ont transmis ces informations. Pour la plupart, j'étais déjà au courant. Je dois dire qu'il y a largement matière à vous poursuivre selon la loi de 1997 sur le harcèlement.

— Qu'est-ce que ça signifie ? m'écriai-je. Brendan prétend-il que je le suis partout ?

— Ecoutez, miss Cotton, dit Pryor. D'après moi, toutes les conditions sont réunies pour établir la preuve d'un harcèlement. Je tiens à ce que vous le sachiez. En lisant ce dossier, mon premier réflexe a été de vous arrêter. Votre avocate vous expliquera que le harcèlement est un délit passible d'une peine pouvant aller jusqu'à six mois de prison ou une amende de cinq mille livres. Ou les deux. La loi m'autorise à vous arrêter et à perquisitionner votre appartement. La loi sur le harcèlement autorise aussi un recours au civil.

J'étais tellement abasourdie et furieuse que j'en restai un instant interdite.

— C'est un simulacre ! Je... D'abord, pour commencer, je n'ai en aucune façon harcelé Brendan. J'ai parlé à certains de ses amis.

— Le harcèlement n'est pas défini par l'acte, intervint Deirdre Walsh d'un ton glacial. Si quelqu'un s'estime harcelé et qu'un magistrat juge son appréciation fondée, alors ce délit est constitué. Je dois ajouter que je n'ai jamais vu un cas aussi flagrant.

— Maître Walsh a raison, appuya Pryor. Selon moi, il y a tout lieu de poursuivre. Vous présentez une menace éventuelle pour M. Block. Cependant, il a insisté pour régler cette affaire à l'amiable. Si le dossier est mené devant une cour criminelle, vous seriez passible d'une peine de prison. Si elle est jugée par une cour civile, vous seriez soumise à une injonction. Cela revient au même. M. Block consent à accepter un engagement personnel de votre part. Si vous refusez, nous aviserons.

— Vous voulez dire que vous m'arrêterez ?

— Exactement, confirma Pryor.

— C'est complètement dingue ! S'il y en a un qui harcèle l'autre, c'est bien Brendan. C'est moi qui ai rompu, et il s'est introduit dans ma famille, dans ma vie. C'est moi qui devrais réclamer une injonction contre lui.

Il y eut un long silence pesant.

— Vous ne prenez pas les choses par le bon bout, reprit Pryor. Je vous suggère de demander conseil à votre avocate. Nous vous laissons seules.

Ils se levèrent tous les trois et passèrent devant moi. Je dus moi-même me lever pour leur laisser de la place. Pryor ferma la porte derrière lui, mais la cloison transparente me permit de les voir se diriger vers la machine à café en bavardant. Deirdre Walsh jeta un coup d'œil derrière elle, et je détournai les yeux trop tard. Polly regardait ses chaussures.

— Ce n'est pas ce que j'avais cru, avouai-je.

Polly me regarda, blême.

— Je ne suis pas sûre de pouvoir t'aider, déclara-t-elle. Il te faut un avocat plus expérimenté.

— J'ai juste besoin de ton conseil, Polly.

Elle se mordit la lèvre.

— Ce qu'a dit l'inspecteur est vrai ? demanda-t-elle. Tout ce qu'il a énuméré est bien arrivé ?

— Ce n'est pas tout à fait faux. En eux-mêmes, les faits... Par exemple, quand on m'a surprise en train de fouiller dans ses affaires. Il habitait alors chez mes parents, c'est pas comme si j'avais forcé sa porte. Et les coups de fil, c'était juste pour le retrouver. Moi filer Brendan ? C'est ridicule ! Je le crois dangereux, voilà la vérité. Qu'est-ce que je suis censée faire ?

Polly se leva, fuyant mon regard.

— Je n'aurais jamais dû venir, dit-elle. Nous nous connaissons, ce n'est pas comme si tu étais ma cliente. Je n'avais pas réalisé... Ecoute, Miranda, je crois que, tout le reste mis à part..., tu devrais voir quelqu'un.

— Une psy ? J'en vois une.

— Encore une chose que tu m'avais cachée.

— Je suis allée la consulter pour parler de ce

que je ressentais suite à la perte de mon frère et de ma meilleure amie.

— Tu aurais dû me le dire.

— Pour que tu mettes mes accusations sur le compte d'un problème psychologique ?

Polly ne répondit pas, mais ne démentit pas non plus.

— Je ne peux pas accepter ce qu'ils me demandent.

— Non, Miranda, arrête ! s'empressa de dire Polly. Leur proposition est très généreuse.

— Qu'ils prouvent ce qu'ils avancent au tribunal.

— Miranda !

Polly m'empoigna le bras avec une telle force qu'elle faillit m'arracher un cri.

— Si tu vas au tribunal, tu perdras. Laisse-moi te dire une chose : si on t'interroge sur les faits que l'inspecteur te reproche, tu seras condamnée, je te le promets. Si tu tombes sur un juge sévère, tu écoperas de quatre mois de prison. C'est ça que tu veux ? Tu imagines ta vie avec un casier judiciaire ?

Polly me regardait avec un air de pitié qui me révoltait.

— Je ne sais pas ce qui s'est passé, Miranda, mais je suis vraiment désolée pour toi. Laisse-moi te conseiller en tant qu'avocate. Accepte leur proposition, quelle qu'elle soit. Ils te laissent t'en tirer à bon compte. Tu veux que je leur dise de revenir ?

Je pouvais à peine répondre. J'étais moite et j'avais la bouche sèche.

— Entendu, consentis-je.

En sortant du bureau, je croisai Brendan dans le couloir. Il discutait avec Rob Pryor. Il soutint mon regard, puis sourit. Il agita un doigt dans ma direction, comme un professeur adressant un reproche à un élève. Puis, il se passa le doigt autour du cou. Que suggérait-il ? Qu'il allait m'égorger ? Ou bien mimait-il la corde autour du cou de Troy ? Etait-ce un avertissement ? Du genre, ne déconne pas avec moi, Mirrie ?

— Tu l'as vu faire ? demandai-je à Polly.

— Quoi ?

J'étais la seule à l'avoir remarqué.

Dehors, sur les marches, le soleil m'éblouit. Polly me dit que je devrais être soulagée. J'avais signé un engagement rédigé par Deirdre Walsh selon lequel je promettais de ne pas essayer de contacter Brendan, ni ses amis, ni sa famille. Polly avait également présenté des excuses de ma part, expliquant que j'étais sous pression et que je consultait déjà un psy. Avant de partir, elle me tendit la main.

— Je m'en fous, dis-je.

Polly parut éberluée.

— C'est des conneries. Brendan a toujours été plus fort que moi dans ce genre de situation. Quand on ment aussi bien que lui, on peut faire croire à tout le monde que ce sont les gens comme moi qui mentent. Tu m'as donné un bon conseil, Polly. Il fallait signer cet engagement. Je devrais te remercier de m'avoir évité le pire. Mais j'ai une question à te poser : est-ce que tu me crois ?

Polly resta sur la réserve.

— Alors ?

Elle fit un geste qui exprimait sa détresse.

— Comment pourrais-je en être sûre ? demanda-t-elle.

— Parce que tu es mon amie. Si tu l'étais vraiment, tu me ferais confiance.

— Je suis navrée, Miranda. Même les amies tombent malades.

Je lui serrai la main et nous nous quittâmes. Le soir même, elle me téléphona pour annuler notre rendez-vous.

38

J'achetai du papier à lettres en rentrant chez moi, un affreux papier violet, mais, après tout, qu'importait la couleur ? Je m'installai à ma table. Le premier stylo-bille que je trouvai n'écrivait pas. Je le léchai, le secouai, le passai sous l'eau chaude, puis, excédée, le cassai en deux et le jetai à la poubelle. J'eus un mal fou à en trouver un autre. Je pris donc une résolution. Lorsque j'emménagerai dans mon nouvel appartement, j'achèterai cent – non, deux cents – stylos que j'éparpillerai aux quatre coins comme des œufs de Pâques. J'en cacherai dans les tiroirs, derrière les étagères, dans les placards, derrière les livres, le canapé, dans les poches de mes vestes et de mes manteaux afin d'être sûre d'en avoir un sous la main à tout moment.

Je n'étais pas d'humeur à écrire. Je me préparai une tasse de café, la tins entre mes mains pour me réchauffer, et me postai à la fenêtre, les yeux perdus. Je me retournai pour contempler le salon. Bientôt, mes affaires seraient empaquetées ou stockées quelque part, puis déballées et installées ailleurs. Pour l'instant, tout paraissait normal, mais je me sentais déjà comme une émigrante laissant son passé derrière elle. Cependant, il me restait une ou deux petites choses à accomplir, et celle qui m'attendait était la plus importante. Je m'assis à la table et commençai à rédiger ma lettre.

Chère Naomi,

Si vous lisez cette lettre, cela signifie que vous ne l'avez pas jetée à la poubelle ; c'est déjà ça.

Comme vous devez le savoir, si vous remettez ce mot à Brendan/Ben ou à la police – ça revient au même –, je serai arrêtée et accusée de harcèlement. C'est ce qu'on m'a assuré. J'espère que vous ne ferez pas ça. Je ne veux pas aller en prison. Toutefois, si vous décidez malgré tout de remettre la lettre à la police, pouvez-vous au moins la lire avant ? Je vous promets une chose : ce sera mon dernier message. Je ne vous contacterai plus jamais. C'est donc à vous de juger.

Je ne tente pas de me justifier. Ce serait trop compliqué et il faudrait tout un livre pour vous donner ma version des faits, à supposer que j'aie les mots pour m'expliquer, ce qui est loin d'être sûr.

Je ne peux qu'essayer d'être la plus claire possible. On m'a accusée de représenter une menace pour Brendan. Je pense, pour ma part, que c'est précisément l'inverse. Je me réveille souvent en pleine nuit et, au moindre craquement, j'ai l'impression qu'il vient m'achever. Bien sûr, cela ne vous concerne pas. Mais si j'ai peur pour moi, je m'inquiète davantage pour vous. Vous êtes en danger. Peut-être pas aujourd'hui, ni demain, mais si ça tourne mal – ce qui arrive souvent avec les histoires d'amour – votre vie sera menacée. Je ne crois pas que Brendan puisse supporter que les choses ne se déroulent pas selon ses plans.

J'étais sur le point de vous envoyer une sorte de check-list. Croyez-vous qu'il vous dit la vérité ? Vous aime-t-il ou cherche-t-il à vous manipuler ? Vous cache-t-il des choses ? Fait-il parfois preuve de colère ? De violence ? Savez-vous ce qu'il fait lorsqu'il n'est pas avec vous ? Jusqu'à quel point le connaissez-vous réellement ? Croyez-vous tout ce qu'il vous raconte ?

Tout n'est que mensonge. Oubliez ça. Le jour venu, vous saurez.

Vous n'aurez plus de nouvelles de moi. Je souhaite que vous soyez heureuse, et que vous n'ayez jamais besoin de me contacter. Je vais déménager. Je ne sais pas encore où j'irai, mais si vous avez un jour besoin de me joindre, je vous laisse les numéros de téléphone de certaines personnes en bas de cette lettre. L'une d'elles devrait pouvoir vous renseigner.

Je crois, je le crains, que vous avez tiré le mauvais numéro. Mais je vous souhaite quand même bonne chance.

Miranda

Je cachetai l'enveloppe, l'adressai aux bons soins de Crabtrees et la postai aussitôt avant de changer d'avis.

La règle veut que, lorsque vous avez perdu la chaussette droite, vous jetiez celle qui vous reste. De même, si vous voulez savoir pourquoi vous ne devriez pas envoyer une lettre, vous trouvez la réponse au moment même où vous la glissez dans la boîte. Quand j'entendis l'enveloppe rejoindre les autres au fond de la boîte, je m'aperçus qu'il y avait une chose que je n'avais pas envisagée. Avec Brendan, c'était souvent le cas. J'avais pensé que Naomi pouvait jeter la lettre sans l'avoir lue, ou la garder. Dans un cas comme dans l'autre, je ne l'apprendrais jamais. Elle pouvait la donner à la police ou à Brendan, qui la remettrait, lui, aux autorités. Dans un cas comme dans l'autre, je recevrais la désagréable visite d'un inspecteur dans un jour ou deux.

Mais il y avait une autre possibilité. Naomi confiait la lettre à Brendan, qui ne la remettait pas à la police. Il la lirait, comprendrait que j'étais implacable et dirait à Naomi que ça ne valait pas la peine d'y prêter attention. Et il déciderait d'agir.

J'attendis près d'une heure, à côté de la boîte aux lettres, que le facteur vienne la vider. Je lui dis que j'avais posté une lettre par erreur et que j'aimerais la récupérer. Il ouvrit la boîte, vida le contenu dans son sac. Puis, il me regarda comme tant de gens depuis quelque temps, comme une folle. Il hocha la tête et repartit

39

— Salut, Miranda !

Sa voix résonna dans la cage d'escalier, puis j'entendis ses pas, enjambant les marches deux par deux. J'appliquai une dernière couche de laque sur la plinthe, puis posai mon pinceau sur le couvercle du pot.

— La peinture n'est pas sèche ! prévins-je lorsqu'il ouvrit la porte tout en dénouant sa cravate. Ne touche à rien.

Je traversai la superbe pièce nue.

— Sauf à toi, dit-il.

Et il posa ses mains sur mes épaules endolories, m'embrassa, et je me détendis peu à peu. Comment peut-on se sentir excitée et en sécurité en même temps ? Comment peut-on connaître quelqu'un si bien sachant qu'il y a encore des tas de choses à découvrir en lui ?

— Bonne journée ? demandai-je.

— Le meilleur moment, c'est maintenant. J'ai exactement cinquante minutes avant de retourner travailler. J'ai acheté des sandwiches.

— Si on les mangeait plus tard ? proposai-je.

Je le pris par la main et le conduisis dans l'escalier fraîchement repeint jusqu'au petit grenier que j'utilisais comme chambre à coucher. Il y avait un matelas sous la fenêtre, et mes affaires étaient rangées dans des caisses. Je lui ôtai sa veste, sa cravate, pendant qu'il déboutonnait ma salopette et nous rîmes parce que c'était un mercredi comme les autres et que nous allions faire l'amour dans une maison vide où tous les bruits résonnaient. La lumière s'immisçait à travers les stores. Je suspendis son costume à un cintre. Il jeta mes vêtements maculés de peinture dans un coin.

— J'aimerais rester ici toute la journée, dis-je un peu plus tard, étendue à côté de lui sur le matelas pendant qu'il m'ébouriffait les cheveux.

— Légumes à la mozzarella ou cheddar et cornichons ?

— La moitié de chaque, pourquoi pas ?

— D'accord.

— On peut les manger à la cuisine, après je te montrerai ce que j'ai fait depuis ton dernier passage.

J'avais essayé de m'installer à la campagne. C'est vrai, j'avais essayé. J'avais coupé les ponts, quitté Bill, vendu mon appartement en un temps record, entreposé mes affaires dans un garde-meuble. J'avais aussi écrit à tous les gens que je connaissais dans la profession, j'étais allée à des entretiens, j'avais hésité entre plusieurs options, jusqu'à envisager de m'installer au pays de Galles, dans le Lincolnshire, et même en Bretagne où, apparemment, des tas d'Anglais cherchaient vainement un architecte d'intérieur pour retaper les fermes qu'ils venaient d'acheter. Mais, comme Alice lorsqu'elle traverse le miroir et découvre qu'elle doit marcher à reculons afin d'avancer, le résultat de mes recherches fut à l'opposé de ce que j'avais prévu. En voulant fuir la grande roue trépidante de la ville, je m'étais retrouvée en son centre.

J'habitais désormais au sud de King's Cross, dans une maison que je rénovais pendant que son propriétaire était en Amérique pour neuf mois. Quand il m'avait proposé le contrat – la conversion ultramoderne dont j'avais toujours rêvé, avec carte blanche pour la disposition des pièces – je n'avais pas pu résister. J'avais commencé par le rez-de-chaussée, grimpant ensuite d'étage en étage, vidant la cuisine pour en faire un laboratoire culinaire, créant une serre minimaliste dans le jardin, agrandissant le salon ; j'avais transformé la plus petite chambre à coucher en suite avec salle de bains. Huit mois s'étaient déjà écoulés. Il ne restait plus maintenant que le grenier où je dormais qui devait être replâtré, décoré et ouvert sur le ciel.

— Tu as fait un superboulot, me félicita-t-il.

Il termina son sandwich, puis enfila sa veste.

— Oui, c'est pas mal, hein ?

— Et tu as presque fini.

— Oui.

— Miranda ?

— Oui.

— Après...

Mais comme mon portable sonnait dans le grenier, nous nous fîmes nos adieux et je grimpai prestement pour répondre. J'entendis la porte d'entrée claquer. J'empoignai le téléphone, et, en me tenant sur la pointe des pieds, je le vis depuis la lucarne marcher d'un pas vif dans la rue. Il avait oublié sa cravate.

En fin d'après-midi, nous allâmes faire du vélo et nous bûmes un café assis sur le trottoir, bien qu'il commençât à faire froid. Nous étions ensemble depuis près d'un an. Nous avions fêté les anniversaires – la mort de Troy, Noël, la mort de Laura. Il avait rencontré mes parents abattus, Kerry et son fiancé, mes amis. Je pouvais le réveiller à trois heures du matin pour lui parler des choses que j'essayais de fuir dans la journée, le traîner dans les chantiers où il faisait semblant de s'intéresser au grain du bois, pendant que la peinture dégoulinait sur sa tête. Comme nous pédalions côte à côte, je le regardai, il le sentit, leva les yeux vers moi et fit une embardée. Mon cœur se serra.

Chez lui, il prépara à dîner – du maquereau fumé et une salade arrosés d'une bouteille de vin blanc – tandis que je le regardais, assise sur le banc d'église qu'il avait acheté à la brocante. Il vint s'installer à côté de moi, mangea un morceau, puis repoussa son assiette.

— Euh... ce que je disais cet après-midi...

— Oui ?

— A propos de tes projets, tu sais. Euh... Je pensais... Tu pourrais habiter chez moi.

Je voulus répondre, mais il m'arrêta d'un geste.

— Attends. Je m'y prends mal. Je ne voulais pas dire que tu pouvais habiter chez moi. Enfin, si, bien sûr que tu peux, mais je pensais plutôt... Euh... Il serait grand temps.

— Je saisis mal.

— C'est parce que je suis nerveux.

Il prit son élan et déclara :

— J'ai très envie que tu viennes habiter chez moi.

Il fit tourner le vin dans son verre.

— Je veux t'épouser, Miranda.

La joie bouillonna en moi à la façon d'une rivière souterraine cherchant à jaillir à la surface. Un bonheur inattendu, immérité, qui avait envahi ma vie désenchantée lorsque je l'avais rencontré.

— Je veux qu'on ait des enfants..., continua-t-il.

— Don !

— Je veux vieillir à tes côtés. Je ne veux vivre qu'avec toi.

— Oh ! fis-je.

— Je n'ai jamais dit ça à personne.

Il fit la grimace et se frotta les yeux.

— Maintenant, tu es censée répondre quelque chose.

— Ecoute, Don.

— Non, dis-moi.

Je me penchai vers lui, posai mes mains de chaque côté de son beau visage intelligent, l'embrassai sur les paupières, puis sur les lèvres.

— Je t'aime aussi, assurai-je. Je t'aime très, très, très fort. Je n'aime que toi.

— C'est bien, hein ?

— Est-ce que tu peux attendre un peu ?

— Attendre ?

— Oui.

— Bien sûr que je peux attendre... Mais est-ce que ça signifie que tu n'es pas sûre ? A propos de moi, je veux dire ?

— Non, ça n'a rien à voir.

— Alors ?

— Je suis sûre de mes sentiments. Avant, je me demandais comment on savait que c'était le véritable amour. Plus maintenant.

— Alors pourquoi ?

— C'est compliqué, dis-je d'un ton évasif.

— Tu as peur ?

— De m'engager ?

— Pas exactement. Mais après tout ce que tu as traversé, tu penses peut-être que tu n'as pas le droit d'être heureuse.

— Ce n'est pas ça.

— Ou peut-être ne te sens-tu pas en sécurité, et quiconque est avec toi ne l'est pas non plus. Nous en avons déjà parlé... Tu sais, la façon dont tu te crois pestiférée. C'est ça ? Ceux que tu aimes meurent tous.

— C'est toi le psychologue.

— Parce que si c'est ça, je m'en fiche. Tout est risqué dans la vie. Il faut simplement choisir le risque que l'on est prêt à prendre. J'ai choisi il y a longtemps. Maintenant, c'est ton tour.

Je lui pris les mains, les retournai, paumes en l'air, et les baisai.

— J'ai choisi, assurai-je.

— Tu pleures, remarqua-t-il. Tu pleures dans ton assiette.

— Excuse-moi.

— Bien sûr que j'attendrai.

J'ai rencontré un homme. Il s'appelle Don. J'aimerais que tu fasses sa connaissance, et je crois qu'il te plairait. Je sais que lui t'aimerait. J'ai l'impression... Oh, je ne sais pas, ça me fait bizarre, je ne trouve pas ça bien de tomber de nouveau amoureuse. Je ne croyais pas que ça m'arriverait, pas après tout ce qui s'est passé. Je croyais que c'était fini pour moi ces choses-là. Et des fois – des tas de fois, en réalité – j'ai un sentiment de panique, je me dis que c'est mal. C'est mal d'être heureuse quand tu n'es pas là, que Laura n'est pas là, que papa et maman sont abattus, que tant de gens ont souffert, et j'ai l'impression que c'est de ma faute. C'est moi qui ai répandu cette affreuse contagion. J'imagine ton air sardonique quand je dis ça, mais c'est vrai. Tu me manqueras toujours, Troy. Chaque minute de chaque jour. Alors comment puis-je me laisser aller à être heureuse ? Peut-être que c'est impossible. Nous verrons.

40

Je fermai fort les yeux, haletante, le cœur battant si vite que tout mon corps semblait bourdonner à l'unisson. J'étais en sueur. Je sentais à peine la douleur. Je savais qu'elle était là pourtant, sur ma figure, dans ma mâchoire. Je respirais l'odeur du sang, chaud et métallique, qui perlait sur mon cou. Mes côtes étaient endolories. Je gardais les yeux clos, redoutant ce qu'il y avait à voir. J'entendis des pas dans l'escalier, quelqu'un qui approchait. Quand il me toucha le visage avec une infinie douceur, le contact me fit tout de même frémir. Je n'ouvris pas les yeux. Je marmonnai quelque chose.

— Seigneur, Miranda ! dit la voix. J'ai entendu un bris de verre.... Que s'est-il passé, Miranda ?

— Il a dit qu'il allait me tuer, articulai-je dans un murmure.

— Qui ?

— Il m'a fait mal.

— C'était lui ? C'était Brendan ?

— Il a dit qu'il reviendrait.

— Qu'est-ce qu'il t'a fait ?

Il me caressa la joue, m'ébouriffa les cheveux, déboutonna ma chemise, considéra les dégâts.

— Tu saignes !

Je ne pus que grogner. Il parcourut la pièce du regard.

— Il y a du sang sur... Qu'est-ce que ce fumier t'a fait ? J'appelle la police... Une ambulance.

— Non, protestai-je en me redressant à demi, grimaçant à cause de la douleur. Non... Ce n'est pas...

— Qu'est-ce que tu racontes ? lança Don d'un ton presque furieux. Excuse-moi, Miranda, je refuse de t'écouter.

J'entendis les trois bips, quand il composa le

numéro sur son portable. Je m'effondrai de nouveau, presque en larmes, en partie à cause de la douleur, en partie à cause de ce qui allait suivre.

Je n'étais pas là lorsque les policiers examinèrent la pièce, recueillirent le sang sur le mur, quelques gouttes sur la moquette et rangèrent le couteau dans un sachet en plastique. Heureusement, car j'aurais eu l'impression de revivre la mort de Troy, et l'aurais certainement mal supporté. C'est Don qui m'a tout raconté. Il avait voulu m'accompagner dans l'ambulance, mais un policier lui avait conseillé de rester pour aider à identifier les objets, ceux qui m'appartenaient, ceux qui n'étaient pas à moi. Bien plus tard, Don m'avoua qu'il avait été – malgré son affliction – plutôt captivé par la façon de procéder des techniciens de la police, avec leurs gants spéciaux, leurs pinces à épiler, leurs scalpels, leurs scellés, leurs photographes spécialisés. Il avait été fasciné d'être admis sur les lieux délimités par les fameux rubans jaunes.

Pendant ce temps-là, on m'emmenait en ambulance, avec une femme policière, ce qui me permit d'éviter la queue aux Urgences. On me conduisit dans une salle pleine de gens qui me regardèrent passer devant eux avec curiosité : qui était cette jeune femme escortée par une policière en uniforme et deux infirmières ? Qu'avait-il pu m'arriver ? Il ne fallut que deux minutes pour qu'un jeune interne et une infirmière m'auscultent. Une minute plus tard, l'interne laissa sa place à un médecin en blouse blanche et cravate à pois.

Il examina mon visage et l'intérieur de ma bouche.

— Avec quoi vous a-t-on frappée ? demanda-t-il.

— Un mur, répondis-je.

— Connaissez-vous votre agresseur ?

J'acquiesçai. Il se tourna vers la policière.

— Il faut que vous photographiiez ceci. Le cou aussi.

— Le photographe arrive, répondit la femme.

— Nous allons faire des radios, mais la pommette est probablement fracturée.

Je criai parce que en disant cela, il avait appuyé son doigt sur la plaie, comme pour vérifier sa théorie. Il m'examina la vue et les oreilles avec une lampe, puis leva un doigt et me demanda de le suivre des yeux à mesure qu'il le déplaçait de droite à gauche.

— Avez-vous subi une agression sexuelle ? interrogea-t-il.

— Non.

Il insista pourtant pour que je me déshabille. La policière me dit qu'elle s'appelait Amy O'Brien et souhaita assister à l'auscultation. Je n'y voyais aucun inconvénient. Elle voulut garder mes vêtements comme pièces à conviction.

— Qu'est-ce que je vais porter ?

— On vous prêtera une chemise de nuit, répondit le médecin.

— Votre... euh... Vous savez..., bredouilla Amy.

— Mon petit ami.

— Peut-il vous apporter des affaires ?

— Oui, j'imagine.

Je passai une radio, on me photographia, puis on m'emmena dans une chambre particulière où il y avait un vase sans fleurs et une fenêtre sans vue. Le médecin voulait me garder en observation pour la nuit. Amy me dit qu'elle avait besoin d'une déposition mais qu'elle attendrait si je ne me sentais pas en état. Je répondis que j'étais prête. Tout se passait si vite ! Moins d'une heure plus tard, un inspecteur frappa à ma porte, entra, ôta sa veste et sortit un formulaire de sa serviette. Il s'appelait Seb Brett et avait le teint pâle des gens qui voient rarement le soleil. Il approcha une petite table de mon lit et commença à enregistrer ma déposition.

Les choses prirent une tournure plus modérée. J'eus l'impression de retourner à l'école. Il me demanda mon nom, mon adresse, ma date de naissance. Il avait la désagréable manie de faire craquer ses jointures comme des brindilles de bois mort.

— Bon, dit-il. Commencez par le commencement.

Je lui racontai l'histoire dans les moindres détails : Brendan qui sonnait à la porte, entrait de force, m'empoignait par la nuque et me cognait la tête contre le mur, sortait un couteau qu'il appuyait sur ma gorge ; mes supplications, son sourire tandis qu'il me disait que c'était ma fin, puis un bruit de porte, Brendan qui s'enfuyait en courant. Cela n'avait duré que quelques minutes, mais il me fallut deux heures et quatorze pages pour en venir à bout. A la fin, j'étais épuisée, mais il me fallut relire et signer au bas de chaque page ma déposition. Mon récit semblait différent sous la plume précise et ronde de Seb Brett. C'étaient mes propres mots, mais il avait sélectionné certaines phrases et effectué quelques changements. Ce n'était pas faux, mais cela donnait l'impression d'un texte sorti d'un ordinateur plutôt que de la narration de ma propre histoire. Comme je peinais à me concentrer, la lecture me prit du temps. J'en étais à la moitié quand on frappa à la porte. J'eus un mauvais pressentiment. C'était Rob Pryor.

— Miranda, expliqua-t-il, je viens juste de l'apprendre. Je suis venu aussitôt. Comment allez-vous ?

— Je suis un peu secouée.

— Normal.

Il marcha jusqu'au lit et prit les feuilles déjà signées.

— Vous permettez ? fit-il.

Je jetai un coup d'œil vers Brett qui se contenta de hausser les épaules. J'autorisai donc Pryor à lire ma déposition. Ça me troubla encore plus. Rob lisait au fur et à mesure les pages que je venais de terminer. Comme je n'arrêtais pas de perdre le fil, il me rattrapa vite. Chaque fois que je signais une page, il s'en emparait et la lisait à son tour en émettant des tss-tss qui m'agaçaient. Après avoir signé le dernier feuillet, je le tendis à Pryor, qui me le redonna.

— Il faut signer juste à la fin de la dernière phrase, conseilla-t-il. Ici.

— Pourquoi ?

— Pour qu'un policier tordu n'ajoute pas : « Je me suis réveillée et je me suis aperçue que ce n'était qu'un rêve. »

J'apposai donc ma signature après le dernier mot, qui était « police ».

— Comment avez-vous su aussi vite ? m'enquis-je.

— On interroge M. Block. Il m'a téléphoné.

— Et que faites-vous ici ?

— Comme vous ne l'ignorez pas, j'ai déjà suivi son affaire, il m'a donc semblé opportun qu'une certaine continuité...

— Vous en parlez comme s'il était votre client.

— Pas du tout, protesta-t-il d'un ton brusque.

— Est-ce légal ? demandai-je à Brett. Pryor est un ami de Brendan.

Brett parut perplexe. Pryor l'entraîna à l'écart

pour qu'ils aient une conversation discrète. Cela dura plusieurs minutes et Brett semblait de plus en plus indécis.

— L'inspecteur Pryor m'a demandé s'il pouvait s'entretenir avec vous, me dit-il enfin. Etes-vous d'accord ?

— A quel sujet ?

— J'en ai pour une minute, assura Pryor.

— Ce n'est pas vrai ! m'exclamai-je en regardant Brett. Vous savez qui est ce type ? C'est comme si l'avocat de Brendan venait chicaner et tentait de discréditer mon témoignage. Je ne peux... Je viens juste d'être agressée.

— J'ai expliqué à l'inspecteur Brett vos liens avec M. Block.

— Et alors ?

Pryor vint s'asseoir sur le lit. J'avais l'impression que Brendan en personne était à côté de moi. Sa présence me donnait envie de vomir. Il m'examina de près. Je soutins son regard.

— Ça a l'air moche, Miranda. Ça doit faire mal.

Je ne répondis pas.

— A quelle heure avez-vous été agressée ?

— Vous avez lu ma déposition.

— Votre petit ami a téléphoné à la police à... quelle heure ?... Sept heures cinq ?

Je restai muette. Je ne voulais pas être entraînée dans une discussion.

— Votre ami, dit Pryor, c'est une sorte de médecin, non ?

Je haussai les épaules. Il s'approcha, ses yeux se rétrécirent.

— Vous savez quoi, Miranda ?

— Non, dites.

— Je ne vous crois pas.

— Comment ?

— Il vous a aidée ? Votre petit ami. Il aurait pu, vous ne croyez pas ? Quelques bleus, des traces spectaculaires, mais pas trop de dégâts.

— Qu'est-ce que... ? bredouillai-je. Qu'est-ce que vous insinuez ?

— Il y avait un couteau, continua Brett. Il l'a laissé tomber. Nous sommes en train d'analyser les empreintes.

— Ils vivaient ensemble, fit Pryor. Elle a pu le garder exprès.

— Nous n'avons jamais vécu ensemble ! Où voulez-vous en venir ?

Il était si près de moi que je sentais son haleine.

— Il a un alibi.

Je respirai à fond. Il fallait à tout prix que je me contrôle.

— Je m'en fiche, articulai-je enfin. Pourquoi dites-vous ça ? J'étais là. Je sais ce qui s'est passé.

— Vous ne voulez pas connaître son alibi ?

— O.K. Allez-y.

— Sa petite amie, Naomi Stone.

Il me dévisagea d'un l'air triomphant que je lui connaissais.

— Ça ne semble pas vous préoccuper, remarqua-t-il.

— Oh, vous savez, j'ai tellement l'habitude qu'on ne me croie pas. Cependant, j'étais là. Il appuyait un couteau sur ma gorge. Regardez, dis-je en soulevant le menton.

Il applaudit.

— Bravo ! Excellent numéro. Digne, contenu, plutôt convaincant. Mais il faut dire que vous ne manquez pas d'expérience.

Je me concentrai de mon mieux. Ne te laisse pas aller à la colère, m'incitai-je.

— Vous n'avez jamais imaginé vous tromper et que Brendan puisse être dangereux ?

— Tout ça n'a aucune importance, décida-t-il. Il n'a pas pu vous agresser. Il était chez lui lorsque la police l'a arrêté, et miss Stone affirme qu'il n'a pas bougé de la soirée.

Il ramassa la déposition et y jeta un coup d'œil.

— Vous parlez d'une chemise bleu foncé. Il y a cinq minutes, quand je l'ai vu, il portait une chemise marron.

— Il a pu en changer. Ça ne vous est même pas venu à l'esprit ?

Pryor secoua la tête en souriant.

— M. Block est en train de rédiger sa déposition. Nous allons passer quelques coups de fil et nous mettrons un terme à cette mascarade. Si vous voulez vraiment savoir...

Pryor fut interrompu par la sonnerie de son portable. Il répondit avec un soupir exaspéré.

— Oui ?

Soudain, son expression changea.

— Qu'est-ce que c'est que ces conneries ?

Il me regarda d'un œil vitreux.

— J'arrive tout de suite.

Il dit quelque chose à Brett, puis sortit en claquant la porte. Brett grimaça. Je crois qu'il était de mon côté. Il courut après Pryor. Je restai seule à contempler le plafond, m'efforçant de faire le vide dans ma tête. J'avais l'impression d'être dans un autre monde, débarrassée des drames et des disputes. Lorsque la porte se rouvrit, je regardai à peine qui entrait. C'était une autre policière. Elle s'assit dans un coin de la chambre, sans toutefois tenter d'engager la conversation. J'essayai en vain de dormir, mais fermai tout de même les yeux pour ne pas être dérangée.

Bien plus tard, une heure après sans doute, la porte s'ouvrit et je sentis une présence près de mon lit.

— Vous dormez ?

— J'ouvris les yeux. C'était Brett.

— Plus ou moins, répondis-je. Vous avez l'air joyeux.

— Désolé. Comment ça va ?

— Je ne sais pas.

— Ce sera pire demain, m'avertit-il.

— Oui, le médecin m'a prévenue. Il m'a donné des cachets.

Il y eut un silence.

— Alors, qu'est-ce qui se passe ? demandai-je. Qu'est-il arrivé à Pryor ?

Le sourire de Brett s'élargit.

— Il est bien malheureux. Ma collègue a parlé à Naomi Stone, juste pour vérifier son alibi. Elle lui a dit qu'on avait retrouvé des cheveux de Brendan sur les lieux de l'agression. Et le couteau.

— Et ?

— Elle a changé son témoignage. Mieux, nous avons retrouvé la chemise bleu foncé.

— Où ?

— Au fond d'un sac-poubelle, dehors. Elle est tachée, il faut qu'on l'analyse, mais on sait déjà qu'il s'agit de sang humain.

— Le mien ?

— Nous verrons. J'ai demandé à Rob de venir vous présenter ses excuses.

— Qu'a-t-il répondu ?

— Qu'il avait un autre rendez-vous. Ce n'est pas officiel, mais je peux déjà vous confier l'inculpation de Brendan Block.

Il me prit la main.

— Bon, je vous laisse, maintenant.

Il sortit avec la policière, éteignant la lumière avant de refermer la porte. J'essayai de concentrer mon esprit à la lumière des nouveaux événements, mais j'étais trop fatiguée, et je sombrai dans un sommeil sans rêves.

41

J'avais mis du temps à choisir. J'avais d'abord pensé à un endroit grouillant de monde, Oxford Street ou Trafalgar Square, parce qu'on pouvait au moins se perdre dans la foule, devenir anonyme, invisible. Mais j'avais aussitôt rejeté l'idée. Puis envisagé une station-service, sur la M1, vers le nord, disons sur un parking ou attablée près d'une vitre à manger des beignets et boire du café amer et tiédasse. Mais trop de personnes fréquentaient les stations-services et je ne voulais prendre aucun risque. Peut-être devant une sortie de métro, en banlieue : le terminus d'une ligne quelconque entre Londres et la campagne. Ou dans quelque champ boueux. Je pouvais repérer un coin désert, copier les instructions compliquées pour le trajet : prendre la M11 jusqu'au carrefour N° 10, tourner dans la A505 et me diriger vers l'est. Un site d'enfouissement des déchets, une laverie automatique dans une bourgade sans charme, une aire de repos sur une route à quatre voies, un bois la nuit...

Par une belle journée ensoleillée mais glaciale du Premier de l'An, je me levai de bonne heure, embrassai Don sur la joue en prenant garde de ne pas le réveiller. Avant de partir, je le regardai une dernière fois. Oui, c'était bien l'homme que j'attendais. Je pris la voiture et sortis de Londres. Les rues étaient presque désertes. Je franchis le pont de Blackfriars d'où on voyait le dôme de Saint-Paul briller au soleil, traversai New Cross, Blackheath, m'engageai dans la A2. Juste après Gravesend, je m'arrêtai dans une station-service pour faire le plein. J'allais régler avec une carte bancaire, mais changeai d'avis et payai en liquide. J'emportai aussi un café que je bus au volant avant de démarrer. J'étais sereine, et, dans ce jour d'hiver lumineux, les choses devenaient d'une clarté et d'une précision uniques.

Je gagnai la M2 et en sortis quelques kilomètres plus loin pour aller vers Sheerness. Je commençai à apercevoir l'estuaire de Medway, les laisses de vase et les groupes de maisons miteuses avec quelques arbres dénudés courbés par le vent, sous un ciel sans nuages. Je traversai bientôt le pont qui menait à l'île de Sheppey. Je m'arrêtai pour consulter la carte, puis repartis, tournai à droite au rond-point suivant, de nouveau à droite trois kilomètres plus loin dans une route secondaire cabossée, ensuite à gauche vers l'église visible à des kilomètres, le seul point de repère dans la lande marécageuse. Il était dix heures ; il ne restait qu'une marche de trois kilomètres et moins d'une heure pour arriver au but.

Lorsque j'ouvris la portière, un froid cinglant me fouetta le visage, et j'entendis le cri désespéré des mouettes dans le vent. J'enfilai ma grosse veste et des gants de cycliste fourrés, nouai mon écharpe et coiffai mon bonnet de laine. Même aussi emmitouflée, mes joues me brûlaient. Si Don m'avait accompagné, il m'aurait nommé les oiseaux qui tournaient au-dessus de moi, ou volaient sur l'eau en rase-mottes en poussant des cris perçants. Je frappai dans mes mains pour les réchauffer. Il n'y avait personne ; juste quelques moutons qui broutaient les rares touffes d'herbe, des oiseaux qui marchaient délicatement sur la boue avec leurs longues pattes. Je tournai le dos à la mer afin de me diriger vers les marais.

Au bout de quarante minutes, je vis un point à l'horizon. Il grossit, se précisa en une silhouette qui venait à ma rencontre. C'était une femme dans un lourd manteau et dont les cheveux blonds s'échappaient du bonnet et fouettaient ses joues pâles. Ni l'une ni l'autre ne fîmes de signe ni ne ralentîmes l'allure. Nous continuâmes notre marche jusqu'à ce que nous fussions à quelques pas l'une de l'autre.

— Naomi, dis-je.

— Salut !

— Tout s'est bien passé ?

— J'ai suivi tes instructions, j'ai fait attention.

Je ne l'avais pas revue depuis le tribunal, et à l'époque je m'étais efforcée de ne pas regarder dans sa direction, même si j'avais conscience de sa présence. Nos regards s'étaient croisés l'espace d'une seconde, mais nous avions aussitôt détourné les yeux. Elle avait maigri et sa pâleur était frappante. Surtout, elle semblait vieillie, plus mûre que la naïve jeune femme au doux visage que j'avais rencontrée au Crabtrees. Son innocence s'était envolée en quelques mois à peine. Brendan était passé par là.

— On marche un peu ? proposai-je.

Elle acquiesça et nous nous engageâmes sur le sentier qu'elle avait emprunté. Nous marchâmes en file indienne, puis le chemin déboucha sur un parking pour mobile homes, désert et lugubre. De là, il menait à la digue ; le large estuaire s'étendait devant nous, et de l'autre côté on discernait la côte du Kent. Il y avait des galets, des coquillages brisés au bord de l'eau, ainsi que de vieilles boîtes de conserve, des tessons de bouteille et des sacs en plastique.

— Tu as pu t'échapper sans te faire remarquer ?

— Il n'y a plus personne pour remarquer mes allées et venues, répondit-elle d'une voix morne et à peine audible. Et toi ?

— J'ai dit à Don que je visitais un appartement.

— Ah !

Suivit un long silence pendant lequel on n'entendait que le crissement de nos pas sur l'herbe gelée. J'étais sûre que nous pensions à la même chose – ce moment étrange au cours duquel nous nous étions rencontrées et, à l'image de deux sorcières, avions échafaudé des plans et échangé des gages. Elle avait sorti d'un sachet en plastique quelques cheveux qu'elle avait récupérés sur la brosse de Brendan, et le couteau à découper en dents de scie enveloppé dans du papier toilette qu'elle m'avait tendu par la lame, prenant soin de ne pas toucher le manche. Elle avait ensuite déplié une chemise bleu foncé et l'avait étalée devant nous. Je lui avais présenté mon index gauche, qu'elle avait piqué avec une épingle à nourrice. Des gouttes de sang avaient perlé, et j'avais secoué mon doigt au-dessus de la chemise, près du col, puis m'étais essuyée avec le tissu.

— Je peux te demander quelque chose ? dit-elle enfin.

— Vas-y.

— Comment as-tu fait pour ta joue ? Tu avais une sale mine au tribunal, même plusieurs semaines après.

Cela me semblait si loin !

— Quand j'ai vu Don se garer, je me suis frappée de toutes mes forces la tête contre la porte de la cuisine. J'ai frappé, frappé, jusqu'à ce que je sois aveuglée par le sang.

— Comment as-tu pu faire ça ? s'étonna-t-elle dans un murmure.

— J'ai pensé à Troy..., à Laura aussi, mais surtout à Troy. Après, c'était facile, presque un soulagement. Rien d'exceptionnel.

Naomi opina de la tête d'un air compréhensif.

— Maintenant, repris-je, dis-moi quelque chose. Quelque chose que je n'ai jamais eu le temps de te demander.

— Quoi ?

— Comment as-tu été certaine pour Brendan ?

Elle hésita.

— Tu es sûre de vouloir savoir ? Tu risques de...

— Dis-moi.

— Il m'a raconté ce qu'il avait fait à Troy et qu'il me ferait la même chose si je le quittais.

Mon cœur se souleva, les larmes me piquèrent les yeux. Je continuai à marcher, laissant le vent sécher mes larmes. C'est plus facile de parler de choses accablantes quand on avance, le regard fixé sur un point au loin.

— Il t'a vraiment raconté ce qu'il avait fait à Troy ?

— Oui.

— Pourquoi ?

— Pour la même raison qu'il avait gardé le morceau de corde, j'imagine. Par un excès de confiance dément, comment savoir ?

— Oui, sans doute. Mais pourquoi n'as-tu pas prévenu la police ?

— J'ai pensé à toi. Il risquait de m'arriver la même chose

— Qu'est-ce qu'il t'a dit exactement ?

— Il m'a avoué qu'il lui avait fait avaler des cachets, qu'il l'avait pendu à la poutre et laissé mourir.

— Continue.

— Il a dit...

Elle se tourna vers moi, puis regarda de nouveau droit devant elle.

— ... qu'il avait essayé de crier.
— Quoi ? suffoquai-je.
— Il a essayé de t'appeler.

J'avançais comme un automate, un pied devant l'autre. Comment pouvais-je continuer de marcher quand j'aurais dû me plier en deux et pleurer comme un bébé. Il m'avait appelée parce qu'il savait que je devais rentrer bientôt. Je le lui avais promis et il a dû se dire que j'arriverais à temps pour le détacher. Mais j'étais en retard.

— Ça va ? s'inquiéta Naomi.

J'acquiesçai misérablement.

— Je crois que ça lui appartenait, murmura Naomi en sortant un objet de sa poche.

C'était un bracelet de cuir avec trois perles en bois.

— C'était à lui ?

Je pris l'objet de ses mains.

— Oui. Il le portait depuis tout petit. Il l'avait acheté en Italie où nous étions en vacances avec toute la famille. C'est juste un souvenir bon marché.

Mais je le tins contre ma joue un long moment, puis le passai à mon poignet

— Ma voiture n'est pas loin, déclara Naomi.

Nous nous arrêtâmes pour nous regarder.

— Qu'est-ce que tu vas faire ? m'enquis-je.

Naomi inspecta les alentours comme si elle craignait que quelqu'un ne se cache derrière les roseaux.

— J'ai croisé son regard au tribunal quand j'ai

témoigné. Il me souriait. Un de ses plus jolis sourires. C'est là que j'ai su ce que je devais faire. Tout plaquer. Recommencer de zéro.

— C'est possible ?

— Pourquoi pas ? Je n'ai pas de famille. C'est peut-être pour ça que je suis tombée amoureuse de Brendan – je croyais que nous étions deux orphelins qui devions faire front ensemble contre le monde cruel.

Elle émit une sorte de rire désabusé, puis se secoua comme pour le chasser de sa tête.

— Il sera libéré un jour, et je sais qu'il me cherchera.

— Oui, mais pas avant longtemps.

— Combien d'années ?

— On lui a donné dix ans, ça veut dire qu'il sortira dans cinq ou six – tu peux parier qu'il sera un prisonnier modèle, il séduira tout le monde. Mais Pryor m'a assuré qu'ils allaient rouvrir les dossiers de Laura et de Troy, alors... Qui sait, il sera peut-être bouclé plus longtemps.

— Oui, mais rien n'est sûr.

— Où iras-tu ? demandai-je.

Elle me regarda d'un œil pénétrant, comme pour garder mon visage en mémoire.

— A l'étranger. Il vaut peut-être mieux que je ne te dise pas où.

— T'as peut-être raison.

— J'en suis sûre.

— Eh bien, bonne chance. Je penserai à toi.

— Qu'est-ce que tu vas faire ?

— Rien.

— Rien ?

— J'ai au moins six années devant moi. Je les vivrai jour après jour, et je vais essayer d'aimer aussi fort que j'ai haï. Après... nous verrons

— Oh, fit-elle d'une voix faible. Tu attends toujours ?

Je grimaçai. Mais au fond de moi, je savais qu'elle avait raison. J'attendais Brendan et lorsqu'il sortirait, je serais prête, tel un soldat qui sent son ennemi approcher, même dans son sommeil.

— Nous ne nous reverrons plus jamais, n'est-ce pas ?

— Je ne crois pas, déclara-t-elle.

— Dans ce cas, adieu !

Je lui souris pour la première fois. Nous nous serrâmes la main d'un même élan et nos regards se croisèrent sans ciller.

— On a sans doute mal fait, tu ne crois pas ? reprit-elle. Je m'imagine parfois en train de me justifier auprès des autres, et je ne suis pas sûre d'y parvenir, sauf...

— Pour sauver ta peau.

— Oui, c'est ça. Et toi ? Tu vas le dire à ton ami ?

— Don ? Je devrais, mais je ne le ferai pas. Il vaut mieux que je garde ça pour moi.

— Adieu, alors.

— Adieu.

Elle repartit par où elle était venue et je regardai sa silhouette diminuer, sans fin, puis se fondre à l'horizon. Je me mis en route à mon tour, face au vent coupant, traversai les marais lugubres sous les oiseaux qui décrivaient des cercles dans le ciel, retrouvai la vieille église et ma voiture.

J'empruntai de nouveau la route étroite qui menait à l'autoroute ; je regagnai la ville grouillante où ma vie m'attendait.

Je montai l'escalier et entrai.

— C'est moi ! lançai-je.

Je tendis l'oreille et répétai, pour être sûre :

— C'est moi !

— Tu m'as manqué.

— Eh bien, dis-je en l'embrassant, je suis de retour.

Troy chéri, je crois qu'il faut que je te laisse maintenant. Je ne sais pas comment je ferai sans toi, mais je vais essayer.

Je suis désolée.

Achevé d'imprimer par GGP Media GmbH, Pößneck
en Août 2006
pour le compte de France Loisirs,
Paris

Photocomposition C*MB* Graphic
44800 Saint-Herblain

N° d'éditeur : 46223
Dépôt légal : Août 2006
Imprimé en Allemagne